KATALOG DER DEUTSCHSPRACHIGEN ILLUSTRIERTEN HANDSCHRIFTEN DES MITTELALTERS

BAND 4/1

VERÖFFENTLICHUNGEN DER KOMMISSION FÜR DEUTSCHE LITERATUR DES MITTELALTERS DER BAYERISCHEN AKADEMIE DER WISSENSCHAFTEN

HERAUSGEGEBEN VON DER
KOMMISSION FÜR DEUTSCHE LITERATUR DES MITTELALTERS
DER BAYERISCHEN AKADEMIE DER WISSENSCHAFTEN

IN KOMMISSION BEIM VERLAG C. H. BECK MÜNCHEN
MÜNCHEN 2012

KATALOG DER DEUTSCHSPRACHIGEN ILLUSTRIERTEN HANDSCHRIFTEN DES MITTELALTERS

Begonnen von
HELLA FRÜHMORGEN-VOSS †
und NORBERT H. OTT

Band 4/1

Herausgegeben von
ULRIKE BODEMANN,
KRISTINA FREIENHAGEN-BAUMGARDT
und PETER SCHMIDT

27. Hugo Ripelin von Straßburg,
›Compendium theologicae veritatis‹, deutsch – 37. Fabeln

IN KOMMISSION BEIM VERLAG C. H. BECK MÜNCHEN
MÜNCHEN 2012

Erscheinungsdaten der Einzellieferungen:
Lieferung 1–2 (S. 1–192) 2008
Lieferung 3 (S. 193–393) 2012

Das Vorhaben »Deutsche Literatur des Mittelalters: Katalog der deutschsprachigen illustrierten Handschriften des Mittelalters« wurde im Rahmen des Akademienprogramms von der Bundesrepublik Deutschland und vom Freistaat Bayern gefördert.

Für zusätzliche Forschungsförderung danken wir der Fritz Thyssen Stiftung, Köln.

ISBN 978 3 7696 0947 9

Satz, Druck und Bindearbeiten: Friedrich Pustet, Regensburg

Printed in Germany

Inhalt

Katalog

Anhang

KATALOG

37. Fabeln

Bearbeitet von ULRIKE BODEMANN unter Mitarbeit von KRISTINA DOMANSKI

Wegweisend für den Weg der Fabel in die deutschsprachige Literatur des Mittelalters waren die unter dem Namen des legendären Gattungsstifters Aesop gesammelten antiken Korpora; Fabeln anderer Traditionen, insbesondere der indischen, fanden erst über Umwege Aufnahme in die abendländische Literatur (siehe Stoffgruppe 20. Anton von Pforr, ›Buch der Beispiele der alten Weisen‹). Im lateinischen Mittelalter verbreitet waren vor allem die aesopischen Sammlungen des Avian (42 Versfabeln, um 400 nach Christus; erhalten sind über 130 Handschriften, dazu mindestens noch einmal so viele bezeugt; vgl. MICHAEL BALDZUHN: Avian. In: [2]VL 11 [2004], Sp. 195–204) und mehrere unter dem Namen Romulus laufende Sammlungen (ursprünglich 98 Prosafabeln, 5. Jahrhundert), darunter besonders populär die im 12. Jahrhundert wiederum in metrische Form gebrachte Romulus-Sammlung des sogenannten Anonymus Neveleti (mindestens 200 Handschriften; vgl. GERD DICKE: Äsop. In: [2]VL 11 [2004], Sp. 141–163, bes. Sp. 146–150).

Illustrationen zu Fabeln sind in abendländischen Handschriften bereits des 10. Jahrhunderts zu finden: So gehen in dem in Süditalien entstandenen griechischen MS M. 397 der Morgan Library, New York (ehemals Grottaferrata A 33) Fabeln der indischen Tradition eine seltene Überlieferungsgemeinschaft mit aesopischen Fabeln ein, mit Bildern versehen sind allerdings nur die ›Bidpai-Fabeln‹ und das ›Leben Aesops‹, das dem aesopischen Fabelteil vorangestellt ist. In lateinischer Sprachtradition sind der ›Weißenburger Aesop‹ (Wolfenbüttel, Herzog August Bibliothek, Cod. Guelf. 148 Gud. lat., 10. Jahrhundert, ausgesparte Bildräume) und der ›Romulus des Ademar von Chabannes‹ (Leiden, Universiteitsbibliotheek, Cod. Voss. Lat. 8° 15, um 1030, Federzeichnungen) frühe Zeugnisse bebilderter bzw. zur Bebilderung vorgesehener Fabelsammlungen. Im Leidener Bilderzyklus meinte GEORG THIELE ([siehe unten: Literatur], S. 35; vgl. auch GOLDSCHMIDT [1947] S. 32) noch Spuren verlorener Romulus-Illustrationen des 5. Jahrhunderts identifizieren zu können. Unter den volkssprachigen Adaptationen ist der ›Esope‹ der Marie de France die erste Sammlung, die in bebilderten Handschriften vorliegt (Paris, Bibliothèque nationale, ms. fr. 2173 und ms. fr. 24428, beide 13. Jahrhundert).

Ikonographisch folgen Fabelbilder relativ unabhängig von der Herkunft des literarischen Stoffes einem recht einfachen Schematismus: Präsentiert werden über die Jahrhunderts hinweg stets die handlungstragenden Fabelprotagonisten, gegebenenfalls mit narrativ relevanten Requisiten, in dialogischem oder situationsadäquatem Gegenüber.

Zeugnis für den schon früh sehr hohen Bekanntheitsgrad von Fabelmotiven ist deren zitathafter Gebrauch in der darstellenden Kunst, zu der die Fabel aufgrund ihrer gattungskonstitutiven Bildlichkeit eine besondere Affinität besitzt. Bereits in antiken Bildzeugnissen belegt ist z. B. das Motiv vom Fuchs und vom Storch (vgl. EUGEN BORMANN / OTTO BENNDORF: Äsopische Fabel auf einem römischen Grabstein. Jahreshefte des Österreichischen Archivalischen Instituts in Wien 5 [1902], S. 1–13; LUIGI SAVIGNON: Antike Darstellungen einer Äsopischen Fabel. Ebd. 7 [1904], S. 72–81; FRIEDRICH IMHOOF-BLUMER / OTTO KELLER: Tier- und Planzenbilder auf Münzen und Gemmen des klassischen Altertums. Leipzig 1889, Taf. 6, Nr. 7; vgl. auch LÄMKE [siehe unten: Literatur] S. 70). Dank der Requisiten ist das Motiv stets recht eindeutig auf die aesopische Fabel vom Fuchs zurückzuführen, der den Storch zum Essen lädt und die Mahlzeit in böswilliger Absicht auf einem für den Gast äußerst ungünstigen flachen Teller serviert, woraufhin sich der Storch mit einer ganz ähnlich ausgehenden Gegeneinladung revanchiert. Nicht zuletzt wegen der Möglichkeit, die beiden Situationen fast symmetrisch und deshalb dekorativ einander gegenüberzustellen, bleibt dieses Thema das bis in die Neuzeit hinein in der bildenden Kunst am häufigsten zitierte Motiv aus der Fabelliteratur (vgl. LÄMKE S. 35, 67–71, nachzutragen wären zahlreiche weitere Belege, für das Mittelalter etwa aus der dekorativen Buchmalerei (z. B. LILIAN M. C. RANDALL: Images in the Margins of Gothic Manuscripts. Berkeley 1966, Taf. XXXVII, Abb. 176), aus der Bauplastik (z. B. VICTOR-HENRY DEBIDOU: Le Bestiaire sculpté du moyen âge en France. Paris 1961, Nr. 374–375) oder der Freskenmalerei (z. B. LEOPOLD KRETZENBACHER: Heilverkündigung und Tierfabel. Zu einem der Chorwandfresken von St. Georg in Rhäzüns. In: Festschrift für Robert Wildhaber. Hrsg. von WALTER ESCHER u. a. Basel / Bern 1973 [Schweizerisches Archiv für Volkskunde 68/69, 1972/73], S. 308–322, Abb. S. 769–771). Derartige Motivverwendungen funktionieren in der Regel unabhängig von einem konkreten schriftliterarischen Hintergrund. Selbst sequenzielle Bildzitate wie im Teppich von Bayeux (um 1070–80), in dessen Randleiste neben zahlreichen anderen Tierpaaren die aesopischen Motive von Fuchs und Rabe, Wolf und Lamm, Gebärender Hündin sowie Wolf und Kranich als »Verständnisrahmen« für das Hauptmotiv des Teppichs dienen könnten (vgl. zuletzt DANIEL TERKLA: Cut on the Norman Fabulous Borders and Visual Glosses in the Bayeux Tapestry. Word & Image 11 [1995] S. 264–290), beziehen sich nicht nachweisbar auf eine bestimmte, im zeitlichen Zusammenhang belegte Sammlung. Auch die Tatsache, daß sich Fabelmotive immer wieder mit Tier- oder Monstrenmotiven oft ungeklärter Herkunft mischen, deutet auf einen verselbständigten Bildgebrauch. So gerät auch das aesopische Motiv vom Fuchs und dem Storch in einer Reihe von Holzmiserikordien des 15. Jahrhunderts in eindeutig geistlichsatirischen, zuweilen derben Zusammenhang (LÄMKE S. 48 f., 70; vgl. auch ISABEL MATEO GOMEZ: Fabulas refranes y emblemas en las sillerias de coro goticas españolas. Archivo español de arte XLIX/194 [1976], S. 145–160).

In der deutschsprachigen Literatur werden Fabelmotive zunächst (seit dem 12. Jahrhundert) ebenfalls auf dem selektiven Weg des Zitats oder der Andeutung eingesetzt; besonders beliebt sind hierbei Motive aus dem Bereich der »verkehrten Welt« sowie Fabelstoffe, in denen der Fuchs oder der Wolf eine Rolle spielen – bei beidem läßt sich nicht immer eindeutig ausmachen, inwieweit eine Fabel in schriftlicher oder mündlicher Überlieferung, ein Tierepos (›Ecbasis captivi‹, ›Ysengrimus‹, ›Reinhart Fuchs‹) oder ganz andere Zusammenhänge motivgebend waren (zum Erzählstoff vom »geschundenen Wolf« aus dem Tierhoftagszusammenhang vgl. DICKE/GRUBMÜLLER [siehe unten: Literatur] Nr. 599, zu dessen bebilderter Überlieferung siehe Stoffgruppe 126. Tierdichtung). Dies gilt ebenso für die oft in satirischer Absicht verwendeten Hinweise auf Tiere mit menschlichen Attributen, etwa auf den Esel als Dudelsackspieler oder den Fuchs (oder Wolf) als Prediger (vgl. DICKE/GRUBMÜLLER Nr. 114 und Nr. 616).

Die Tradition antiker Sammlungen wird erst um 1300 mit Thomasin von Zerclaere und Hugo von Trimberg systematischer fortgeführt. In der handschriftlichen Überlieferung des ›Welschen Gastes‹ und des ›Renner‹ sind denn auch Bilder zu einzelnen Fabeln zu finden (siehe die Stoffgruppen 108 und 134). Mit dem ›Edelstein‹ Ulrich Boners liegt die erste planmäßig angelegte Autorsammlung aesopischer Fabeln in deutscher Sprache vor (Untergruppe 37.1.). Sie leitet eine Rezeptionswelle ein, in deren Folge im späten 14. und im 15. Jahrhundert diverse isolierte Neuübersetzungen aesopischer Kollektionen entstehen (ohne Bildüberlieferung) und schließlich Heinrich Steinhöwels ›Esopus‹ der Text- und Bildtradierung aesopischer Fabelsammlungen einen einzigartigen Schub versetzt. Der ›Esopus‹ strahlte, weil Steinhöwel den Buchdruck geschickt zu nutzen verstand, auf den gesamteuropäischen Raum aus, die Holzschnitte des Erstdrucks von 1476/77 (Ulm: Johann Zainer) wurden zum Grundstock für zahllose Bildzyklen weit über das 16. Jahrhundert hinaus, wirkten aber nur in einem Fall auf die Handschriftenproduktion zurück: Ms. 15 der James A. de Rothschild-Collection, Waddesdon (Ende 15. Jahrhundert) enthält den lateinischen Teil der Steinhöwel-Ausgabe mit herausragenden Kopien der Holzschnitte in Deckfarbenmalerei (L. M. J. DELAISSÉ / JAMES MARROW / JOHN DE WIT: The James A. de Rothschild Collection at Waddesdon Manor. Illuminated Manuscripts. Fribourg 1977, S. 297–323 mit Abb.). Hinzu treten Sammlungen, die in der Grundkonzeption ihrer Texte zwar dem aesopischen Muster ähneln, aber aus völlig anderen Traditionen stammen. Neben der Übersetzung des auf indisch-orientalischer Tradition basierenden ›Directorium vitae humanae‹ durch Anton von Pforr (siehe Stoffgruppe 20) werden dabei auch die »modernen« sogenannten Cyrillus-Fabeln ins Deutsche übertragen. Während dabei deren unikal überlieferte thüringische Übersetzung eine nur rudimentäre Bildbeigabe aufweist (Stoffgruppe 37.3.), zieht die Fassung Ulrichs von Pottenstein eine mit dem ›Edelstein‹ durchaus vergleichbare Überlieferung in bebilderten Handschriften nach sich (Stoffgruppe 37.2.).

Der deutschsprachige Raum stellt sich so im 15. Jahrhundert als äußerst variantenreiche »Fabellandschaft« dar (zu ergänzen wäre die hebräische Fabelsammlung ›Meshal ha-Kadmoni‹ des Isaak ben Salomon Sahula, von der vermutlich drei von sechs bebilderten Handschriften ebenfalls aus dem deutschen Sprachraum stammen, siehe unter Nr. 37.1.15.), wobei sich die im folgenden vorgestellten Sammlungen den oberdeutschen Rezeptionsraum teilen: Während der ›Edelstein‹ vornehmlich im alemannischen Sprachraum beheimatet bleibt, konzentriert sich die Überlieferung der Cyrillusfabeln auf den bairisch-österreichischen Raum.

Zur Ikonographie der Fabeln in den Handschriften beider Sammlungen stellen sich im wesentlichen zwei Fragen:

– die Frage nach möglichen Vorbildern für eine naturgetreue Darstellung der Protagonisten, insbesondere des oft sehr speziellen tierischen Fabelpersonals, das identifizierbar sein muß, damit ein Text-Bild-Bezug funktioniert. Da für Buchmaler und Zeichner des 15. Jahrhunderts Naturstudien nicht oder kaum vorauszusetzen sind, ist von einem Anknüpfen an vorhandene Bildtraditionen auszugehen; neben dem ›Livre de chasse‹ oder den ›Tacuinum sanitatis‹ (siehe unter Nr. 37.1.2. und Nr. 37.2.7.) könnten Werke wie der ›Physiologus‹ oder bebilderte Enzyklopädien (auch volkssprachige wie Konrads von Megenberg ›Buch der Natur‹) Anregungen gegeben haben.

– die Frage nach der Aussagekraft der Bebilderung für die mit der Fabel intendierte Belehrung. Zwar werden nichtmenschlichen Fabelprotagonisten in Bildern gelegentlich durch Attribute, durch Gestik oder Mimik menschliche Züge verliehen, doch zur Anwendung der Fabel auf menschliche Verhaltensweisen oder Handlungen tragen die beigegebenen Bilder nur ausnahmsweise bei (siehe unter Nr. 37.1.15.).

Literatur zur Überlieferung und zu den Illustrationen (allgemein):

Georg Thiele: Der illustrierte lateinische Äsopo in der Handschrift des Ademar. Leiden 1905 [Codices Graeci et Latini photographice depicti duce Scatone de Vries, Suppl. III]. – Dora Lämke: Mittelalterliche Tierfabeln und ihre Beziehung zur bildenden Kunst in Deutschland. Diss. Greifswald 1937 (Deutsches Werden. Greifswalder Forschungen zur Deutschen Geistesgeschichte 14). – Adolph Goldschmidt: An Early Manuscript of the Aesop Fables of Avianus and Related Manuscripts. Princeton 1947 [Studies in Manuscript Illumination 1]. – Klaus Grubmüller: Meister Esopus. Untersuchungen zu Geschichte und Funktion der Fabel im Mittelalter. München 1977 (MTU 56). – Dietmar Peil: Beobachtungen zum Verhältnis von Text und Bild in der Fabelillustration des Mittelalters und der frühen Neuzeit. In: Wolfgang Harms (Hrsg.): Text und Bild, Bild und Text. DFG-Symposion 1988. Stuttgart 1990 (Germanistische Symposion-Berichtsbände 11), S. 150–167. – Gerd Dicke / Klaus Grubmüller: Die Fabeln des Mittelalters und der frühen Neuzeit. Ein Katalog der deutschen Versionen und ihrer lateinischen Entsprechungen. München 1987. – Gerd Dicke: Heinrich Steinhöwels Esopus und seine Fortsetzer. Untersuchungen zu einem Bucherfolg der Frühdruckzeit. Tübingen 1994 (MTU 103). – Gerd Dicke: Die Fabeln Äsops in Mittelalter und früher Neuzeit. In: Von listigen Schakelen und törichten Kamelen. Die Fabel in Orient und Okzident. Hrsg. von Mamoun Fansa und Eckhard Grunewald. Wiesbaden 2008 (Schriftenreihe des Landesmuseums Natur und Mensch 62), S. 23–36.
Hinzuweisen ist auf die noch unpublizierte Dissertation von Kattrin Schlecht: Fabula in situ. Aesopische Fabelstoffe in Text, Bild und Gespräch. Diss. Fribourg i. Ü. 2010.

37.1. Ulrich Boner, ›Der Edelstein‹

Die dem Berner Patrizier Johann von Ringgenberg gewidmete Sammlung des Dominikaners Ulrich Boner enthält in ihrer umfangreichsten Redaktion 100 Fabeln; sie beruht in ihren wesentlichen Bestandteilen auf den Fabeln des Anonymus Neveleti (53 Fabeln) und denjenigen des Avian (elf Fabeln), hinzu treten weitere, vor allem novellistische Stücke, darunter einige, die zu den beliebtesten Erzählstoffen des Mittelalters gehören (etwa die vom Mann, seinem Sohn und dem Esel, Fabel Nr. 52; vgl. Nils-A. Bringéus: Asinus Vulgi oder die Erzählung von Vater, Sohn und Esel in der europäischen Bildtradition. In: Leander Petzoldt / Siegfried von Radewiltz: Der Dämon und sein Bild. Frankfurt 1989, S. 153–186). Diese Quellen harmonisierte Boner um 1349/50 zu einem einheitlichen Ganzen. Für Auswahl und Anordnung dürfte er bestimmte Planungskriterien zugrundegelegt haben: die Wahl der Hundertzahl, die Tendenz zur paarweisen Zusammenstellung von Fabeln, die sich in Personal oder Requisiten entsprechen, oder die Rahmung der Sammlung durch Pro- und Epilog sowie durch die titelgebende Eingangsfabel vom Hahn und vom Edelstein und die Schlußfabel *Von ansehunge des endes.* Diese konzeptionelle Planmäßigkeit tritt allerdings nur in der Vollversion der Sammlung (Bestandsklasse I: 100 Fabeln) zutage, die in keiner einzigen Handschrift mehr erhalten und ohnehin für lediglich eine Handschrift, das 1870 verbrannte Ms. A 87 aus der Straßburger Stadtbibliothek, sicher bezeugt ist (Bodemann / Dicke [siehe unten: Literatur] S. 444). Von 36 bekannten Handschriften (letzte Übersicht bei Bodemann/Dicke S. 429–436 und S. 467 f.) vertreten immerhin zwei, beide mit Bildern versehen, eine Variante dieser Vollversion (Bestandsklasse Ia), der fünf Fabeln zur Hundertzahl fehlen (siehe Nr. 37.1.2. Basel, Cod. AN III 17, Nr. 37.1.3. Bern, Mss.h.h.X.49); die übrigen Bestandsklassen zeichnen sich durch kleinere Sammlungsbestände (Bestandsklasse II und IIa: 86–90 Fabeln ohne Prolog, Bestandsklasse III: 84 Fabeln ohne Pro- und Epilog) und durch Varianten in der Anordnung der Fabeln aus (vgl. die bei Bodemann/ Dicke S. 446–449 tabellarisch erfaßten Bestandsvarianten; ergänzend dazu ist die umgekehrte Reihenfolge der Fabeln 77 und 78 in den Handschriften Frauenfeld, Cod. Y 22, Heidelberg, Cod. Pal. germ. 314 und St. Gallen, Cod. 643 [Nr. 37.1.7., 37.1.9. und 37.1.17.] zu nennen). Wie sich diese Bestandsklassen entstehungsgeschichtlich zueinander verhalten, ob die Vollversion die im Laufe der Überlieferung immer stärker reduzierte Originalfassung ist oder ob sie ein Ergebnis (von mehreren) eines zuvor schon in »Vorversionen« kursierenden Sammelvorgangs ist, bleibt bis heute offen. Zur Klärung dieser Frage liefert auch die Bildausstattung der Handschriften keine wesentlichen Anhaltspunkte. Von 32 Handschriften, die die Fabeln im Sammlungskontext zwischen 1411 (ehem. Straßburg, Stadtbibliothek, Ms. B 94, nicht illustriert) und 1492 (Wolfenbüttel, Cod. Guelf. 69.12 Aug 2°, siehe Nr. 37.1.22.) überliefern – hinzu kommen vier Handschriften, die Einzelfabeln separat und ohne Bildbeigaben enthalten –, sind 23 bebildert bzw. für eine Bildausstattung vorbereitet. Dabei sind alle Bestandsklassen gleichmäßig und nahezu unterschiedslos vertreten. Nahezu regelhaft werden zu Fabeln mit wechselnden Szenarien mehrere Motive als Bildgegenstände ausgewählt (mindestens zu Nr. 37. Fuchs und Storch, Nr. 47. Löwe und Hirte, Nr. 51. Pferd und Esel, Nr. 52. Mann, Sohn und Esel). Einzig in der Baseler und der Berner Handschrift wird durch konsequente Nutzung einer kontinuierenden Darstellungsweise, die es zuläßt, mehrere Bildszenen innerhalb einer Bildeinheit zu präsentieren, das 1:1-Prinzip (zu jeder Fabel genau eine Bildbeigabe) aufrechterhalten. Diese Konsequenz entspricht signifikant der Planmäßigkeit des Sammlungsaufbaus der Bestandsklasse I, der beide Handschriften eingeschränkt (siehe oben) zugehören. In den übrigen Handschriften werden in unterschiedlicher Häufung mehrere Bilder in den jeweiligen Fabeltext eingefügt, was die signalhafte Wirkung des Einzelbildes zugunsten einer ansatzweise narrativen Bildfunktion zurücktreten läßt.

Nach der Übernahme in den Druck (1461, siehe Nr. 37.1.a.) entstanden kaum noch Bilderzyklen, obwohl weiterhin Handschriften produziert und einige auch zur Bebilderung vorbereitet wurden. Das Bildprogramm der Inkunabel, das wegen deren druckgeschichtlicher Bedeutung in Untersuchungen zu Boners ›Edelstein‹ stets besonders im Focus stand, scheint also auf den zuvor der handschriftlichen Überlieferung abzulesenden Bilderzwang eher dämpfend gewirkt haben. Lediglich drei oder vier ausgeführte Bilderzyklen dürften jünger sein als der Druck: St. Gallen, Stiftsbibliothek, Cod. 643 (Nr. 37.1.17.), ist nicht genau datierbar und ein unauffälliges Text- und Bildzeugnis; Bern, Mss.h.h.X.49 (Nr. 37.1.3.) greift auf eine deutlich ältere Vorlage zurück, die bereits der Maler der Basler Handschrift benutzte; Wien, Cod. 2933 (Nr. 37.1.19.) ist das Werk für den Eigengebrauch eines eher dilettantischen Kopisten, des einzigen aber, der die Fabeln außerhalb des alemannisch-bairischen Sprachraums adaptierte und in nur grober Kenntnis der Überlieferung bebilderte; nur Wolfenbüttel, Cod. 69.12 Aug. 2° (Nr. 37.1.22.) zeigt sowohl stilistische und als auch motivische Nähe zum Bamberger Druck. Das Innovative des Inkunabeldrucks allerdings wird auch im Wolfenbütteler Codex nicht aufgenommen: Die Kombination jedes (in der Motivwahl meist konventionellen) gedruckten Fabelbildes mit einem separaten Bild, das in serieller Wiederholung einen den Fabeltext und seine Lehre an ein gedachtes Publikum vermittelnden Erzähler darstellt und so jede einzelne Fabel auf ihre Urfunktion als mündliches Redeelement zurückführt, bleibt einzigartig. Statt ihrer wird die ältere Konvention fortgeführt, bisweilen die sagenhafte Figur des Gattungsstifters Aesop selbst oder auch dessen Nachdichter ins Bild zu setzen. Autorbilder, wie sie sich in der lateinischen Fabelüberlieferung sehr früh (z. B. in der Avian-Handschrift Paris, Ms. nouv. acq. lat. 1132 [Dedikationsbild: Avian und Theodosius], 10./11. Jahrhundert) und auch im 15. Jahrhundert (z. B. in der Anonymus Neveleti-Handschrift Weimar, Herzogin Anna Amalia Bibliothek, Ms. Q 93/1 [historisierte Initiale: Aesopbildnis, ca. 1450] finden, wird dezidiert auch in der ›Edelstein‹-Handschrift Cgm 3974 (Nr. 37.1.15.) und, das Erzählermotiv ergänzend, selbst im Druck (Nr. 37.1.a.) aufgegriffen.

Edition:

Franz Pfeiffer (Hrsg.): Der Edelstein von Ulrich Boner. Leipzig 1844 (Dichtungen des Deutschen Mittelalters 4). Neuedition in Vorbereitung (Gerd Dicke, Eichstätt).

Literatur zur Überlieferung und zu den Illustrationen.

Der Edelstein. Faksimile der ersten Druckausgabe Bamberg 1461. 16.1 Eth. 2 der Herzog August Bibliothek Wolfenbüttel. 2 Bde. [Kommentarband von Doris Fouquet]. Stuttgart 1972. – Klaus Grubmüller: Elemente einer literarischen Gebrauchssituation. Zur Rezeption der aesopischen Fabel im 15. Jahrhundert. In: Würzburger Prosastudien II. Kurt Ruh zum 60. Geburtstag hrsg. von Peter Kesting. München 1975 (Medium Aevum 31), S. 139–159. – Ulrike Bodemann / Gerd Dicke: Grundzüge einer Überlieferungs- und Textgeschichte von Boners ›Edelstein‹. In: Deutsche Handschriften 1100 – 1400. Oxforder Kolloquium 1985. Hrsg. von Volker Honemann und Nigel F. Palmer. Tübingen 1988, S. 424–468. – Sabine Obermaier: Zum Verhältnis von Titelbild und Textprogramm in deutschsprachigen Fabelbüchern des späten Mittelalters und der frühen Neuzeit. Gutenberg-Jahrbuch 77 (2002), S. 63–75. – Sabine Häussermann: Wissensvermittlung im Bild. Anmerkung zu Boners ›Edelstein‹. In: Wissenswelten. Perspektiven der neuzeitlichen Informationskultur. Hrsg. von Wolfgang E. J. Weber. Augsburg 2003 (Mitteilungen des Instituts für Europäische Kulturgeschichte der Universität Augsburg, Sonderheft), S. 94–113. – Marion Wagner: Der sagenhafte Gattungsstifter im Bild. Formen figurierter Autorschaft in illustrierten Fabelsammlungen des 15. Jahrhunderts. In: Frühmittelalterliche Studien 37 (2003), S. 385–433. – Sabine Häussermann: Die Bamberger Pfisterdrucke. Frühe Inkunabelillustration und Medienwandel. Berlin 2008 (Neue Forschungen zur deutschen Kunst 9).

Bildthemen und -stellenübersicht: Ulrich Boner, ›Der Edelstein‹

Die anschließende Tabelle verzeichnet die Blatt- bzw. Seitenangaben der Illustrationen in ihrer Zuordnung zu den jeweiligen Fabeltexten und Handschriften. Die Handschriften sind den Bestandsklassen zugeordnet (I[a] – III, dazu Handschriften, die nicht zuzuordnen sind), innerhalb dieser in einer der Katalognummerierung entsprechenden alphabetischer Folge (die Drucke in Spalte IIa sind aus Gründen der Übersichtlichkeit gemeinsam gelistet und vorangestellt).

Legende zur Tabellenzeilenfüllung:

–	kein Bild vorgesehen
( )	Bild vorgesehen, nicht ausgeführt
( )?	Bildfreiraum nicht eindeutig zuzuordnen
Hellgraue Füllung	Bild fehlt wegen Blattverlusts
Dunkelgraue Füllung	Bild fehlt wegen reduzierten Textbestands
Fettdruck	gruppenspezifische Sonderposition der Fabel im Sammlungskontext

Bestandsklasse	Ia		II		IIa			III		
Fabel	37.1.2. Basel (B)	37.1.3. Bern (Bn)	37.1.12. Karlsruhe Ett. 30 (K1)	37.1.22. Wolfenbüttel 69.12 Aug. 2° (W3)	37.1.a./ b. Drucke (b1/b2)	37.1.19. Wien 2933 (Wi)	37.1.20. Wolfenbüttel 2.4 Aug. 2° (W1)	37.1.1. Augsburg (A)	37.1.5. Dresden (Dr)	37.1.7. Frauenfeld (Fr)
Prolog										
1. Hahn und Perle			(1^{v})				**49vb**			
2. Affe und Nuß			(3^{r})	–	1^{r}/2^{r}		15ra	1^{r}	103ra	
3. Jäger und Tiger			(4^{r})	2^{r}	1^{v}/2^{v}		15rb	4^{r}	103rb	
4. Baum auf dem Berg			**(9^{r})**	**8^{v}**	**5^{r}/5^{v}**	**4^{r}**	**16va**	**8^{v}**	**105va**	**(9^{v})**
5. Wolf und Schaf am Wasser			**(10^{r})**	**9^{v}**	**6^{r}/6^{r}**	**4^{v}**	**16vb**	**9^{v}**	**106ra**	**(10^{v})**
6. Frosch und Maus	46^{r}		**(5^{v})**	**3^{v}**	**2^{v}/3^{v}**	**1^{v}**	**15vb**	**5^{r}**	**103vb**	**(5^{r})**
7. Hund und Schaf	46^{v}		–	**4^{v}**	**3^{v}/4^{r}**	**2^{v}**	**16ra**	**5^{v}**	**104rb**	**(6^{r})**
8. Löwenanteil	47^{r}		**(11^{r})**		**7^{r}/7^{r}**	**9^{v}**	**17ra**	**10^{v}**	**106rb**	**(12^{r})**
9. Hund am Wasser			**(7^{r})**	**6^{r}**	**4^{v}/5^{r}**		**16rb**	**6^{v}**	**104va**	**(7^{r})?**
10. Hochzeit der Sonne			**(12^{r})**		**7^{v}/7^{v}**	**5^{r}**	**17rb**	**11^{v}**	**106vb**	**(13^{r})**
11. Wolf und Kranich 1	48^{r}		**(12^{v})**	**11^{r}**	**8^{v}/8^{v}**	**8^{r}**	**17va**	**2^{r}**	**107ra**	**(14^{r})**
11. Wolf und Kranich 2	–		–	–	–	–	–	–	**107rb**	–
12. Hund und Hündin	49^{r}		**(8^{r})**	**7^{r}**			**48rb**	**7^{v}**	**105ra**	**(8^{r})?**
13. Schlange im Haus	49^{v}		(14^{r})	13^{v}	9^{v}/9^{r}	10^{v}	18ra	3^{r}	107vb	(15^{r})?
14. Esel und Löwe			(15^{r})		10^{r}/10^{r}	11^{v}	18rb	12^{r}	108ra	(16^{r})
15. Feldmaus und Stadtmaus			(15^{v})	14^{v}	10^{v}/10^{v}	12^{r}	18va	12^{v}	108vb	(17^{r})
16. Fuchs und Adler	50^{v}		(17^{r})		11^{v}/11^{r}	13^{v}	18vb	14^{r}	109ra	(18^{v})
17. Adler und Schnecke	51^{r}		(18^{r})	16^{r}	12^{v}/12^{r}	14^{v}	19ra	15^{r}	109va	(20^{v})
18. Fuchs und Rabe	52^{r}		(18^{v})	17^{v}		**5^{v}**	**47vb**	15^{v}	109vb	(19^{v})
19. Alt gewordener Löwe	52^{v}		(19^{v})	18^{v}	–/12^{v}	15^{v}	19va o	16^{v}	110rb	(21^{v})
20. Schmeichelnder Esel	53^{r}		(20^{v})	19^{v}	13^{v}/13^{r}		19va u	17^{v}	110va	(22^{v})
21. Löwe und Maus 1	54^{r}		(21^{v})	21^{r}	14^{v}/14^{r}	16^{v}	20ra	18^{v}	111ra	(23^{v})
21. Löwe und Maus 2	–		–	–	–	–	–	–	–	–
22. Kranker Weih	54^{v}		(22^{v})	22^{r}	15^{v}/15^{r}	18^{r}	20rb	19^{v}	111va	(24^{v})?
23. Schwalbe und Hanf 1	55^{v}		(23^{v})	23^{v}	16^{v}/15^{v}	19^{v}	20vb	20^{v}	112ra	(26^{r})
23. Schwalbe und Hanf 2	–		–	–	–	–	–	–	–	–
24. Königswahl der Athener	56^{r}	S. 2	(24^{v})	24^{v}	17^{v}/16^{v}		21ra	21^{v}	112va	(27^{r})
25. Königswahl der Frösche 1	57^{r}	S. 4	(25^{v})	26^{r}	18^{r}/17^{r}	20^{v}	21rb	22^{v}	112vb	(28^{r})
25. Königswahl der Frösche 2	–	–	–	27^{r}	19^{r}/17^{v}	–	–	–	–	–
26. Weih und Tauben	57^{v}	S. 7	(27^{r})	27^{v}	19^{v}/18^{r}	22^{r}	21vb	23^{v}	113rb	(29^{r})
27. Hund und Dieb		S. 9	(27^{v})	28^{v}	23^{v}/21^{v}	23^{r}	22ra	24^{v}	113vb	(30^{r})
28. Wolf und gebärendes Schwein			(28^{v})	29^{v}	24^{r}/22^{v}		22rb	25^{r}	114ra	(31^{r})
29. Schwangerer Berg		S. 10	(29^{r})	30^{v}	25^{r}/23^{r}	24^{r}	22va	26^{r}	114rb	(31^{v})
30. Lamm und Wolf	1^{r}	S. 12	(30^{r})	31^{v}	25^{v}/23^{v}	25^{r}	22vb	26^{v}	114va	(32^{v})
31. Alter Hund		S. 14	(30^{v})	32^{v}	26^{v}/24^{r}	26^{r}	23ra	27^{v}	115ra	(33^{r})
32. Jäger und Hase		S. 15	(31^{v})		**21^{r}/19^{v}**	27^{r}	23rb	28^{r}	115rb	(34^{r})
33. Geiß und Wolf	2^{r}	S. 17	(32^{v})	33^{r}	**20^{r}/18^{v}**	28^{r}	23va	29^{r}	115vb	(35^{r})
34. Verwundete Schlange	3^{r}	S. 19	(33^{v})	34^{r}	**21^{v}/20^{r}**	29^{r}	24ra	30^{r}	116ra	(36^{r})
35. Wolf, Schaf und Hirsch	3^{v}	S. 21	(34^{v})	35^{r}	**22^{v}/20^{v}**		24rb	31^{r}	116va	(37^{r})
36. Fliege und Kahlkopf	4^{v}	S. 24	(35^{v})	36^{v}	31^{r}/28^{v}	31^{r}	24va	32^{r}	117ra	(38^{r})
37. Fuchs und Storch 1	5^{r}	S. 26	(36^{v})	37^{v}			**48va**	32^{v}	117rb	(39^{r})
37. Fuchs und Storch 2	–	–	–	–			**48vb**	33^{r}	117va	(39^{v})
38. Wolf und Menschenbild	6^{r}	S. 28	(37^{v})		31^{v}/29^{r}	32^{r}	24vb	34^{r}	117vb	(40^{r})
39. Krähe mit Pfauenfedern	6^{v}	S. 30	(38^{v})		32^{v}/29^{v}	33^{v}	25rb	35^{r}	118rb	(41^{r})?
40. Maulesel und Bremse	7^{v}	S. 32	(39^{v})		33^{v}/30^{v}	34^{v}	25va	36^{r}	118vb	(42^{r})?

											Weitere	
37.1.8. Heidelberg Cpg 86 (H1)	37.1.9. Heidelberg Cpg 314 (H2)	37.1.10. Heidelberg Cpg 794 (H4)	37.1.11. Karlsruhe Donauesch. (D)	37.1.13. Karlsruhe Ett. 37 (K2)	37.1.14. München Cgm 576 (M2)	37.1.15. München Cgm 3974 (M4)	37.1.16. München Clm 4409 (M1)	37.1.17. St. Gallen 643 (SG 1)	37.1.21. Wolfenbüttel 3.2 Aug. 4° (W2)	37.1.23. Wolfenbüttel 76.3 Aug. 2° (W4)	37.1.4. Cologny Genève (G)	37.1.6. Frankfurt (F)
				–								
				(85^{v})								
1^{r}	2rb			(87^{r})	1^{r}	124^{r}			(26^{r})		(8^{v})	199^{r}
2^{r}	1rb			(88^{r})	1^{v}	124^{v}			(26^{v})		(10^{r})	199^{v}
7^{v}	**4rb**			**(94^{v})**	**7^{r}**	**129^{v}**		**S. 2a**	**(31^{v})**		(17^{r})	**203^{r}**
8^{v}	**4vb**			**(95^{v})**	**8^{r}**	**130^{v}**	**88^{r}**		**(33^{r})**		**(18^{v})**	
3^{v}	**2ra**			**(89^{v})**	**3^{r}**	**125^{v}**	**90^{r}**		**(28^{r})**		**(12^{r})**	**201^{r}**
4^{v}	**2vb**			**(90^{v})**	**4^{r}**	**126^{v}**	**91^{v}**		**(28^{v})**		**(13^{v})**	**201^{v}**
9^{v}	**5rb**	80^{r}		**(97^{r})**	**9^{r}**	**131^{v}**	**97^{v}**		**(34^{r})**		**(20^{r})**	
5^{v}	**3rb**			**(92^{r})**	**5^{r}**	**127^{v}**	**93^{r}**		**(29^{v})**		**(14^{v})**	**202^{v}**
10^{v}	**5va**			**(98^{r})**	10^{r}	**132^{v}**	**94^{r}**	**S. 5a**	**(35^{r})**		**(21^{r})**	
(11^{v})	**5vb**			**(99^{r})**	10^{v}	**133^{r}**	**95^{v}**	**S. 6a**	**(36^{r})**		**(22^{r})**	
–	**5vb**			–	–	–	**96^{r}**	–	–		–	
6^{v}	**3vb**			**(93^{r})**	**6^{r}**	**128^{v}**	**99^{r}**	**S. 1a**	**(30^{v})**		**(16^{r})**	
(13^{r})	6rb			(100^{v})	12^{r}	134^{r}	100^{v}/101^{r}	S. 7a	(37^{r})	(1^{r})	(23^{v})	
(14^{r})	6va			(101^{v})	12^{v}	135^{r}	102^{r}	S. 8a	(38^{r})	1^{v}	(24^{v})	
(15^{r})	7ra			(102^{v})	13^{v}	135^{v}	103^{v}	S. 8b	(38^{v})	2^{v}	(25^{v})	
(16^{v})	7va			(104^{r})	14^{v}	137^{r}	105^{v}	S. 10a	(40^{r})	4^{r}	(27^{r})	204^{r}
(17^{v})	8ra	1^{v}		(105^{r})	15^{v}	138^{r}	107^{r}	S. 11a	(41^{r})	5^{r}	(28^{v})	
(18^{v})	8va	2^{v}		(106^{r})	16^{r}	139^{r}	108^{v}	S. 12a	(41^{v})	5^{v}	(30^{v})	
(19^{v})	9ra	3^{v}		(107^{r})	17^{r}	139^{v}	109^{v}	S. 12b	(42^{v})	6^{v}	(31^{v})	205^{r}
(20^{v})	9rb	4^{r}		(108^{r})	(18^{r})	140^{v}	111^{r}	S. 13b	(43^{r})	7^{v}	(32^{v})	205^{v}
(21^{v})	10ra	5^{r}		(109^{v})	(19^{r})	141^{v}	112^{v}	S. 14b	(44^{r})	8^{v}	(34^{r})	207^{v}
–	–	–		(110^{v})	–	–	113^{v}	–	–	–	–	–
(23^{r})	10va	6^{r}		(111^{r})	(20^{r})	142^{v}	115^{r}	S. 15b	(45^{r})	10^{r}	(35^{r})	
(24^{v})	11ra	7^{v}		(112^{v})	(21^{r})	143^{v}	116^{r}	S. 16b	(46^{v})	11^{r}	(36^{v})	206^{v}
–	–	–		–	–	144^{r}	–	–	–	–	–	–
(25^{v})	11va			(113^{v})	(22^{r})	144^{v}	117^{v}		(47^{r})	12^{r}	(38^{r})	
(26^{v})	12ra	8^{v}		(115^{r})	(23^{r})	145^{v}	119^{r}		(48^{r})	13^{r}	(39^{r})	
(27^{v})	–	9^{r}		–	–	146^{r}	–		–	–	–	
(28^{r})	12vb	9^{v}		(116^{v})	(24^{r})	146^{v}/147^{r}	121^{r}		(49^{r})	14^{v}	(40^{v})	
(29^{r})	13ra			(117^{v})	(24^{v})	147^{v}	123^{v}	S. 17a	(50^{r})	15^{r}	(42^{r})	208^{v}
(30^{r})	13va			(118^{v})	(25^{v})	155^{v}[148^{v}]	124^{v}	S. 18a	(50^{v})	16^{r}	(43^{r})	
(31^{r})	14ra			(119^{v})	(26^{r})	154^{r}[149^{r}]	125^{v}	S. 18b	(51^{v})	17^{r}		
(32^{r})	14rb			(120^{r})	(27^{r})	150^{r}	126^{v}	S. 19a		17^{v}	(45^{v})	209^{v}
(33^{r})	14vb	10^{v}		(121^{r})	(27^{v})	150^{v}	127^{v}	S. 20a	(52^{r})	18^{v}	(46^{v})	210^{v}
(34^{r})	15rb	11^{v}		(122^{v})	(28^{v})	151^{v}	129^{r}	S. 21a	(52^{v})	19^{v}	(48^{v})	
(35^{r})	15vb	12^{r}		(123^{v})	(29^{v})	152^{v}	130^{r}	S. 21b	(53^{v})	20^{r}	(49^{v})	211^{r}
(36^{v})	16rb	13^{r}		(124^{v})	(30^{r})	153^{r}	131^{r}	S. 22b	(54^{r})	21^{r}	(51^{r})	
(37^{v})	16vb	14^{r}		–	(31^{r})	149^{r}[154^{r}]	132^{r}	S. 23b	(55^{r})	22^{r}	(52^{r})	212^{r}
(39^{r})	17rb	15^{r}		(127^{r})	(32^{r})	148^{r}[155^{r}]		S. 24b		23^{v}	(54^{v})	213^{r}
(40^{r})	17vb	16^{r}		(128^{r})	(33^{r})	156^{r}		S. 25a		24^{v}	(55^{r})	
(40^{v})	18ra	16^{v}		(129^{r})	(33^{v})	156^{v}		S. 26a	(56^{r})	25^{r}	–	
(41^{v})	18rb	17^{r}		(130^{r})	(34^{r})	157^{r}		S. 26b	(56^{v})	25^{v}	(56^{r})	
(42^{v})	18vb	18^{r}		(131^{r})		158^{r}		S. 27b	(57^{v})	26^{v}	(57^{r})	
(44^{r})	19rb	19^{r}		(132^{v})	(35^{r})	159^{r}		S. 28b	(58^{r})	27^{v}	(59^{r})	

Bestandsklasse	Ia		II		IIa			III		
Fabel	37.1.2. Basel (B)	37.1.3. Bern (Bn)	37.1.12. Karlsruhe Ett. 30 (K1)	37.1.22. Wolfenbüttel 69.12 Aug. 2° (W3)	37.1.a./ b. Drucke (b1/b2)	37.1.19. Wien 2933 (Wi)	37.1.20. Wolfenbüttel 2.4 Aug. 2° (W1)	37.1.1. Augsburg (A)	37.1.5. Dresden (Dr)	37.1.7. Frauenfeld (Fr)
41. Fliege und Ameise	8^{r}	S. 34	(40^{v})		$27^{r}/25^{r}$	35^{v}	25vb	36^{v}	119ra	(43^{r})
42. Ameise und Heuschreck		S. 37	(41^{v})	38^{v}	$28^{v}/26^{r}$	37^{v}	26rb	38^{r}	119vb	(44^{v})
43. Maus und ihre Kinder 1		S. 40	(43^{r})		$29^{v}/27^{r}$	39^{r}	26va	39^{r}	120rb	(46^{r})
43. Maus und ihre Kinder 2		–	–		$30^{r}/27^{v}$	40^{r}	–	–	–	(46^{v})?
44. Streit der Tiere und Vögel 1		S. 44	(44^{v})		$34^{v}/31^{r}$	41^{r}	27rb	41^{r}	121^{ra-b}	(48^{r})
44. Streit der Tiere und Vögel 2			–		–	42^{r}		–	–	–
45. Gefangenes Wiesel	9^{v}	S. 47	(45^{v})	41^{r}	$35^{r}/32^{r}$	42^{v}	27va	42^{r}	121vb	(49^{r})?
46. Frosch und Ochse	10^{r}	S. 49	(46^{v})	40^{r}	$36^{r}/32^{v}$	43^{v}	27vb	43^{r}	122ra	(50^{r})
47. Löwe und Hirte 1	11^{r}	S. 51	(47^{v})		$37^{r}/33^{v}$	44^{v}	28rb	44^{r}	122va	(51^{r})
47. Löwe und Hirte 2	–	–	–	42^{r}	$38^{r}/34^{r}$	46^{v}	28va	45^{v}	123rb	–
48. Fieber und Floh 1		S. 55					**49ra**	46^{v}	123va	
48. Fieber und Floh 2		–		44^{r}			–	47^{v}	124ra	
48. Fieber und Floh 3		–		–			–	–	–	
49. Habicht und Krähe 1	12^{v}	S. 63	(49^{v})		$38^{v}/35^{r}$	47^{r}	29ra	49^{r}	124vb	**(54^{v})**
49. Habicht und Krähe 2	–	–	–		–	–	–	–	–	**(55^{v})**
50. Löwe und Pferd	13^{av}	S. 67	(51^{r})	46^{r}	$40^{r}/36^{r}$		29va	50^{v}	125va	**(53^{r})**
51. Pferd und Esel 1	13^{bv}	S. 70	–	47^{v}	$41^{r}/37^{r}$	50^{r}	30ra	51^{v}	126ra	(56^{r})
51. Pferd und Esel 2	–	–	–	48^{v}	$42^{r}/37^{v}$	50^{v}	–	52^{v}	126va	(57^{r})?
52. Mann, Sohn und Esel 1		–	(53^{v})		$42^{v}/38^{v}$ o	51^{v}	30^{va-b} (1)	56^{r}	126vb	(57^{v})
52. Mann, Sohn und Esel 2		–	(54^{v})		43^{r}o/38^{v}u	52^{r}	30^{va-b} (2)	56^{r}	127ra	(58^{r})
52. Mann, Sohn und Esel 3		S. 73	–		43^{r} u/39^{r}	52^{v}	30^{va-b} (3)	54^{r} o	127rb	(58^{v})
52. Mann, Sohn und Esel 4		–	–		$43^{v}/39^{v}$ o	53^{v} o	30^{va-b} (4)	54^{r} u	127va	(59^{r})
52. Mann, Sohn und Esel 5		–	–		$44^{r}/39^{v}$ u	53^{v} u	30vb u	54^{v}	127vb	–
53. Geschundener Esel 1	14^{v}	S. 77	(55^{v})	49^{v}	$45^{r}/40^{v}$	54^{r}	31ra	55^{v}	128ra	(60^{r})
53. Geschundener Esel 2	–	–	–	–	–	55^{r}	–	–	–	–
54. Nachtigall und Sperber			(57^{r})				**50ra**			
55. Wolf und Fuchs 1	15^{v}	S. 80	(58^{r})	51^{v}	$46^{r}/41^{v}$	55^{v} + 57^{r}	31va	57^{r}	128vb	(61^{v})
55. Wolf und Fuchs 2	–	–	–		–	–	–	–	–	–
56. Hirsch und Jäger			(59^{r})				**50rb**			
57. Frau und Dieb 1 (Klage)	16^{r}	S. 83	(60^{r})	53^{r}	$47^{r}/42^{v}$	–	32ra (1)	58^{r}	129rb	–
57. Frau und Dieb 2 (Galgenwächter)	–	–	–	–	–		–	59^{v}	–	–
57. Frau und Dieb 3 (Beischlaf)	–	–	–	54^{v}	$48^{r}/43^{r}$		–	–	–	–
57. Frau und Dieb 4 (neu Gehängter)	–	–	–		$48^{v}/43^{v}$		32ra (2)	60^{r}	130^{r}	(63^{r})
58. Drei Römische Witwen 1	17^{v}	S. 88	(61^{v})	55^{v}	$49^{r}/44^{r}$		32vb	60^{v}	131ra	(65^{r})
58. Drei Römische Witwen 2	–	–	–	56^{r}	– /44^{v}		–	61^{r}	131va	–
58. Drei Römische Witwen 3	–	–	–	56^{v} (+ 57^{r})	– /45^{r}	58^{r}	–	61^{v}	131vb	–
59. Hund und Wolf	18^{v}	S. 92	(63^{r})							
60. Magen und Glieder	19^{v}	S. 95	(64^{v})	57^{v}	$50^{v}/45^{v}$	58^{v}	33rb	62^{v}	132ra	(67^{r})
61. Jude und Schenk 1	**28^{v}**	**S. 157**	(65^{v})		$51^{v}/46^{v}$		33va	63^{v}	132va	(68^{r})
61. Jude und Schenk 2	–	–	–	58^{r}	$52^{r}/47^{r}$		–	–	133ra	–
61. Jude und Schenk 3	–	–	–	–	–		–	64^{r}	–	–
62. Amtmann und Ritter 1	–	–	(67^{r})	58^{v}	$52^{v}/47^{v}$		34ra	65^{r}	133rb	–
62. Amtmann und Ritter 2	20^{r}	S. 97	–		$53^{v}/48^{r}$		–	67^{r}	133vb	(69^{v})
63. Frau und Wolf	21^{r}		(68^{v})		$54^{r}/49^{r}$	59^{r}	34va	67^{v}	134ra	(71^{v})
64. Schnecke und Adler		S. 101					**50vb**			
65. Krebs und sein Sohn		S. 104	(69^{v})		$55^{r}/49^{v}$		34vb	66^{v}	134va	(72^{v})

37.1.8. Heidelberg Cpg 86 (H1)	37.1.9. Heidelberg Cpg 314 (H2)	37.1.10. Heidelberg Cpg 794 (H4)	37.1.11. Karlsruhe Donauesch. (D)	37.1.13. Karlsruhe Ett. 37 (K2)	37.1.14. München Cgm 576 (M2)	37.1.15. München Cgm 3974 (M4)	37.1.16. München Clm 4409 (M1)	37.1.17. St. Gallen 643 (SG 1)	37.1.21. Wolfenbüttel 3.2 Aug. 4° (W2)	37.1.23. Wolfenbüttel 76.3 Aug. 2° (W4)	Weitere: 37.1.4. Cologny Genève (G)	Weitere: 37.1.6. Frankfurt (F)
(45^{r})	20ra	20^{r}		(133^{v})	(36^{r})	160^{r}		S. 29a		28^{v}	(59^{v})	
(46^{v})	20va	21^{r}		(135^{v})	(37^{r})	161^{r}		S. 30b		30^{r}	(61^{r})	
(48^{r})	21rb	22^{v}		(137^{r})	(38^{v})	162^{r}		S. 31b		31^{v}	(62^{v})	213^{v}
(49^{r})	–	23^{r}		–	(39^{v})	163^{r}		–		–	–	–
(50^{v})	22rb	24^{r}		(138^{r})	(40^{r})	163^{v}		S. 33b		33^{v}	(65^{r})	
–	–	–		(139^{v})	–	164^{r}		–		–		
(51^{v})	22vb	25^{r}		(141^{r})	(41^{r})	165^{r}		S. 34b		34^{v}		
(53^{r})	23rb	26^{r}		(142^{r})	(42^{r})	165^{v}		S. 35b		35^{v}		
(54^{r})	23vb	27^{r}		(143^{v})	(43^{r})	166^{v}/167^{r}		S. 36b		37^{r}		215^{v}
(56^{r})	–	28^{v}		(145^{r})	(44^{v})	168^{r}		S. 38a		38^{v}		216^{v}
(57^{r})	25ra	29^{v}		(146^{r})	(45^{v})	168^{v}/169^{r}		S. 38b		39^{r}	(71^{v})	
(58^{r})	–	30^{v}		–	–	–		–		40^{v}	(73^{r})	
(58^{v})	–	–		–	–	169^{v}		–		–	–	
(60^{v})	26rb	32^{r}		(149^{r})		170^{v}	122^{r}	S. 41a		42^{r}	(76^{v})	
–	–	–		–	–	171^{r}	122^{v}	–		–	–	
(62^{v})	27rb	33^{r}		(151^{r})	(48^{r}-v)	172^{r}		S. 43a		44^{r}	(78^{v})	217^{v}!
(64^{r})	27vb	36^{r}		(152^{v})	(49^{v})	173^{r}		S. 44a-b			(80^{r})	
(65^{r})	–	34^{r}		(153^{v})	(50^{v})	174^{r}		S. 45a-b		45^{v}	–	
(66^{r})	28va	34^{v}		(154^{v})	(51^{r})	174^{v}		S. 46a		46^{r}	(83^{r})	219^{r}
(66^{v})	28vb	35^{r}		(155^{r})	(51^{v})	175^{r} o		S. 46b o		47^{r}	(83^{v})	219^{v}
(67^{r})	29ra	35^{v}		(155^{v})	(52^{r})	175^{r} u		S. 46b u		–	(84^{r})	–
(67^{v})	29rb	37^{r}		(156^{r} o)	(52^{v} o)	175^{v} o		S. 47a u		47^{v} o	(84^{v})	–
(68^{r})	29rb	37^{v}		(156^{r} u)	(52^{v} u)	175^{v} u		S. 47b		47^{v} u	–	220^{r}
(69^{r})	29vb	38^{v}		(157^{r})	(53^{v})	176^{v}		S. 48b		49^{v}	(85^{v})	
–	–	–		(158^{r})	(54^{v})			–		–	–	
				(213^{r})							(87^{r})	
(70^{v})	30va	40^{r}		(159^{r})	(55^{r})	177^{v}		S. 50a		50^{v}	(88^{v})	221^{r}
(71^{v})	–	–		(160^{v})	(56^{r})	178^{v}		–		–	–	–
				(214^{v})							**(75^{r})**	
(72^{v})	–	41^{r}		(161^{r})	(56^{v})	179^{r} u		–		51^{v}	(90^{r})	
(74^{r})	–			–	–	–		–		–	–	
(74^{v})	–	42^{v}		–	(58^{v})	179^{r} o		–		53^{r}	(91^{v})	
(75^{r})	31va	–		(163^{r})	(59^{r})	180^{r}		S. 51a		53^{v}	(92^{r})	
(76^{r})	32ra	43^{r}		(163^{v})		180^{v}		S. 53a		54^{r}	(93^{r})	
(77^{r})	–	44^{r}		(164^{v})	(59^{v})	181^{v}		–		55^{r}	(93^{v})	
(77^{v})	–	44^{v}		(165^{v})	(60^{r})	181^{v}		–		55^{v}	(94^{v})	
				(216^{r})							(95^{v})	
(78^{v})	33ra	45^{r}		(166^{r})	(60^{v})	180^{v}		S. 54b		56^{r}	(97^{r})	
(79^{v})	33va			(167^{v})	(61^{v} o)	183^{r}		S. 55b		57^{r}	–	
(80^{v})	–	46^{v}		(168^{v})	(61^{v} u)	184^{r} o		–		58^{r}	–	
(81^{r})	–	47^{r}		–	–	184^{r} u		–		–	–	–
(81^{v})	–	47^{v}		(169^{r})	(63^{r})	–		–		58^{v}	(99^{v})	
–	34ra	48^{v}		(170^{v})	(64^{r})	184^{v}		S. 57a		60^{r}	–	
(82^{v})	34vb	49^{v}		(171^{r})	(64^{v})	185^{r}		S. 58b		60^{v}	(101^{v})	222^{r}
				(218^{r})	(65^{v})						(102^{v})	
(83^{v})	35va	50^{r}		(172^{v})	(65^{v})	186^{r}		S. 59b		62^{r}	(103^{v})	223^{r}

Bestandsklasse	Ia		II		IIa			III		
Fabel	37.1.2. Basel (B)	37.1.3. Bern (Bn)	37.1.12. Karlsruhe Ett. 30 (K1)	37.1.22. Wolfenbüttel 69.12 Aug. 2° (W3)	37.1.a./ b. Drucke (b1/b2)	37.1.19. Wien 2933 (Wi)	37.1.20. Wolfenbüttel 2.4 Aug. 2° (W1)	37.1.1. Augsburg (A)	37.1.5. Dresden (Dr)	37.1.7. Frauenfeld (Fr)
66. Sonne und Wind 1	22^{v}	S. 106								
66. Sonne und Wind 2	–	–								
67. Esel und der Löwenhaut	23^{r}	S. 109	(70^{v})	60^{r}	$56^{r}/50^{v}$		35rb	68^{v}	135ra	(74^{r})
68. Frosch und Fuchs	24^{r}	S. 111	(72^{r})	61^{r}	$57^{r}/51^{r}$	60^{v}	35vb	69^{v}	135va	(75^{r})
69. Hund mit der Schelle	24^{v}	S. 114	(73^{r})		$58^{r}/52^{r}$	61^{v}	36ra	70^{v}	136ra	(76^{r})
70. Katze, Mäuse und Schelle	25^{v}	S. 116	(74^{r})		$59^{r}/53^{r}$	62^{v}	36va	71^{v}	136va	(77^{v})
71. Schlange, an Pfahl gebunden	26^{r}	S. 119	(75^{r})				51ra			
72. Frau und zwei Kaufleute 1		S. 151	(76^{v})	62^{v}	$59^{v}/53^{v}$	64^{v}	36vb	72^{v}	137rb	(79^{r})
72. Frau und zwei Kaufleute 2		–	–	64^{v}	$61^{r}/54^{r}$	65^{r}	–	74^{r}	137vb	–
72. Frau und zwei Kaufleute 3		–	–	–	–	–	–	–	–	–
73. Zwei Gesellen und Bär	(28^{r})	S. 154	(78^{r})	65^{v}	$60^{v}/55^{r}$	66^{r}	37rb	74^{v}	138ra	(80^{v})
74. Drei Kaufleute als Gesellen	29^{v}	S. 160	(79^{r})	66^{v}	$62^{r}/56^{r}$	64^{r}	37vb	75^{v}	138va	(82^{r})
75. Kahler Ritter	30^{v}	S. 164					51va			
76. Buckliger und Zöllner	31^{v}	S. 166	(81^{r})	69^{r}	$63^{v}/57^{r}$	69^{v}	38rb	77^{v}	139va	(84^{v})
77. Zwei Häfen	32^{r}	S. 169	(82^{r})	70^{r}	$64^{v}/58^{r}$	71^{r}	38va	79^{r}	140ra	(86^{v})
78. Löwe und Ochse		S. 171	(83^{r})	71^{r}	$65^{v}/58^{v}$	72^{r}	39ra	80^{r}	140va	(85^{v})
79. Prahlender Affe		S. 173	(84^{r})	72^{r}	$66^{r}/59^{r}$	73^{r}	39rb	81^{r}		(88^{r})
80. Gans, die goldene Eier legt		S. 175	(85^{r})	73^{v}	$66^{v}/60^{r}$	74^{v}	39va	82^{r}		(89^{v})
81. Pfau und Kranich		S. 177	(86^{r})				51vb			
82. Pfaffe und Esel		S. 180	(87^{v})	74^{r}	$67^{r}/60^{v}$	76^{v}	39vb	83^{r}		(90^{v})
83. Eiche und Rohr	**27^{r}**	**S. 124**	**(89^{r})**							
84. Vier Ochsen und Wolf		S. 182	(90^{v})	75^{v}	$68^{r}/61^{r}$	78^{r}	40ra	84^{r}		(91^{v})
85. Ritter als Mönch 1	33^{v}	S. 186	(92^{v})	77^{r}	$69^{v}/62^{v}$	79^{v}	40va	85^{v}		(93^{v})
85. Ritter als Mönch 2	–	–	–	77^{v}	$70^{r}/63^{r}$	–	–	–		–
86. Tanne und Dorn	34^{v}	S. 188	(94^{r})	78^{v}	$71^{r}/63^{v}$	–	41ra	87^{r}		(95^{r})
87. Edelstein des Kaisers	(35^{r})	S. 190		79^{v}	$72^{r}/64^{v}$	81^{r}	41va	87^{r}		(96^{r})
88. Neidischer und Geiziger	36^{r}	S. 193		80^{v}	$72^{v}/65^{r}$	82^{r}	41vb	89^{r}	141ra	(97^{v})
89. Esel und drei Brüder 1	36^{v}				$73^{v}/66^{r}$	83^{r}	42rb	90^{v}	141va	(99^{r})
89. Esel und drei Brüder 2	–				–	84^{r}	–	91^{r}	142ra	–
90. Löwe und Geiß		**S. 126**		**82^{v}**	**$76^{r}/68^{r}$**	**86^{r}**	**43ra**	**93^{r}**	**143ra**	**(101^{v})**
91. Mensch und Satyr	37^{r}	**S. 128**			**$74^{v}/67^{r}$**	**84^{v}**	**42va**	**91^{v}**	**142rb**	**(100^{r})**
92. Gefangene Nachtigall	38^{r}	**S. 132**		83^{v}	$76^{v}/68^{v}$	87^{r}	43rb	94^{r}	143rb	(102^{v})
93. Wölfe, Hirten und Hunde	39^{r}	**S. 135**	(95^{v})	85^{r}	$78^{r}/69^{v}$	88^{v}	43vb	95^{v}	144ra	(104^{v})
94. Der Nigromant 1	39^{v}	S. 138	(97^{v})		$79^{r}/70^{v}$	90^{r}	44ra	96^{v}	144va	(105^{v})
94. Der Nigromant 2	–	–	–		$79^{v}/71^{r}$	91^{r}	–	97^{v}	145ra	–
95. Richter und Bestecher	39^{v}	**S. 141**		86^{r}	$80^{v}/72^{r}$		44va			
96. Versengte Katze	41^{v}	**S. 144**		87^{v}	$81^{v}/73^{r}$	93^{r}	45ra			
97. Kind Papirius		**S. 147**	(99^{r})	88^{v}	$82^{v}/73^{v}$	94^{v}	45rb			
98. Bischof und Erzpriester	42^{v}		(101^{v})	90^{v}	$84^{r}/75^{r}$	96^{r}	46ra			
99. Törichter Schulpfaffe	43^{v}	S. 197	(103^{v})	92^{r}	$85^{v}/76^{r}$	97^{v}	46va			
100. König und Scherer 1	44^{v}	S. 201	(105^{v})	93^{v}	$86^{v}/77^{r}$	99^{r}	47ra			
100. König und Scherer 2	–	–	–	–	–	–	–			
Epilog	–	–	(108^{r})	95^{v}	88^{r}/–	100^{v}	47va			

37.1.8. Heidelberg Cpg 86 (H1)	37.1.9. Heidelberg Cpg 314 (H2)	37.1.10. Heidelberg Cpg 794 (H4)	37.1.11. Karlsruhe Donauesch. (D)	37.1.13. Karlsruhe Ett. 37 (K2)	37.1.14. München Cgm 576 (M2)	37.1.15. München Cgm 3974 (M4)	37.1.16. München Clm 4409 (M1)	37.1.17. St. Gallen 643 (SG 1)	37.1.21. Wolfenbüttel 3.2 Aug. 4° (W2)	37.1.23. Wolfenbüttel 76.3 Aug. 2° (W4)	Weitere: 37.1.4. Cologny Genève (G)	Weitere: 37.1.6. Frankfurt (F)
				(219^{r})								
				(220^{r})								
(85^{r})	36ra	51^{r}		(174^{r})	(66^{v})	187^{r}		S. 60b		63^{r}	**(109^{r})**	
(86^{r})	36va	52^{r}		(175^{v})	(67^{v})	188^{v}		S. 61b		64^{v}	(105^{r})	
(87^{v})	37ra	53^{r}		(176^{v})	(68^{v})	189^{r}		S. 62b		65^{v}	(106^{v})	
(88^{v})	37vb	54^{r}		(178^{r})	(69^{v})	189^{v}		S. 63b		66^{v}	(107^{v})	
				(221^{r})								
(90^{r})	38rb	55^{v}		(179^{v})		190^{v}		S. 65a		68^{r}	(110^{v})	
(91^{r})	–	56^{v}		–		191^{v}		–		69^{r}	–	
(91^{v})	–	–		–		–		–		–	–	
(92^{v})	39ra	57^{r}		(181^{v})	(71^{r})	192^{r}		S. 66b		70^{r}	(112^{r})	224^{r}
(94^{r})	39vb	58^{r}		(183^{r})	(72^{r})	193^{r}		S. 67b		71^{r}	(113^{v})	225^{r}
(96^{r})	40vb	60^{r}	1va	(185^{v})	(74^{r})	195^{r}		S. 69b		73^{v}	(116^{r})	
(97^{v})	**41vb**	61^{r}		(187^{r})	(75^{r})	196^{r}		**S. 71b**		74^{v}	(117^{r})	
(98^{v})	**41rb**	62^{r}		(188^{r})	(76^{r})	197^{r}		**S. 70b**		75^{v}	(118^{v})	227^{r}
(100^{r})	42rb	63^{r}		(189^{v})	(77^{r})	197^{v}/198^{r}		S. 72b		76^{v}	(119^{v})	
(101^{v})	42vb	64^{r}		(191^{r})	(78^{r})	199^{r}		S. 73b		78^{r}	(120^{v})	
				(222^{v})								
(102^{v})	43rb	65^{r}		(192^{r})	(79^{r})	199^{v}		S. 74b		79^{r}		
				(231^{r})								
(104^{r})	43vb	66^{r}		(193^{v})	(80^{r})	200^{v}		S. 75b		80^{r}		
(105^{v})	44va	67^{r}		(195^{v})	(81^{v})	202^{r}		S. 77a		82^{r}		
(106^{v})	–	–		–	–	202^{v}		–		–		
(107^{v})	45ra	68^{v}		(197^{v})	(82^{v})	203^{r}		S. 78a		83^{v}		227^{v}
(109^{r})	45va	69^{v}		(198^{v})	(83^{v})	204^{r}		S. 79a		84^{v}		
(110^{r})	46ra	70^{v}		(200^{r})	(84^{v})	205^{r}		S. 80a		85^{v}		
(111^{v})	47va	72^{r}		(201^{v})	(85^{v})	206^{r}		S. 81b		87^{r}		
–	–	72^{v}		–	–	–		–		–		
(114^{v})	**47vb**	74^{v}		**(204^{v})**	**88^{r}**	**208^{r}**		**S. 84a**		**89^{v}**		
(113^{r})	**47ra**	73^{r}		**(203^{r})**	**86^{v}**	**207^{r}**		**S. 82b**		**88^{r}**		
(115^{v})	48ra	75^{v}		(205^{v})	(89^{r})	209^{r}		S. 84b		90^{v}		
(117^{r})	48vb	77^{r}		(207^{v})	(90^{v})	210^{v}		S. 86a		92^{v}		
(118^{v})	49va	78^{r}		(209^{v})		211^{v}		(S. 87b)		93^{v}		
(119^{v})	–	79^{r}		–		212^{v}		–		94^{v}		
				(232^{r})								
				(228^{v})								
				(226^{v})								
				(211^{v})								
				(224^{v})								
				(234^{r})								
				(235^{v})								
				–								

37.1.1. Augsburg, Universitätsbibliothek, Oettingen-Wallerstein Cod. I.3.2° 3

1449 (275ʳ). Augsburg oder Umgebung.
Seit spätestens 1462 im Besitz des Grafen Wilhelm von Öttingen († 1467), der u. U. der Auftraggeber war (vgl. den Besitzeintrag Iᵛ: *Grauff wilhalm von ŏttingen* sowie das Bücherverzeichnis von Graf Wilhelm von 1462 in MBK III, S. 157. 161). Die in älterer Literatur vermutete Anfertigung im Zisterzienserinnenkloster Kirchheim oder im Zisterzienserkloster Kaisheim (zusammenfassend SCHWEITZER [1993] S. 257) läßt sich nicht belegen. 1980 mit dem Ankauf der Oettingen-Wallersteinschen Bibliothek durch den Freistaat Bayern in die Universitätsbibliothek Augsburg gelangt.

Inhalt:

1. 1^r–98^v Ulrich Boner, ›Der Edelstein‹
   Hs. A (Bestandsklasse III)
2. 100^r–263^v ›Des Teufels Netz‹
   Hs. C (FRIEBERTSHÄUSER [siehe unten: Literatur])
3. 264^r–275^r ›Sibyllen Buch‹ (›Sibyllenweissagung‹)
   Hs. Wa (NESKE [siehe unten: Literatur])

I. Papier, III + 274 + II Blätter (moderne Foliierung, springt von 165 auf 167; mehrfach verbunden zwischen 1 und 12 [richtige Blattfolge: 1, 4–11, 2–3, 12], zwischen 52 und 57 [richtige Blattfolge: 52, 56, 54–55, 53, 57], zwischen 65 und 67 [richtige Blattfolge: 65, 67, 66]; Vorsatzblätter aus dem 18. Jahrhundert; unbeschrieben: 99^{r-v}, 275^v), 280 × 205 mm, einspaltig, abgesetzte Verse, 28–34 Zeilen, eine Haupthand, Bastarda (275^r: *vnd ist ausz geschriben worden an dem nechsten Sampstag nach der beschneidung vnsers herren Anno etc xxxxviiij*), von einer Nachtragshand nur 192^{r-v}, rote Überschriften, Initialen über zwei Zeilen, Strichelung der Versanfänge.
Schreibsprache: schwäbisch (SCHNEIDER: ostschwäbisch).

II. 100 kolorierte Federzeichnungen zu Text 1 (Blattangaben siehe S. 200–205); eine Hand.

Format und Anordnung: in der Regel vor dem Textbeginn der zugehörigen Fabel; Ausnahmen aus Raumzwängen oder bei mehreren Bildern zu einem Text. Die Höhe nimmt ca. 1/4 bis 1/3 der Seitenhöhe ein, linksseitig ist der Bildraum meist bündig mit dem Schriftspiegel (Ausnahme z. B. 89^r), vor allem rechtsseitig und wenn die Seite mit einem Bild endet, greift er oft bis auf die Randstege aus.

Dreiseitig in einfache Linie eingefaßt, die aber offensichtlich erst im Laufe des Arbeitsprozesses einer zunächst rahmenlos gedachten Komposition beigefügt wurde (ungerahmt blieb 16ᵛ, Fabel Nr. 19 [Alt gewordener Löwe]). Besonders markant der obere Bildabschluß als Bogen oder Doppelbogen, der sich der Bildkomposition anpaßt. Nach unten ist das Bildfeld meist offen und stößt unmittelbar auf den Textanfang. Überschriften oder Bildtitel nicht vorgesehen. Gelegentlich weitet der Zeichner auch die Bildhöhe über das vorgegebene Format hinaus aus, so daß Text und Bild geringfügig ineinander greifen (8ᵛ, 11ᵛ, 21ᵛ, 87ʳ, 90ᵛ) und den Eindruck einer gewissen Raumnot aufkommen lassen.

Bildaufbau und -ausführung: klare, geschlossene Bildkompositionen auf ein Bildzentrum hin, in das die Fabelprotagonisten plaziert sind. Landschafts- und Architekturkulissen (letztere meist in bilddiagonaler Schrägstellung) sind nur angedeutet und werden zudem, wie auch Assistenzfiguren, oft von den Rahmenlinien überschnitten. Protagonisten nehmen meist die volle Bildhöhe ein, agieren auf vorderer Bildebene, stehen auf einem ockergrün bis dunkelgrün lavierten, gelegentlich mit Kräutern besetzten Bodenstück, das im unteren Drittel der Bildhöhe in sich verdichtender Farbgebung den Horizont erreicht. Der obere Rahmenbogen gefüllt mit nach oben intensiver werdendem Himmelsblau. Keine Innenraumdarstellungen. 22ᵛ und 66ᵛ zeigen die Handlungsorte in Draufsicht: (Nr. 25 [Königswahl der Frösche] Wassertümpel mit Baumstamm und Fröschen, am Ufer den Storch; Nr. 65 [Krebs und sein Sohn] Wassertümpel, an dessen Ufer die beiden Krebse).

Markante Figurenbildung, Körperlichkeit wird durch feine Strichelung entlang der holzschnitthaft klaren Konturen und durch sorgfältig abgestufte Farbschattierungen auf durchscheinendem Papiergrund plastisch herausgearbeitet. Charakteristisch für die Figurenzeichnung sind raumgreifende Bewegungen und an Naturbeobachtung geschulte Authentizität der Körperphysiognomien, dabei eine besondere, manchmal überzogene Betonung gestischer Ausdruckskraft. Für menschliche Figuren kann der Zeichner offenbar aus einem Repertoire schulmäßig standardisierter, manchmal überzogen wirkender Haltungstypen schöpfen (Sitz-, Knie-, Stand- und Schreithaltungen, auch Kampfhaltungen: 67ʳ u. ö.). Durch versatzstückhafte Beigabe charakteristischer Kleidungsdetails werden die Figuren scheinbar individualisiert. Zur Fabel Nr. 24 (Königswahl der Athener) etwa stellt der Zeichner dem König drei typisierte Vertreter des Volkes gegenüber: einen vollbärtigen Mann in langer Schaube, die Mütze in der Hand, ein Mann in knielangem gegürteten Rock mit Beinschlitzen und mit Krempenbarett, der durch seine stark gestikulierende Haltung als Sprecher der Gruppe gekennzeichnet wird, eine Frau in langem weiten Übergewand mit lockerem

Gebende (21^{v}). Auch in der Tierzeichnung sehr starke Betonung der Körpergebärden (am häufigsten Halswendungen des im Gehen zurückblickenden Tieres: 50^{v}, 51^{v} u. ö.). Tiere haben, wo es um höfische Gattungen geht, gelegentlich heraldische Züge (44^{r} Löwe), anthropomorphe Züge fallen dagegen unbeholfen (1^{r} Affe, 31^{r}: Wolf als Richter, 81^{r} prahlender Affe).

Bildthemen: Jeder der 84 Fabeln ist mindestens ein Bild zugeordnet; ob das Erreichen der Idealzahl 100 bei einer Gesamtzahl der Bilder intendiert ist, bleibt unklar. Zu Fabel Nr. 58 (Drei Römische Witwen) bietet das dritte Bild nur eine gespiegelte Kopie des zweiten Bildes (61^{r}, 61^{v}). Charakteristisch ist die Zuspitzung jedes Einzelbildes auf ein Handlungs- oder Argumentationsmoment, daher wird auf kontinuierende Darstellung mehrerer Szenen innerhalb eines Bildes nahezu völlig verzichtet (Ausnahmen: 5^{v} Frosch und Maus, 56^{r} Mann, Sohn und Esel). Im subtilen Einsatz der Gebärdensprache werden insbesondere in Fabeln mit menschlichen Protagonisten deren im Fabeltext thematisierte Wesenseigenschaften herausgearbeitet (82^{r} Gier des Mannes, 83^{r} Eitelkeit des Pfaffen), dabei kommt es auch zu individuellen Auslegungen der Fabelstoffe im Bild. Zur Fabel vom Magen und den Gliedern (Nr. 60) zeigt das Bild nicht einen auf dem Krankenbett Liegenden (wie sonst üblich), sondern einen beleibten, untätig am Tisch sitzenden Mann, dem ein alter Mann gegenübertritt, der aus nach unten geöffneten Händen offenbar demonstrativ das nun am Boden verstreute Werkzeug (Hammer, Axt, zwei Meißel) fallen gelassen hat: »Der Knecht kündigt dem Herrn den Dienst auf« (Peil [1985] S. 157; ähnlich, jedoch ohne die Andeutung einer Auslegung auf das Herr-Knecht-Verhältnis, nur in Wien, Cod. 2933 [Nr. 37.1.19.], 58^{v}). Zur Fabel Nr. 61 (Jude und Schenk) ist im zweiten Bild nicht (wie sonst üblich) die Tafelszene dargestellt, sondern die Vorbereitung des Schenken auf seinen Tod am Galgen (der Galgentod sonst allenfalls als drittes Bild zur Fabel: München, Cgm 3974 [Nr. 37.1.15.], 184^{r} unten, sowie Heidelberg, Cod. Pal. germ. 794 [Nr. 37.1.10.], 47^{r}), wobei ein durch seinen langen Kapuzenmantel als Mönch charakterisierter Mann auf den gefesselt am Boden sitzenden Schenken einredet, wohl um ihn zur Reue vor dem Tod zu bewegen (64^{r}).

Farben: vorwiegend Rost- und Braun- sowie Grün- und Olivtöne, dazu Blau, selten leuchtendes Rot.

Mikroficheedition: Ulrich Boner. Der Edelstein (Universitätsbibliothek Augsburg, Cod. I.3.2° 3). Farbmikrofiche-Edition. Mit einem Anhang: Des Teufels Netz – Sibyllenweissagung. Monochrome Mikrofiche-Edition. Kodikologische und kunsthistorische Beschreibung von Ulrike Bodemann. München 1987 (Codices illuminati medii aevi 7).

Literatur: Schneider (1988) S. 42f., Abb. 3 (14^r). – Gudrun Friebertshäuser: Untersuchungen zu ›Des Teufels Segi‹. Diss. Freiburg i. Br. 1966, S. 25–29 u. ö.; Fouquet (1972) S. 11, Abb. 8 (43^r);. Ingeborg Neske: Die spätmittelalterliche deutsche Sibyllenweissagung. Untersuchung und Edition. Göppingen 1985 (Göppinger Arbeiten zur Germanistik 438), S. 113f. 196f.; Peil (1985) S. 157, Abb. 19 (62^v); Wertvolle Handschriften und Einbände aus der ehemaligen Oettingen-Wallersteinschen Bibliothek [Ausst.Kat. Augsburg 1987]. Hrsg. von Rudolf Frankenberger und Paul Berthold Rupp. Wiesbaden 1987, S. 87–89, Nr. 24, Abb. S. 88 (89^r); Bodemann/Dicke (1988) S. 429 u. ö.); Peil (1990) pass., Abb. 57 (81^r); Von der Augsburger Bibelhandschrift zu Bertolt Brecht (1991) S. 124f., Nr. V,3 (Christoph Roth), Abb. S. 122–123 (32^v–33^r); Schweitzer (1993) S. 256f.; Hans-Joachim Ziegeler: Kleinepik im spätmittelalterlichen Augsburg – Autoren und Sammlertätigkeit. In: Janota/Williams-Krapp (1995), S. 308–329, hier S. 315; Häussermann (2008) S. 34, Abb. 12 (79^r).

Taf. XVII: 21^v. Abb. 92: 90^v.

37.1.2. Basel, Öffentliche Bibliothek der Universität Basel, Cod. AN III 17

Um 1420. Bodenseegebiet.
Auftraggeber unbekannt; Anfangs- und Schlußblätter, auf denen sich entsprechende Hinweise – Wappen, Kolophon – befunden haben könnten, fehlen; signifikant sind womöglich Details des Rankenschmucks (13^v oben Venus mit Pfeilen, darunter Helmzier; 17^v oben Mitra, darunter Ranke in Form eines Bischofsstabs; 4^v oben Reste eines Schriftbandes, unleserlich, daneben Fehlstelle im Pergament [absichtlich entfernt?]), die an einen hochrangigen, vielleicht geistlichen Auftraggeber denken lassen. Wohl kaum aufschlußreich sind das Hexagramm 30^v als Wappenbild des »kahlen Ritters« sowie die Handwerkerzeichen auf den Grabplatten 16^r. 1654 im Besitz des Berner Patriziers und Gouverneurs von Aigle/Aalen (Kanton Waadt) Ludwig Stürler (Eintrag 58^r, vgl. auch die Notiz 58^v: *Gegen kůpferstüke vertaùschet den 15 Wynmonat 54 k.V.k.R.*; dazu Moriz von Stürler: Das Bernische Geschlecht der Boner. Germania 1 [1856], S. 117–120, hier S. 120); 1789 von der Basler Bibliothek über die Verlagsbuchhandlung Schweighauser aus der Sammlung des Basler Büchersammlers Johann Werner Huber (1700–1755) erworben (Eintrag im Vorderdeckel mit durchstrichener Altsignatur *K.I.26.*).

Inhalt:
1ra–58vb Ulrich Boner, ›Der Edelstein‹
unvollständig; Hs. B [Pfeiffer: D] (Bestandsklasse Ia)

I. Pergament, 59 von ehemals 80 Blättern (gezählt 1–58, Blattzahl 13 doppelt vergeben; verbunden: Blatt 46–58 sind vor 1–45 eingebunden; zahlreiche Blattverluste, es fehlen jeweils ein Blatt vor Blatt 2, 12, 14, 22, 28, 37, 48, 58, zwei Blätter vor Blatt 9, vier Blätter vor Blatt 33, fünf Blätter vor Blatt 46); 300 × 230–235 mm, zweispaltig, 34–36 Zeilen, abgesetzte Verse, mit Versalien beginnend, gotische Buchschrift, jeweils textabschließend über beide Spalten lateinisches Distichon in großer kalligraphischer Textura, ein Schreiber. Spätere Notizen, Kritzeleien, in den Miniaturen Schmierereien; Pergament abgegriffen und vielfach beschädigt; alte Reparaturen mit aufgeklebten Pergamentstücken.
Schreibsprache: hochalemannisch.

II. Erhalten sind 68 von ursprünglich wohl 96 Deckfarbenminiaturen, 28ʳ und 35ʳ zwei Freiräume für nicht ausgeführte Miniaturen (Blattangaben siehe S. 200–205). Erhalten sind ferner 69 (von 96?) Deckfarbeninitialen über fünf bis sechs Zeilen, meist mit Fleuronné, gelegentlich mit Rankendekor, 26 davon verbunden mit aufwendigen vegetabilen Randleisten in Deckfarbenmalerei. Zwei oder drei Buchmaler(-werkstätten).

Format und Anordnung: Die Miniaturen sind gerahmte, in den Schriftspiegel eingepaßte Streifenbilder über beide Spalten, Breite 170–175 mm, Höhe je nach verfügbarem Raum schwankend. Der zugehörigen Fabel vorgeordnet, dabei eine Gestaltungseinheit bildend, die aus folgenden Elementen besteht:
- in Textura geschrieben und dem Bild in gleicher Breite unmittelbar vorausgehend eine in lateinischen Distichen verfaßte Moralsentenz zur vorhergehenden Fabel. – Die lateinischen Verse sind sonst einzig in der vielleicht ältesten, jedoch seit langem verschollenen Züricher ›Edelstein‹-Handschrift (vgl. J. J. Bodmer / J. J. Breitinger: Fabeln aus den Zeiten der Minnesinger. Zürich 1757 [Nachdruck Leipzig 1973]) belegt;
- die Miniatur, durch die sich in der Regel ein Schriftband schwingt, auf dem als Inscriptio in deutschen Reimpaaren (mit deutlichen Anklängen an den Fabeltext) die Moral der Fabel pointiert zusammengefaßt werden sollte (ausgeführt allerdings nur dreimal in der ehemals ersten Lage: 46ᵛ, 47ʳ, 49ʳ, im weiteren fehlen die Beschriftungen der Bänder). – Das Schriftband ist unterhalb des Bildes eingefügt auf den Blättern 49ᵛ (Nr. 13), 16ʳ (Nr. 57), 28ᵛ (Nr. 61), 26ʳ (Nr. 71), es fehlt gänzlich zu den Bildern 46ʳ (Nr. 6), 50ᵛ (Nr. 16), 52ʳ (Nr. 18), 55ᵛ (Nr. 23), 1ʳ (Nr. 30), 17ᵛ (Nr. 58);
- die Eingangsinitiale unterhalb des Bildrahmens, oft in den Bildraum hineinragend. – Ausschließlich auf Versoseiten nahezu regelmäßig kombiniert mit aufwendigen Randleisten in Deckfarbenmalerei, auf Rectoseiten weniger häufig mit kurzem Rankenausläufer oder Fleuronnéstab.

Bildaufbau und -ausführung: Zumeist dient ein schmaler Bodenstreifen als Bühne für die im Vordergrund agierenden Protagonisten, entweder ein felsiger, steil ansteigender Erdstreifen oder eine mit Streublumen besetzte Wiese, weniger oft ein von Baumgruppen oder einer Baumreihe begrenzter Landschaftsausschnitt von geringer Tiefe (26^{r}, 27^{r}, 28^{v}, 29^{v}, 37^{r}, 47^{r}, 49^{r}). Kleinteilige Landschaft aus der Vogelperspektive (46^{r}) bleibt eine Ausnahme. Zur Andeutung von Innenräumen wird meist rautierter Kachelboden verwendet. Architekturelemente, auch Throne, sind größtenteils ohne perspektivische Schlüssigkeit, auch schräg, in die Landschaft gesetzt (Ausnahmen wie die frontal gestellten Throne 28^{v} oder 39^{v} deuten auf Bemühen um Perspektive). Architekturen wie auch Figuren überschneiden mehrfach die Bildrahmen, die mit sehr unterschiedlichem Aufwand gestaltet sind: von mehrheitlich einfacher, nur im Farbton schattierter Rahmenfüllung oder einfachem Blümchen- (z. B. 8^{r}, 11^{r}, 15^{v}, 19^{v}, 40^{v}, 55^{v}) und Flechtmuster (z. B. 23^{r}, 24^{r}, 25^{v}, 26^{r}) bis hin zu sorgfältig ausgeführten Blattmustern (24^{v}, 27^{r}, 50^{v}, 52^{r}). Bildhintergründe überwiegend einfarbig rot oder blau, einige wenige mit goldenen Rankenornamenten (24^{r}, 39^{v}, 46^{v}) bzw. Resten davon (26^{r}, 57^{r}) oder mit Ton-in-Ton-Blattmustern (41^{v}, 44^{v}). Zuweilen grüner (3^{r}, 23^{r}, 42^{v}) oder weiß gelassener Hintergrund (37^{r}, 38^{r}, 52^{r}), manchmal mit Musterfüllung. Figuren eher kräftig, mit stämmigen Proportionen, kurzen Beinen. Die Gewänder entsprechen der burgundischen Mode (17^{v} Kopfputz, Zaddeln), mit ondulierenden Falten, die an den Säumen Wellen (Ösenfalten) bilden, Faltentäler in dunklerem Farbton nachgezogen.

Die Analyse der Bildausstattung wird vor allem durch den schlechten Erhaltungszustand der Handschrift erschwert. Fast 30 ehemals vorhandene Illustrationen fehlen, zahlreiche weitere sind beschädigt (abgeplatzte Farb- und Blattgoldschichten) oder verschmiert. Vieles spricht dafür, daß die Ausstattung in zwei oder gar drei Phasen (nicht lediglich zwei Händen ein und derselben Werkstatt) erfolgte: In manchen Bildern zeigen sich unter UV-Licht deutliche Überarbeitungsspuren (z. B. 5^{r} Federkleid des Storchs, Kontur des Gefäßes überarbeitet, 15^{v} Landschaft übermalt, Baumgruppe späterer Nachtrag, etc.)

Eine erste Phase ist um 1410–20 zu datieren, sowohl Seitenaufbau als auch feinmalerische Technik sind vergleichbar mit Handschriften des französischen und burgundischen Hofes, v. a. mit Paris, Bibliothèque nationale, Ms. fr. 616: Gaston Phébus, ›Livre de la chasse‹, 1405–1410 (so auch ESCHER [1917] S. 126) oder Brüssel, Bibliothèque Royale, Ms. 9094: Bartholomäus Anglicus, ›Livre des propriétés des choses‹, 1401. Typisch französisch ist die Gestaltung des Rankenwerks mit Dornblattranken, auch in Kombination mit Akanthusblättern und Figuren oder Tieren. Der Verweis auf französische Vorbilder allein ist jedoch nicht ausreichend, auch böhmische Einflüsse sind in Betracht zu ziehen:

etwa bei der plastisch-kompakten Gestaltung der Randleisten (wo sich in französischen Handschriften das Rankenwerk eher flächig ausbreitet), bei den mit Fleuronné gefüllten Initialen (wo in französischen Handschriften eher Dornblattfüllungen zu finden sind), bei einigen Figuren (zu duftigen Barttrachten oder lichtvollen Lokalfarben der Gewänder – z. B. 20^{r} König, 39^{v} Mönch, 56^{v} König – vgl. die Wenzelsbibel, Wien, Österreichische Nationalbibliothek, Cod. 2759–2764). Auch Anregungen durch italienische Vorbilder sind nicht auszuschließen (zur Malweise der Bäume, für die Blattbüschel nebeneinander plaziert werden, die zum Zentrum hin immer hellere Farbnuancen aufweisen – z. B. 27^{r} – vgl. ›Tacuinum sanitatis‹, Wien, Österreichische Nationalbibliothek, Cod. ser.nov. 2644). Charakteristika der ersten Ausstattungsphase (Verzicht auf Konturzeichnung mit schwarzer Feder, sehr kleinteilige, extrem feine Pinselzeichnung) insbesondere auf den Blättern 3^{v}, 5^{r}, 10^{r}, 24^{v}, 26^{r}, 46^{r}, 47^{r}, 49^{r}, 50^{v}, 51^{r}, 52^{r}, 55^{r} (d. h. mit wenigen Ausnahmen innerhalb der ursprünglich ersten Lagen der Handschrift).

Die meisten Illustrationen zeigen hingegen die Züge einer zweiten Werkstatt, die in einer neuerlichen Ausstattungsphase (1420–30, eher gegen 1430) die Illustrationen vervollständigte und zum Teil überarbeitete. Die Bildkomposition wurde komplett beibehalten (Vorzeichnungen konnten bislang nicht sichtbar gemacht werden), aber in eigener Malweise ausgeführt (flächige Anlage der einzelnen Bildelemente, Umrisse mit schwarzer Feder, größere Figuren: 29^{v}, 33^{v}, 34^{v}, 36^{r}, 36^{v}, 39^{r}, 39^{v}, 40^{v}, 43^{v}, 53^{r}), wobei hier mehrere Maler beteiligt gewesen zu sein scheinen oder anderenorts noch eine dritte Überarbeitung stattgefunden hat (qualitative Unterschiede in der Ausführung besonders bei Haarkleid und Gefieder). Bereits Escher (1917, S. 123–125) schreibt nur die ersten vier Miniaturen des Zyklus (in heutigem Zustand der Handschrift Blatt 46^{r}–50^{v}) ein und derselben Hand zu, die übrigen Bilder des Zyklus einer Folgehand, von der (oder einer weiteren) nach Escher auch der Initial- und Randleistenschmuck stammen könnte.

Bildthemen: identisch mit der Berner Schwesterhandschrift (Nr. 37.1.3.), wobei die Basler Handschrift der beiden zugrundeliegenden Vorlage deutlich nähersteht als die Berner. Anders als in den meisten anderen ›Edelstein‹-Handschriften ist hier jeder Einzelfabel genau eine Illustration beigegeben. Zu Fabeln, die in der übrigen Bildüberlieferung mehrere Illustrationen haben, sind in der Basler Handschrift zwei Handlungsszenen in ein Bild zusammengefügt worden (v. a. Nr. 6 [Frosch und Maus]: 46^{r}, Nr. 11 [Wolf und Kranich] 48^{r}, Nr. 17 [Adler und Schnecke] 51^{r}, Nr. 37 [Fuchs und Storch] 52^{r}, Nr. 47 [Löwe und Hirte] 11^{r}, Nr. 57 [Frau und Dieb] 16^{r}, Nr. 58 [Drei römische Witwen] 17^{v}, Nr. 61 [Jude und Schenk] 28v). Darüber hinaus gestaltet der Basler Buchmaler aber auch weitere Illustrationen als kontinuierende Darstellungen, allerdings ohne die Absicht erkennen zu lassen, sämtliche Handlungsteile der Fabelerzählung ins Bild zu setzen: Das Bild zur letzten Fabel der Sammlung etwa (Nr. 100 [König und Scherer], 44v) zeigt 1. den König, der seinen Boten ausschickt, 2. den Gelehrten, der dem Boten des Königs die »Weisheit« aushändigt – nicht allerdings den Attentatsversuch des Scherers.

Über den Text hinausweisend charakterisiert ist die Figur des Wolfs als Richter (Nr. 35 [Wolf, Schaf und Hirsch], 3v): Der vermenschlichte Wolf sitzt nicht nur aufrecht auf einer Holzbank, in der rechten »Hand« ein erhobenes Schwert (eine weitere Richterfigur auch 26r zu Nr. 71 [Schlange, an Pfahl gebunden]: der Fuchs sitzt aufrecht mit richtend erhobener »Hand«); er trägt ferner – ohne Bezug zum Text, doch auf seine betrügerische Absicht deutend – einen Rucksack, aus dem die Köpfe zweier erbeuteter Gänse ragen.

Eigenständige Themenauffassungen liefert die Basler Handschrift (zusammen mit der Berner Schwesterhandschrift (Nr. 37.1.3.) z. B. zu Fabel Nr. 38 (6r: Wolf und Menschenbild), wo das vom Wolf verschmähte Menschenbild nicht wie in den meisten anderen Handschriften einer Grabplatte ähnlich, sondern in Frontalansicht als aufrecht stehende Vollplastik eines sitzenden Jünglings erscheint; zu Nr. 58 (17v: die drei Römischen Witwen), wo die dritte der eine neue Eheschließung ablehnenden Witwen als Nonne dargestellt ist.

Farben: insgesamt prägend ein Dreiklang aus leuchtendem Rot, Blau und Grün; Blau und Grün auch in hellen Abtönungen; daneben vor allem Braun in hellen Ausmischungen, Weiß, Schwarz, Orange, Blattgold, selten blasses Rot-Violett, kaum Gelb.

Mikroficheedition: Ulrich Boner, Der Edelstein (Öffentliche Bibliothek der Universität Basel, Handschrift A N III 17). Farbmikrofiche-Edition. Mit einer Einführung in das Werk von Klaus Grubmüller. Kodikologische und kunsthistorische Beschreibung von Ulrike Bodemann. München 1987 (Codices illuminati medii aevi 4).

Literatur: Pfeiffer (1844) S. 186 f.; Escher (1917) S. 115–127, Abb. 31 (1ra). 32 (13va). 33 (26va), Taf. XXXVI–XLII (7r, 14v, 27r, 31v, 37r, 43v, 46v/49r); Goldschmidt (1947) S. 52. 58. 60, Abb. 42 (7v). 51 (31r). 56 (30v); Blaser (1949) S. 8 f., Abb. 8 (43v); Peil (1985) S. 153, Abb. 11 (19v); Bodemann/Dicke (1988) S. 429 u. ö.

Taf. XVIII: 17v. Taf. XIX: 46r.

37.1.2. bearbeitet von Kristina Domanski.

37.1.3. Bern, Burgerbibliothek, Mss.h.h.X.49

Um 1466–1473(?). Kanton Bern?
Erstbesitzer Heimon Egli, in den Jahren 1466, 1469 und 1470–1473 (Blaser [1949] S. 10) als Vogt des Grafen Guillaume de Châlon († 1475) in der Herrschaft Erlach/Cerlier im Kanton Bern belegt (vgl. Eintrag S. 206: *Das bůch ist des wysen vnd fromen hemen eglis vogt zů erlach von gottes gnaden*); die Handschrift blieb im Umfeld der Familie von Erlach, die von 1516 bis 1875 auf Schloß Spiez residierte; S. 61 nennt sich als Besitzer des 16./17. Jahrhunderts ein Benedikt zu Laufen (*das buoch ist bendicht zuo louf*), ebenda Einträge von Jakob von Bollingen sowie Katharina Müller, beide aus Bern (ähnliche Einträge S. 121/122 sowie S. 209/210). Aus Schloß Spiez 1875 in den Besitz des Berner Sammlers Friedrich Bürki (1819–1880) übergegangen (Vorsatzblatt verso: *Aus der Bibliothek von Spiez 1875 F. Bürki*), aus dessen Nachlaß 1888 in die Berner Stadtbibliothek (seit 1951 Burgerbibliothek) gelangt.

Inhalt:
S. 1–206 Ulrich Boner, ›Der Edelstein‹
Hs. Bn (Bestandsklasse Ia)

I. Papier, II + 105 Blätter (die Vorsatzblätter jünger [18. Jahrhundert], der alte Buchblock gezählt S. 1–210; umfangreiche Blattverluste, zu Beginn fehlen der alten Lagenzählung zufolge – z. B. S. 35 *der virt sexter* – ca. 29 Blätter, weitere Blattverluste vor S. 101 [zwischen 77 und 123 müssen insgesamt drei Blätter fehlen), vor S. 195; S. 45/46, 115/116 defekt, S. 61/62, 121/122 und S. 207–210 ursprünglich ungeschrieben, mit späteren Kritzeleien; vor allem 61/62 mit Nameneinträgen [siehe oben] und Zeichnung eines Dudelsackspielers), 282 × 205 mm, einspaltig, 27–30 Zeilen (S. 52–54: 38–39 Zeilen), abgesetzte Verse, breite Bastarda, ein Schreiber (Heimon Egli; Kolophon S. 206), an den Fabelanfängen rote Initialen über drei bis fünf Zeilen mit schlichtem Faden- und Perlfleuronné. Ab S. 64 beginnen die Verse mit roten Majuskeln.
Schreibsprache: alemannisch.

II. 71 von ursprünglich wohl 96 kolorierten Federzeichnungen (Blattangaben siehe S. 200–205), ein Zeichner (mit Korrekturen und Überzeichnungen [S. 15 von zweiter Hand?]).

Format und Anordnung: Streifenbilder, ca. 55–90 × 122–132 mm, jeweils vor Beginn der zugehörigen Fabel. Meist in den vorgezeichneten Schriftspiegel eingepaßt, wobei die Bilder beidseitig in der Regel ca. 5 mm schmaler sind als dieser (eine breitere Einfassung war offenbar vorgesehen). Überformat hat lediglich S. 44 (Nr. 44 [Streit der Tiere und Vögel]). Die Bilder sind meist über die rote Zeilenlinierung hinweg gezeichnet, diese sah an anderen Stellen Bildeinschübe vor (z. B. S. 4, S. 6/7, S. 8/9 etc.), d. h. Anlage und Ausführung stimmen nicht überein. Konzeptionelle Brüche gibt es auch anderswo: S. 52–55 schreibt der Schreiber über den vorlinierten Schriftspiegel hinaus, um ab S. 55 die Seiteneinrichtung besser einhalten zu können, stattdessen muß er jedoch S. 61/62 ganz leer lassen (dort nachträgliche Benutzereinträge).

Bildaufbau und -ausführung: Vor meist hohem Horizont (Boden flächig olivbraun, Himmelszone nicht ausgefüllt) agieren die dargestellten Figuren auf vorderster Bildebene und nehmen die volle Bildhöhe ein. Lineare, holzschnittartige Konturzeichnung in unterschiedlich breiten Federstrichen, kaum Schraffen zur Schattierung. Menschliche Protagonisten haben runde Gesichter mit strichförmigem Mund, in Frontalansicht ebenfalls nur mit einem Strich markierter Nase und runde Punktaugen. Auffallend die durchscheinend grauen Lavierungen von lichtabgewandten Gegenständen oder Körpern. Nach der Kolorierung mit dem Lineal gezogene Randeinfassung, die sich an den Ecken kreuzt; Füße sind häufig vom Bildrand abgeschnitten, umgekehrt überschneiden Figuren oder Requisiten den Bildrand nie.

In einigen Illustrationen (S. 9, S. 12 und öfter) finden sich Umrißlinien, die wie geprägt aussehen und unter Umständen von einem Pausverfahren herrühren könnten.

Vorlage des Bildzyklus muß eine dem Basler Codex sehr ähnliche Handschrift (siehe unten: Bildthemen) gewesen sein, die sehr genau, bis hin zur Übernahme hier inzwischen altertümlich wirkender Kleidungsdetails (S. 151, S. 190 u. ö.), kopiert wurde. Selten fehlen Assistenzfiguren oder Requisiten (S. 21 fehlen die in der Kapuze des Wolfs gefangenen Gänse, die diesen als falschen Richter kennzeichnen, siehe Nr. 37.1.2.). Allerdings dürfte der Zeichner an manchen Stellen seine Vorlage mißverstanden bzw. sehr nachlässig wiedergegeben haben: S. 10 ist die Kennzeichnung der Person durch ihre Kleidung (männlich/weiblich?) unklar, S. 24 ist der Kahlkopf nicht als solcher markiert, S. 32 ist der Karren zu einem völlig unverständlichen Objekt geworden, dem Fuhrmann fehlt das zweite Bein, S. 51 fehlt der darzustellende Handlungskern, nämlich die Behandlung des Löwen durch den Hirten, S. 109 trägt nicht der Esel eine Löwenhaut, sondern der Esel ist überzeichnet mit der Figur eines Löwen. Gänzlich verzichtet wurde auf die Beigabe von Inskriptionen auf Schriftbändern.

Bildthemen: Auswahl und Einzelmotive wie in der Basler Handschrift (Nr. 37.1.2.). Da zwei Illustrationen, die in der Basler Handschrift nicht ausgeführt wurden, hier vorhanden sind (Nr. 73 [Zwei Gesellen und Bär]: S. 154, Nr. 87 [Edelstein des Kaisers]: S. 190), ist davon auszugehen, daß der Berner Zeichner die Basler Handschrift nicht unmittelbar, sondern eine ihr äußerst ähnliche Vorlage benutzt hat. Die Berner Handschrift hat weniger Verluste als die Basler, läßt deshalb das Prinzip der 1:1–Illustration (eine Fabel – ein Bild), das in Handschriften dieser text-/bildgeschichtlichen Stufe offenbar konsequent angewandt, in anderen Überlieferungssträngen dagegen durch die Mehrfachbebilderung einer Fabel abgelöst wurde, noch klarer erkennen. So sind auch in dem in Basel A.N. III. 17 wegen Blattverlusts fehlenden Bild zu Fabel Nr. 52 [Mann, Sohn und Esel] zwei Handlungsschritte in eine Darstellung zusammengefügt worden (S. 73: 1. Junge und Mann gemeinsam auf dem Esel reitend, 2. Esel wird von beiden wie Wildbret getragen). Ebenso sind die in der Basler Handschrift fehlenden, allerdings auch in der übrigen Überlieferung nicht durch mehr als ein Bild illustrierten Fabeln Nr. 80 (Gans, die goldene Eier legt) und Nr. 84 (Vier Ochsen und Wolf) durch kontinuierende Darstellungen bebildert (Nr. 80, S. 175: 1. Gans brütet Eier aus, 2. Herr hält tote Gans im Arm; Nr. 84, S. 182: 1. Wolf springt drei zusammenstehenden Ochsen entgegen, 2. Wolf erlegt einen einzelnen Ochsen durch Genickbiß).

Farben: blasse Erdtöne: Braun, Rotbraun, Gelb, Grau, Schwarz.

Literatur: Emil Bloesch: Katalog der Handschriften zur Schweizergeschichte der Stadtbibliothek Bern. Bern 1895, S. 352. – Ferdinand Vetter: Kleine Mittheilungen I. Germania 27, NF 15 (1882) S. 219 f.; Blaser (1949) S. 9 f., Abb. 9 (S. 14–15). 10 (Textseite 206); Bodemann/Dicke (1988) S. 430 u. ö.; Peil (1990) pass., Abb. 55 (S. 9); Schachzabel, Edelstein und der Gral. Spätmittelalterliche Handschriftenschätze der Burgerbibliothek Bern. Bern 2009 (Passepartout 1), S. 40–44, Abb. S. 41 (S. 28). 43 (S. 4). 45 (S. 88).

Taf. XXIVa: S. 154. Abb. 93: S. 190.

37.1.3. bearbeitet von Kristina Domanski.

37.1.4. Cologny-Genève, Bibliotheca Bodmeriana, Cod. Bodmer 42

Um 1455/60 (Wasserzeichendatierung Wetzel [1994]). Elsaß (Hagenau, Werkstatt Diebold Laubers?).

Vielleicht aus dem Besitz der Grafen von Hanau-Bieneck-Münzenberg (1429 zur Reichsgrafschaft erhoben), deren Wappen nach Wetzel (1994) dem des Wasserzeichens der im 16. Jahrhundert beigefügten Spiegelblätter äußerst ähn-

lich ist (die verwandtschaftliche Nähe zu Graf Philipp von Hanau-Lichtenberg, dem Besitzer der Handschrift Frankfurt, Stadt- und Universitätsbibliothek, Ms.germ.qu. 15 [›Bellifortis‹], deren Entstehung SAURMA-JELTSCH [2001] Bd. 2, S. 37–41, Nr. I. 24, in der Lauber-Werkstatt vermutet, könnte nach SAURMA-JELTSCH, Bd. 1, S. 160, ein weiterer Anhaltspunkt für die Annahme der Herkunft auch der ›Edelstein‹-Handschrift aus der Lauber-Werkstatt sein). Später in der Bibliothek des Franziskanerklosters Frauenberg in Fulda (1905 Archivbeschreibung Julius Wiegand). Zwischen 1941 und 1945 (Beschlagnahmung des Klosters durch die Gestapo) entwendet und in den Kunsthandel gelangt, dabei sind die bei WIEGAND genannten Hinweise auf Fulda (*Bibliotheca ffrm. Min. Fulda incorporatur* [18. Jahrhundert]. Alte Signatur: *P. III. 13.*) u. U. getilgt worden (dagegen kennt WIEGAND den nicht identifizierten Wappenstempel 8^r noch nicht). 1956 durch Martin Bodmer erworben. Die Identität der ehemals Fuldaer mit der Bodmer-Handschrift wurde erst 2007 durch Gerd Dicke, Eichstätt, festgestellt.

Inhalt:

8^r–120^v Ulrich Boner, ›Der Edelstein‹
Hs. G (Bearbeitung, um individuelle Zusätze unklarer Herkunft – zwei Tierbispel, zwei Tierfabeln – erweitert)

I. Papier, erhalten sind 106 von ca. 137 Blättern (originale Zählung 8–120; es fehlen die ersten acht Blätter, die Inhaltsverzeichnis, Prolog und Fabel Nr. 1 enthalten haben könnten, ferner im Handschrifteninnern je ein Blatt in der vierten [Blatt 44] und siebten Lage [Blatt 82], fünf Blätter in der sechsten Lage [Blatt 66–70] sowie bis zu 11 Blätter und mindestens eine weitere Lage [Sexternio] am Schluß), 290 × 215 mm, einspaltig, 28–30 Zeilen, abgesetzte Verse, Bastarda, ein Schreiber (die Identifizierung mit dem Schreiber der Diebold-Lauber-Handschriften Bonn, Universitäts- und Landesbibliothek, S 500, Brüssel, Bibliothèque royale, ms. 14697 und Heidelberg, Universitätsbibliothek, Cod. Pal. germ. 19 sowie Cod. Pal. germ. 339 – so SAURMA-JELTSCH [2001] Bd. 1, S. 137 Anm. 499 und Bd. 2, Kat. II.3, S. 134 – ist unsicher). Überschriften, Strichel der Versanfänge, Caput-Zeichen rot, Lombarden zu Beginn der Fabeln rot oder grün über drei Zeilen (9^r über sechs Zeilen). In der ersten Zeile einer Seite gelegentlich kadellenartige Majuskeln.
Schreibsprache: alemannisch-elsässisch (WETZEL [1994] S. 33).

II. Im erhaltenen Teil 83 Bilder vorgesehen, nicht ausgeführt (Blattangaben siehe S. 200–205). Die Bildräume sind von Schreiberhand (nicht ganz systematisch, hierzu WETZEL [2012]) am oberen Randsteg rot beziffert, der letzte trägt die Ziffer *LXXXIIII.*

Format und Anordnung, Bildanlage und -ausführung, Bildthemen: Die ungefähr die Hälfte bis Zweidrittel der Schriftspiegelhöhe umfassenden Bildräume sind meist zwischen den Überschriften und dem Reimtext freigelassen, versehentlich einmal am Textende (zu Nr. 36 [Fliege und Kahlkopf] 54r), aus Platzgründen und bei mehreren zu einer Fabel vorgesehenen Bildern mehrfach zwischen dem Text (z. B. zu Fabel Nr. 57 [Frau und Dieb] 90r vor dem Text, 91v im Text, 92r im Text). Der nahezu ganzseitige Bildraum 8v zu Fabel Nr. 2 (Affe und Nuß), die auch durch die übergroße Initiale 9r besonders hervorgehoben wird, ist ungewöhnlich und vor allem dann unverständlich, wenn man davon ausgeht, daß die verlorenen Anfangsblätter der Handschrift Prolog und Fabel Nr. 1 enthalten haben (unter Verzicht auf Prolog und titelgebender Fabel von Hahn und Edelstein beginnt der überwiegende Teil der Überlieferungsträger erst mit Fabel Nr. 2 die Sammlung). Das Fehlen eines Bildraums zu Nr. 61 [Jude und Schenk] geht wohl auf ein Versehen zurück.

Bis Blatt 93v an Stelle einer das Fabelpersonal benennenden Textüberschrift oft (17 mal) ein lateinischer (!) Titulus, der ebenfalls bei Bildräumen im Text vorkommt und somit offenbar auch die Funktion einer Malanweisung erfüllt (nach dem Muster 93v *Sequitur tres mulieres speciosi nimis stantes in vicem*; bei Bildräumen zwischen dem Text statt dessen mehrfach nur der kurze Bildhinweis *figura* o. ä.: 83r, 84r, 91v, 92r, 94r). Die lateinischen Malanweisungen lassen keine Rückschlüsse auf eine mögliche Motivnähe zu anderen erhaltenen ›Edelstein‹-Handschriften zu. Für die Abhängigkeit einer illustrierten Vorlage spricht das Vorhandensein der Bildtitel. Sie sind nicht vorhanden bei den vier interpolierten Stücken, die in der Edelstein-Überlieferung und auch sonst unbekannt sind (›Katze und Maus‹ *Wie ein herre sinen Amptluten vngetruwen bosen lon gitt*, mit Bildraum 11v; ›Mann und Sperber‹ *Von versehener gehorsamkeit* mit Bildraum 29v; ›Fliege und Spinne‹ [Überschrift fehlt wegen Blattverlusts] mit Bildraum 45r, ›Scheintoter Fuchs und Krähen‹ *Von schalckeit des füchsen* mit Bildraum 48r; hierzu jetzt ausführlich Wetzel [2012]). Da auch die eingefügten fremden Stücke (bezifferte) Bildfreiräume aufweisen, bleibt es unklar, ob sie in die Handschrift Bodmer 42 spontan eingeschoben wurden oder bereits Bestandteil der Vorlage waren.

Trotz der raumzeitlichen Nähe zu der Werkstatt Diebold Laubers in Hagenau läßt sich die Lokalisierung der Genfer Handschrift hierher bislang nicht endgültig bestätigen (vgl. Wetzel [2012] S. 259).

Literatur: Wetzel (1994) S. 32–37, Abb. 2 (18v). – Handschriftenarchiv der Berlin-Brandenburgische Akademie der Wissenschaften: Fulda, Bibliothek des Franziskanerklosters Frauenberg, o. Sign. Beschrieben von Julius Wiegand, Fulda 1905, 3 Bll. (online über: http://dtm.bbaw.de/HSA/); Bodemann/Dicke (1988) S. 467 f.; Saurma-Jeltsch (2001)

Bd. 2, S. 134, Nr. II.3, u. ö.; René Wetzel: Diebold Laubers *ysopus gemolt*? Zur Boner-Handschrift Cod. Bodmer 42 (G) in der Bibliotheca Bodmeriana, Cologny-Genf. In: Christoph Fasbender (Hrsg.): Aus der Werkstatt Diebold Laubers. Berlin 2012 (Kulturtopographie des alemannischen Raumes 3), S. 256–285.

37.1.5. Dresden, Sächsische Landesbibliothek – Staats- und Universitätsbibliothek, Mscr. Dresd. M. 67

Zwischen ca. 1445 und ca. 1470; Teil III: um 1450 (Wasserzeichendatierung Hoffmann). Nordbayern/Ostfranken (Hoffmann: »Raum Eichstätt?«).
Im Einbanddeckel war ehemals eine Pergamenturkunde über eine Schuldverschreibung des Bischofs Johannes von Eichstätt an Bischof Friedrich von Regensburg (1449) als vorderer und hinterer Spiegel verklebt, heute nur noch das vordere Spiegelblatt vorhanden, abgelöst und als loses Blatt dem alten Buchblock beigelegt. – Aus der Bibliothek des Nürnberger Stadtphysikus Gottfried Thomasius (1660–1746); nach 1746 – wie die Dresdner Heldenbuch-Handschrift Mscr.M.201 (ebenfalls Eigentum des Thomasius) – in den Besitz Johann Christoph Gottscheds (1700–1766) gelangt, danach in die von diesem gestiftete Gesellschaft der freien Künste und schönen Wissenschaften. 1793 mit zahlreichen weiteren Handschriften durch die Königliche Öffentliche Bibliothek Dresden erworben.

Inhalt:

1. 2^{v}–3^{r} Minnerede ›Wer nicht weiß, was rechte Liebe sei‹
   Brandis (1968) Nr. 360 (einzige Überlieferung)
2. 6ra–102va Thomasin von Zerklaere, ›Der welsche Gast‹
   Hs. D (Wenzel/Lechtermann [siehe unten: Literatur]), Anfang fehlt
3. 103ra–145rb Ulrich Boner, ›Der Edelstein‹
   Hs. Dr (Bestandsklasse III)
4. 146^{r}–176^{v} Heinrich der Teichner, 24 Gedichte
   Hs. P (Niewöhner [siehe unten: Literatur])
5. 176^{v}–209^{r} Mären und Bispel
   Zum Bestand Hoffmann (siehe unten: Literatur)
6. 209^{v}–212^{r} Freidanks ›Bescheidenheit‹
   Hs. X (Bezzenberger [1872]; zwei Exzerpte mit den Überschriften *von aller hande weiben* (209^{v}) und *von dem esel* (211^{v}); Detailaufstellung unter http://www.mrfreidank.de/61/
7. 212^{v}–225^{r} Hugo von Trimberg, ›Der Renner‹
   Hs. Dr1 (Weigand [2000])

I. Papier, 226 Blätter in moderner Foliierung 1–225 (davon fehlt seit 1945 Blatt 5, vgl. Bruck [1906] Abb. 208 [5ᵛ]; zwischen 140 und 141 fehlten schon früh mehrere Blätter, hierzu 140ᵛ die Notiz Gottscheds *Bis hieher stimmen die Fabeln mit dem Wolfenbüttelschen Mspt überein*; nach 145 zwei unbeschriftete Blätter, nicht foliiert; die von Matthaei [siehe unten: Literatur] im Jahr 1911 vorgefundenen zwei ungezählten Blätter nach 225 befinden sich nicht mehr in der Handschrift; bei der Restaurierung der Handschrift im 20. Jahrhundert wurden zwei neue Vorsatzblätter sowie die ehemals im Einband verklebte, nun lose vorn einliegende Pergamenturkunde [1a] und ein nach Blatt 1 eingebundener Zettel mit Notizen Wilhelm Grimms zur Handschrift aus dem Jahre 1827 [1b] ergänzt), 330 × 210 mm. Die Handschrift besteht aus drei Teilen unterschiedlicher Schreiber; I. 2ᵛ–3ʳ: das ursprünglich selbständige, einseitig beschriebene Doppelblatt 2/3 wurde erst nachträglich zusammen mit dem Doppelblatt 1/4 als erste Lage eingefügt; II. 6ʳ–102ᵛ, Bastarda, zweispaltig, 40 Zeilen, Verse abgesetzt mit Einzug des jeweils zweiten Verses und Rotstrichelung des jeweils ersten Verses, rote Überschriften und Lombarden über zwei Zeilen, Freiräume für Initialen über sechs bis acht Zeilen; III. 103ʳ–225ʳ, Bastarda, zweispaltig, abgesetzte Verse, Versanfänge passagenweise rot gestrichelt, in Text 4–6 rote Überschriften und Lombarden über zwei bis drei Zeilen.
Schreibsprache: nordbairisch/ostfränkisch.

II. Text 1–3 sind bebildert; Konrad (1997) bringt den »Maler C« dieser Handschrift (6ʳᵃ–102ᵛᵃ) fälschlich mit dem Maler des ›Berner Parzival‹ (Burgerbibliothek, Cod. AA 91, Konstanz/Bern 1467) in Verbindung. – Zu Text 3 94 von ehemals (Blattverlust nach 140) 101 kolorierten Federzeichnungen (Blattangaben siehe S. 200–205), eine Hand, nicht identisch mit den Zeichnern in Text 2 und Text 1.

Zu Text 1 (eine Illustration 2ᵛ–3ʳ) siehe Stoffgruppe 91.
Zu Text 2 siehe Stoffgruppe 134.

Text 3:
Format und Anordnung: quadratische, quer- oder hochrechteckige Bilder in Spaltenbreite jeweils vor dem Text, der ohne Überschrift und ohne besonders hervorgehobenen Anfang (auch nicht zur ersten Fabel Nr. 2 [Affe und Nuß]) einsetzt. 121ʳ ausnahmsweise ein Bild in Übergröße über beide Spalten hinweg (Nr. 44. Streit der Vögel und Tiere); dabei wurde der zur Verfügung stehende Bildraum in Form eines spiegelverkehrten L nicht einmal völlig ausgenutzt. Mehrfach unbeschriebene Freiräume vor Bildeinschub zwischen dem Text deu-

ten darauf hin, daß die Bildeinfügungen nicht vom Schreiber geplant wurden, sondern auf eine Vorlage zurückgehen.

Bildaufbau und -ausführung: lineare, mit der Feder aus der freien Hand gezogene Einfassung, die sich meist am Schriftspiegel orientiert, oft aber auch auf die Randstege ausgreift; Figuren und Gegenstände überschreiten gelegentlich die Einfassung.

Protagonisten sind ohne feste Positionierung auf den Boden vor eine hügelige Landschaftskulisse plaziert, Boden und Bäume einheitlich in durchscheinendem Hellbraun laviert; charakteristisch die welligen Hügelformationen am Horizont, in die ein graublau lavierter Hügel mit nahezu stilisierten Baum-, Wald- oder Häusersilhouetten, ebenfalls in Graublau, eingebettet ist; am oberen Bildrand stets ein blauer Himmelsstreifen. Kulissen bilden schmucklose Häuser mit hellen Wänden und roten Dächern und gelegentliche Einzelbäume mit Dreieckskronen; Innenraumdarstellungen mit Balkendecken und Schachbrettfliesen (142rb u. ö.).

Menschliche Figuren gedrungen, steif und monoton, disproportionierter Körperbau und großflächig-teigige Gesichter mit starren Augen; im Kontrast dazu sind Tiere zwar ohne natürliche Lebendigkeit, doch differenziert gezeichnet (besonders detailfreudig z. B. Heuschrecke 119vb und Krebse 134va), Hunde oft mit markanter Schwarzweißscheckung. Auffällig die vielfach geöffneten Mäuler oder Schnäbel mit herausgestreckten Zungen (womöglich Ausdruck für die Sprechfähigkeit der Tiere); durch Attribute vermenschlicht sind der Wolf als Richter 116va (Nr. 35 Wolf, Schaf und Hirsch): aufrecht sitzend mit roter Sendelbinde, in den Händen ein Lilienzepter, sowie der Löwe 125va (Nr. 50 Löwe und Pferd): mit menschlicher Physiognomie und ebenfalls mit roter Sendelbinde.

Bildthemen: übliche Themenwahl, jeweils nur eine Handlungsszene pro Bild, keine kontinuierenden Darstellungen, doch mehrfach zwei oder mehr Bilder zu einer Fabel (zu Nr. 11, 37, 47, 48, 51, 52, 57, 58, 61, 62, 72, 89); zur Fabel von Wolf und Kranich (Nr. 11) irrtümlich im ersten Bild statt des Kranichs ein Geißbock (107ra); zur Fabel von der Frau und dem Dieb (Nr. 57) ist für die zweite Illustration (Dieb wird von Liebhaber gehängt) eigens ein zusätzliches Blatt (130) in die Lage eingeheftet.

Farben: durchscheinende Brauntöne, aus denen nur Schwarz, Rot, dunkles Graublau und Blau hervorsticht.

Volldigitalisat online unter http://digital.slub-dresden.de/ppn276878558/

Literatur: SCHNORR VON CAROLSFELD (1883/1981) S. 467 f.; WERNER J. HOFFMANN: Die deutschsprachigen mittelalterlichen Handschriften der Sächsischen Landesbibliothek – Staats- und Universitätsbibliothek (SLUB) Dresden. Vorläufige Beschreibungen. Online unter http://www.manuscripta-mediaevalia.de/obj31601174.html/ (Stand: Juli 2011). – BRUCK (1906) S. 325 f., Nr. 132, Abb. 208 (5^v); Handschriftenarchiv der Berlin-Brandenburgische Akademie der Wissenschaften: Dresden, Landesbibliothek, M 67. Beschrieben von KURT MATTHAEI, Dresden 1911, 14 Blätter (online über http://dtm.bbaw.de/HSA/); HEINRICH NIEWÖHNER (Hrsg.): Die Gedichte Heinrichs des Teichners, Bd. I (Gedicht Nr. 1–282). Berlin 1953 (Deutsche Texte des Mittelalters 44), S. LXXXVIII–XC; VON KRIES (1967) S. 62–65; BODEMANN/DICKE (1988) S. 430 u. ö.; KONRAD (1997) S. 150; WEIGAND (2000) S. 67–69; NORBERT H. OTT: Kurzbeschreibung der illustrierten Handschriften. In: HORST WENZEL / CHRISTINA LECHTERMANN (Hrsg.): Beweglichkeit der Bilder. Text und Imagination in den illustrierten Handschriften des »Welschen Gastes« von Thomasin von Zerclaere. Köln/Weimar/Wien 2002 (Pictura et Poesis 15), S. 257–265, hier S. 258 f.; WOLFGANG ACHNITZ: Heilige Minne. Trivialisierung und Sakralisierung höfischer Liebe im späten Mittelalter. In: Triviale Minne? Konventionalität und Trivialisierung in spätmittelalterlichen Minnereden, hrsg. von LUDGER LIEB und OTTO NEUDECK. Berlin/New York 2006 (Quellen und Forschungen zur Literatur- und Kulturgeschichte 40 [274]), S. 139–164, hier S. 143–146, 164, Abb. S. 144 (2^v–3^r).

Abb. 90: 128ra.

37.1.6. Frankfurt a. M., Universitätsbibliothek Johann Christian Senckenberg, Ms. germ. qu. 6

1446–1449. Augsburg?
Im 15./16. Jahrhundert in Benutzung eines *Haintz Munch* (Eintrag 17^r; von ihm auch weitere Federproben sowie Spruch auf dem ersten Nachstoßblatt. 1844 mit weiteren Handschriften aus den Benediktinerklöstern Bronnbach und Neustadt a. M. in die Fürstlich Löwenstein-Rosenbergische Hofbibliothek in Klein-Heubach gekommen, seit 1930 in der Stadtbibliothek Frankfurt (erworben auf der Versteigerung J. Baer, Frankfurt).

Inhalt:

1. 1^r–198^r Hugo von Trimberg, ›Der Renner‹ mit ›Von der Jugend und dem Alter‹
   Hs. F2 (WEIGAND [2000])
2. 199^r–228^v Ulrich Boner, ›Der Edelstein‹
   Hs. F (Bestandsklasse III, Auszug)
3. 229^{r-v} ›Greisenklage‹
4. 239^v–242^r ›Spruch auf den schwäbischen Städtekrieg‹

I. Papier, III + 242 + III Blätter (moderne Foliierung, ungeschrieben: 198^{v}, 230^{r}–239^{r}), 271 × 198 mm, einspaltig, abweichend von Weimann (1980, S. 17) und KdiH 1 (1991, S. 279) zwei Hauptschreiber; I: schleifenlose Bastarda, 1^{r}–134^{v} (außer 85^{v} Zeile 9 bis 87^{v} sowie 125^{v} bis 126^{r} Zeile 15), 135^{v}, 239^{v}–242^{r}, Malanweisungen in der gesamten Handschrift; II: Schleifenbastarda, 135^{r}, 136^{r}–229^{v}; Ulrich Werner, vgl. 198^{r}: *per me Ůlricum Wernherum* (u. U. identisch mit dem Schreiber *Vlricus Berner de Rapreschwila* [Rapperswil] der Handschrift Wolfenbüttel, Herzog August Bibliothek, Cod. Guelf. 81.25 Aug. 2°; vgl. Weigand [2000] S. 73 Anm. 90); neben diesen sind jedoch für die Passagen 85^{v}–87^{v} und 125^{v}–126^{r} zwei weitere Schreiber verantwortlich; 33–39 Zeilen, Verse abgesetzt, nicht rubriziert, Raum für Lombarden über drei bis vier Zeilen freigelassen. Schreibsprache: schwäbisch.

II. 120 kolorierte Federzeichnungen, hauptsächlich von zwei Händen. Zu Text 2: 32 Zeichnungen (Blattangaben siehe S. 200–205) von Hand II, die aber auch in früheren Bereichen der Handschrift (Text 1, ab 113^{v}) tätig ist (2^{r} und 32^{v} möglicherweise von weiteren Händen). Kolorierung in der gesamten Handschrift von einer einzigen Hand.

Zu Text 1 siehe Stoffgruppe 108.
Zu Text 3 siehe KdiH 1 (1991) S. 279 f., Nr. 9.1.5.

Text 2:
Format und Anordnung: dem Fabeltext in der Regel vorausgehend (Fabelüberschriften sind nicht vorgesehen), gelegentlich aus Raumgründen oder weil irrtümlich vor Textbeginn kein Raum frei gehalten wurde, zwischen dem Text (215^{v}, 221^{r}). 203^{r} wegen des versehentlich fehlenden und nicht nachgeholten Bildfreiraums am Randsteg neben dem Text, 215^{r} fehlt wieder der Freiraum, er wird 215^{v} nachgeholt.

Bildaufbau und -ausführung: Am oberen Rand der Bildräume sind bis 213^{r} Malanweisungen eingetragen. Die Bildeinfassung durch mit Lineal gezogene Doppellinien, mit roter Farbe gefüllt, wurde in der gesamten Handschrift als letzter zeichnerischer Arbeitsschritt durchgeführt; sie stimmt gelegentlich nicht mit der vorherigen Bildkonzeption überein (207^{v} falsche Bildbreite): wo die Bildüberschrift keinen Platz für die obere Einfassung läßt, bleibt sie oft nur dreiseitig oder schließt die Malanweisung in das Bild ein (205^{r}, 210^{v}), gelegentlich muß sie überstehende Bildelemente aussparen (222^{r}, 225^{r}) oder das Bildrechteck zu einer unregelmäßigen Form erweitern (209^{v}). Die rote Einfassung erfolgte nach der ebenfalls in der ganzen Handschrift einheitlichen Kolorierung. Wie für die Text-

abschrift Schreiber I unter Umständen die Gesamtverantwortung hatte, lag diese für die Bildausstattung ebenfalls in einer einzigen Hand (mit der roten Farbe der Einfassung sind gelegentlich auch andere Bilddetails nachgearbeitet worden; ob der Kolorist identisch mit Zeichner I oder II ist, bleibt unklar). Im Versteigerungskatalog J. Baer (1930) wurde zu Recht die Nähe (v. a. des zweiten Zeichners) zu Illustrationen Hektor Mülichs festgestellt, im Vergleich wirken die ›Edelstein‹-Illustration jedoch dilettantischer als jene etwa der Augsburger Chronik (siehe Nr. 26A.2.3.: Augsburg, Staats- und Stadtbibliothek, 2° Cod. H. 1). Zeichnung mit dünner Feder, oft unfeste Linienführung. Sparsamer und schematischer Farbauftrag, sehr viel freistehender Papiergrund. Die Bilder sind ganz auf die Darstellung der Hauptprotagonisten reduziert; diese agieren auf einem meist das untere Drittel der Bildhöhe füllenden, in der Regel leicht gewölbten und sehr kargen Bodenstreifen, lediglich mit der Feder unregelmäßig schraffiert und mit grünem Pinsel schattiert. Durchgängig (einzige Ausnahme die »Randzeichnung« 203r) schließt ein blau schattierter Himmelsstreifen das Bild oben ab. 216v ausnahmsweise ein Innenraum, bei dem auf Perspektive und Raumtiefe Wert gelegt wird. Auf Requisiten u. ä. wird verzichtet, Anthropomorphisierung ist nicht vorgesehen (auch nicht 212r Wolf als Richter), Löwe sticht stets durch besondere Größe und heraldisch geprägte Ausführung hervor. Menschliche Figuren ungenau proportioniert, oft zu kleine Gesichter, Augen vielfach in Form eines liegenden Kommas (Pupille punktfömig, am Rand des Oberlids hängend, kein Unterlid), schematisch angegebenes Wangenrot.

Bildthemen: Die Handschrift bietet eine willkürlich wirkende Textauswahl, die entsprechenden Bildthemen sind durch Malanweisungen vorgegeben, die die Protagonisten und deren Positionierung zueinander benennen. Verwandtschaft zu anderen Bildzyklen ist nicht erkennbar, der Zeichner dürfte keine Bildvorlage zugezogen haben (Peil [1990] S. 158); er orientiert sich zwar nicht ausschließlich an den schriftlichen Anweisungen (fehlerhafte Malanweisungen werden nicht übernommen: 204r *hie sol stăn ain băm vnd ain nestl. darvff ain fůchs in dem nestl vnd der alt fuchs dar vnder*), doch scheint das Ausbleiben der Anweisungen nach 212v ihn in Verwirrung gestürzt zu haben: 217v zu Fabel Nr. 50 (Löwe und Pferd) falsches Bildmotiv; nochmals Löwe und Hirte (Fabel Nr. 47); das hier zu erwartende Bild zu Nr. 50 leitet dagegen 218v Fabel Nr. 52 (Mann, Sohn und Esel) ein.

Farben: wenige, wässerig-durchscheinende Farben, erdig-gedeckte Töne; bräunliches Grün, Altrosa, Grau, Gelb, Braun, Blau (v. a. Himmel), selten Hellgrün, nachträglich Rot.

Literatur: WEIMANN (1980) S. 17–19. – Manuscripte, Incunabeln, Drucke des XVI. Jahrhunderts aus Süddeutschem Fürstlichen Besitz [...]. Versteigerung Joseph Baer & Co. Frankfurt 1930, S. 6 f., Nr. 9, Taf. II (173^{r}. 190^{r}); BODEMANN/DICKE (1988) S. 430 u. ö.; PEIL (1990) Abb. 65 (204^{r}); WEIGAND (2000) S. 73–75 u. ö.

Abb. 94: 204^{r}.

37.1.7. Frauenfeld, Kantonsbibliothek Thurgau, Cod. Y 22

Mitte 15. Jahrhundert (Wasserzeichen Ochsenkopf mit einkonturiger Stange, darüber Kreuz mit schrägem Balken, ähnlich PICCARD-online Nr. 59396 ff.; Blatt 12: Dreiberg mit zweikonturigem Kreuz sehr ähnlich PICCARD-online Nr. 151379 [1446]). Schwaben.
Im 17. Jahrhundert in der Bibliothek des Augustinerchorherrenstifts Kreuzlingen bei Konstanz.

Inhalt:

1. 3^{r}–107^{v}	Ulrich Boner, ›Der Edelstein‹ Hs. Fr (Bestandsklasse III)
2. 107^{v}–108^{r}	Gebet *Ach herr ich ston vor dir als ain schuldiger mensch ...* vgl. JOSEPH KLAPPER (Hrsg.): Schriften Johanns von Neumarkt. Bd. 4. Berlin 1935, S. 216
118^{v}	Nachtrag: Mariengebet *Die frow von hymell ryff ich an*

I. Papier, 120 Blätter (Blatt 3 fehlt zur Hälfte; 199^{r}–120^{v} unbeschrieben), 227 × 153 mm, einspaltig, 25–26 Zeilen (mit Silberstift vorliniert, die Zeilenenden punktiert, wobei die regelmäßige Punktierung beim Linieren nicht immer beachtet wurde und so ein unregelmäßiges Schriftbild entstand), ein Schreiber, spitze, meist schleifenlose Bastarda, nicht rubriziert, ohne Überschriften, texteinleitende und -gliedernde Lombarden über zwei Zeilen vorgesehen, aber nicht ausgeführt, ebensowenig die Eingangsinitiale 3^{r} über acht Zeilen. Der Nachtrag 118^{v} von anderer Hand.
Schreibsprache: schwäbisch.

II. ca. 90 Illustrationen vorgesehen, nicht ausgeführt (Blattangaben siehe S. 200–205).

Format und Anordnung: Freiräume vor Fabelbeginn sehen Streifenbilder über eine Höhe von durchschnittlich ca. fünf bis zehn, oft aber auch weniger Zeilen vor. Da die Punktierung jedoch durchgehend ist, da ferner die Leerräume am Seitenende gelegentlich nur ca. zwei Zeilen umfassen, ist es durchaus nicht zweifelsfrei, ob diese Freiräume wirklich für Bildbeigaben oder nur für Überschriften vorgesehen waren. Für die Nutzung als Bildräume spricht ihre in den meisten Fällen jedoch eindeutige Größe (88^r ist vor Fabel Nr. 79 [Prahlender Affe] nach vier Textzeilen nahezu eine ganze Seite freigehalten), ferner die Tatsache, daß eindeutige Freiräume – sehr gelegentlich zwar nur – auch zwischen dem Text für eine zweite (Nr. 37 [Fuchs und Storch]: 39^r und 39^v; Nr. 49 [Habicht und Krähe]: 54^r und 55^v) oder weitere Fabelillustrationen angelegt sind (Nr. 52 [Mann, Sohn und Esel]: 57^v, 58^r, 58^v, 59^r).

Literatur: ALBERT BRUCKNER (Hrsg.): Scriptores medii aevi helvetica. Denkmäler schweizerischer Schreibkunst des Mittelalters Bd. X. Genf 1964, S. 49; BODEMANN/DICKE (1988) S. 430 u. ö.

37.1.8. Heidelberg, Universitätsbibliothek, Cod. Pal. germ. 86

1461 (120^v). Süddeutschland (Bayern).
Herkunft unbekannt. Die Vermutung, die Handschrift könne aus der Bibliothek der Pfalzgräfin Margarethe von Savoyen stammen (WEGENER [1927]), wird von ZIMMERMANN (2003) nicht mehr übernommen. – 120^v Eintrag von Ferdinand Glöckle (1780er Jahre – 1819), der als ›Secrétaire des langues du Nord‹ an der Bibliotheca Apostolica die deutschsprachigen Handschriften der Palatina sichtete und etliche Texte abschrieb (eine ›Edelstein‹-Abschrift von seiner Hand ist nicht bekannt).

Inhalt:

4^{*r}	Titelschrift *Hie hebt sich an ein puch ysopus genannt …*
1^r–120^v	Ulrich Boner, ›Der Edelstein‹ Hs. H1 (Bestandsklasse III)

I. Papier, 130 Blätter (gezählt 1*–5*, 1–120, 121*–125*; 4*–5* und 121* gehören noch zum alten Buchblock und sind bis auf 4^{*r} unbeschrieben, die anderen Vorsatzblätter im 17. Jahrhundert ergänzt), 287 x 215 mm, 29–34 Zeilen, einspaltig, Bastarda, ein Schreiber, datiert 120^v (*Geendt nach ostern Im 61. iar*); von diesem ebenfalls Cod. Pal. germ. 332 (Strickers ›Karl‹) und 347 (Seifrits ›Alexander‹); abgesetzte Verse, rote Überschriften, Lombarden über zwei bis

vier Zeilen, Strichel der Verseingänge, Zeilenfüllsel, textgliedernde Hinweise am Rand (standardmäßig *Lere des beispils*).
Schreibsprache: bairisch.

II. 107 Illustrationen vorgesehen, nur ansatzweise ausgeführt (Blattangaben siehe S. 200–205): Vorzeichnungen mit Silberstift für die ersten zehn Darstellungen. Die Funktionsbestimmung der drei unbeschriebenen Seiten zwischen Titelschrift und Textbeginn (4^{*v}–5^{*v}) bleibt unklar (Schreiberirrtum oder Freiräume für Text-/Bildergänzungen?).

Format und Anordnung: Vorgesehen waren halbseitige Bilder (Grundmaß ca. 90–100 × 130 mm) jeweils zwischen Fabeltitel und Text, zusätzliche weitere Bilder im Text. Vorzeichnungen und Leerräume nehmen anfangs stets die obere Seitenhälfte ein, diese planvolle Anlage gelingt trotz gelegentlich freigelassenen Raums auf der jeweiligen Vorseite (z. B. 24^{r}) zunehmend weniger und wird nach ca. 30 Blättern aufgegeben.

Bildaufbau und -ausführung: Die ausgeführten Vorzeichnungen überschreiten den vorgezeichneten Schriftspiegel deutlich und weiten den Bildraum in die Randstege aus. Rahmung war offensichtlich nicht vorgesehen. Konturzeichnung v. a. der Hauptprotagonisten, die auf vorderster Bildebene agieren, stark nachkorrigiert (1^{r} rechter Affe, 9^{v} Löwe), ausführliche Kulissen vorgesehen, jedoch lediglich anskizziert.

Singulär die Malanweisung am Randsteg 78^{v} zu Nr. 60 (Magen und Glieder): *ein geswolner man der die hend von im reckt* (vgl. aber auch den Bleistifteintrag im Bildraum 81^{v}: *szwen die kempf ein ritter ein pawr*, zu Nr. 62 [Amtmann und Ritter]).

Bildthemen: Besonderheiten sind wegen der geringen Zahl ausgeführter Zeichnungen nicht zu erkennen. Die moralisierende Fabelüberschrift wird offenbar auch als Bildtitulus aufgefaßt; denn auch die Zweit- und Drittbilder (bzw. Freiräume) zu einer Fabel haben gelegentlich Tituli, in Form eines Moralsatzes z. B. 56^{r} zum zweiten Bild zu Nr. 47 (Löwe und Hirte): *Wye man an dinst lang sol Bedencken vnd an alte trew*, in Form der Nennung eines neuen Handlungssegments z. B. 66^{v} zum dritten Bild zu Nr. 52 (Mann, Sohn und Esel): *Hie wundern die leut* oder 77^{v} zum dritten Bild zu Nr. 58 (Drei Römische Witwen): *Von der dritten wittiben*. Zur Fabel Nr. 57 (Frau und Dieb) sind – ohne Parallele in der Überlieferung – sogar vier Bilder vorgesehen, das letzte ebenfalls mit Titulus (*Frawen clag vnd weybes trew*; 75^{r}); ebenfalls ohne Parallele in der Überlieferung das dritte vorgesehene Bild zu Nr. 72 (Frau und zwei Kaufleute): 91^{v}.

Volldigitalisat online unter: http://digit.ub.uni.heidelberg.de/digit.cpg86/

Literatur: BARTSCH (1887) S. 21; ZIMMERMANN (2003) S. 215 f. – WEGENER (1927) S. 61; BLASER (1949) S. 12, Abb. 17 (40^{r}); BODEMANN/DICKE (1988), S. 431 u. ö.

Abb. 95: 9^{v}.

37.1.9. Heidelberg, Universitätsbibliothek, Cod. Pal. germ. 314

Um 1443–1447 (Text 1 möglicherweise vor 1443). Augsburg.
Bis mindestens 1449 (Eintrag 200^{v}) in der Bibliothek des Sigismund Gossembrot (1417–1493; zu ihm FRANZ JOSEF WORSTBROCK: Gossembrot, Sigismund. In: ^{2}VL 3 [1981], Sp. 105–108), zunächst vermutlich noch in Einzelfaszikeln (z. B. Text 1 als *Aesopus vulgaris depictus, liber russus*, vgl. PAUL JOACHIMSOHN: Aus der Bibliothek Sigismund Gossembrots. Zentralblatt für Bibliothekswesen 11 [1894], S. 249–268, 297–307, hier S. 258), die Gossembrot neu zusammenstellte und mit Nachträgen versah; später wohl über die Bibliothek Ulrich Fuggers (1524–1586) in die Palatina gekommen (ZIMMERMANN [2007] S. 56; Herkunft aus der Bibliothek Margarethes von Savoyen – so die Vermutung WEGENERS [1927] S. VII – ist nicht belegbar).

Inhalt:

4^{*r} Nachtrag Gossembrots: Verzeichnis der Bücher, die bei Diepold Lauber in Hagenau erhältlich sind

16^{*r} Nachtrag Gossembrots: deutsche Rätsel, lateinische Zoten

1. 1ra–50rb Ulrich Boner, ›Der Edelstein‹
Hs. H2 [PFEIFFER: a] (Bestandsklasse III); zwischen Nr. 40 und 41 zweimal vier Verse nach Anonymus Neveleti Nr. 37 (De musca et formica)

2. 50va–103r Kleinepiksammlung
darin: 66rb–70ra ›Disticha Catonis‹, deutsch; 55va–62va, 70rb–71va, 74va–76vb, 82ra–94rb Sprüche aus Freidanks ›Bescheidenheit‹ (BEZZENBERGER [1872] S. 52), detaillierte Aufstellung unter http://www.mrfreidank.de/23/; 79ra–80va Oberdeutscher vierzeiliger Totentanz
Bestand und Reihenfolge in Teilen übereinstimmend mit Karlsruhe, Badische Landesbibliothek, Cod. Donaueschingen 104 und Heidelberg, Cod. Pal. germ. 341; vgl. im einzelnen ZIMMERMANN (2007) S. 58–66

3\. 105ra–161vb ›Dietrichs Flucht‹
Kurzfassung *PA

4\. 162ra–197vb ›Die Rabenschlacht‹
Hs. P

200*^{v} Nachtrag Gossembrots: Notizen über gegenseitige Buchausleihen zwischen Sigismund Gossembrot und Friedrich Rabsakstainer, Gerichtsschreiber in Rain bei Augsburg, 1449

I. Papier, 249 Blätter (dazu vorn und hinten je ein neues Vorsatzblatt), als verbindlich gilt die Foliierung des Buchblocks aus dem 17. Jahrhunderts 1–197 (65 doppelt vergeben: 65 und 65a; ausgelassen sind die beschriebenen Blätter 4* und 16* sowie die modern gezählten, unbeschriebenen Blätter 1*, 1**, 2*–3*, 5*–15*, 56a*, 94a*, 103a*–103y*, 198*–204*), 285–288 x 206–210 mm, zweispaltig, mehrere (ZIMMERMANN [2007]: neun) Schreiber, I (Sigismund Gossembrot): 4*^{r}, 16*^{r}, 50va–54rb, 63ra–63vb, 81^{v}, 95^{r}–97^{r}, 100^{v}–103^{r}, 104^{v}, 200*^{v}, dazu überall Randbemerkungen, Überschriften u. ä., besonders in Text 1, sowie die ursprüngliche Foliierung, II Stephan Hüttaus, Stuhlschreiber in Augsburg, von ihm bislang weitere vier Handschriften der dreißiger Jahre belegt (vgl. KARIN SCHREIBER: Berufs- und Amateurschreiber. Zum Laien-Schreibbetrieb im spätmittelalterlichen Augsburg. In: JANOTA/WILLIAMS-KRAPP [1995], S. 8–26, hier S. 22 f.): 1ra–50ra (entgegen früherer Zuschreibung wird die 1443 datierte Passage [94rb, s. u.] heute nicht mehr mit Hüttaus in Verbindung gebracht), zweispaltig, 29–35 Zeilen, 1ra rote Eingangsinitiale mit schwarzem Fleuronné über sechs Zeilen, sonst Lombarden über eine bis drei Zeilen, Versanfänge rot gestrichelt bzw. mit durchgehender roter Linie durchzogen, rote Caput-Zeichen am Rand, vor Beginn jeder Fabel mehrere Zeilen für Überschriften freigelassen. Schreiber III–VI aufeinanderfolgend (mit Einschüben von Sigismund Gossembrot) 54ra–94rb, 94rb Schreiberkolophon *Explicit fridankus in augusta anno domini M^{O} CCCC^{O} XLIII°*; VII: 105ra, VIII: 105rb–197vb (der bei ZIMMERMANN [2007] individualisierte Schreiber IX [162ra–197vb] dürfte identisch sein mit Schreiber VIII), 197vb Schreiberkolophon *hie mit endet sich die mere 1447 die 20 decembris.* Schreibsprache: schwäbisch.

II. Zu Text 1 90 kolorierte Federzeichnungen (Blattangaben siehe S. 200–205). Freiräume innerhalb der von verschiedenen Schreibern angelegten Kleinepiksammlung (z. B. 50vb, 51rb, 52ra, 52^{va-b}, 53va, 54rb etc., v. a. 81^{v}) dürften kaum zur Aufnahme von Zeichnungen gedacht gewesen sein. 104^{v} Federzeichnung eines Taubenschlags (wie 12vb), 200*^{v} Federzeichnung eines Daches mit zwei Fahnen.

Format und Anordnung: spaltenbreite Bildräume unterschiedlicher Höhe; anfangs Unsicherheiten in der Text-Bild-Zuordnung, die Bilder zunächst am Ende der Fabel, ab 6^{r} jedoch zu Beginn jeder Fabel, stellenweise im Text der Fabel (31va: das Bildmotiv, das sonst als zweite Illustration zur Fabel von Frau und Dieb eingesetzt wird, ist auch hier nicht am Fabelbeginn, sondern in den Text plaziert). Der nachfolgende Text gelegentlich mit deutlich erkennbar abgegrenztem Freiraum für einzusetzende Überschrift.

Bildaufbau und -ausführung: Die Bildanlage hält sich an den vorgezeichneten Schriftspiegel, die untere Bildbegrenzung wird ggf. durch eine flüchtig gezogene horizontale Linie angegeben. Protagonisten agieren auf einem meist seitlich ansteigenden, mit schlichten Gräsern, drei- oder vierblättrigen Blumen oder Laubbäumen mit horizontal gekritzelten Kronen bestückten, flächig olivbraun lavierten Bodenstück, ohne perspektivische Ansprüche einfach neben- oder übereinander angeordnet. Keine Innenraumdarstellungen, weitgehender Verzicht auf Assistenzfiguren und narrative Requisiten. Ohne Hintergrund oder auch nur Himmelsstreifen.

Entstanden vermutlich in den dreißiger Jahren, weist der Zyklus typische Merkmale des Augsburger Stils im frühen 15. Jahrhundert auf: lebendiger, fahriger Zeichenstil, der, so LEHMANN-HAUPT (1929, S. 30), »keine durchgreifende Scheidung zwischen Linien, die die objektiven Formumrisse wiedergeben und solchen, die der modellierenden Illusion von Schatten und Licht dienen«, zuläßt. Dazu in der Figurenkennzeichnung stark vereinfachte Physiognomien, Punktaugen oder leere Augenhöhlen (nur Kringel), Gesichter schematisch halbseitig schattiert, kaum komplizierte Haartrachten oder Gewanddetails.

Tiere gelegentlich durch Attribute vermenschlicht: 16vb (Nr. 35 [Wolf, Schaf und Hirsch]) Wolf mit Lilienzepter, 22rb (Nr. 44 [Streit der Tiere und Vögel]) Affe aufrecht, setzt Fanfare mit Banner an (Fahnenbild brauner Schrägbalken auf Weiß); Löwe manchmal heraldisch, ebenso Adler (v. a. 22rb). Der Richter 2vb (Nr. 7 [Hund und Schaf]) als aufrecht sitzendes, königlich gekleidetes Tier unklarer Gattung.

Bildthemen: Zu Beginn ist der Zyklus verwirrt (siehe oben Format und Anordnung), das Bild zur Eingangsfabel (Nr. 2 [Affe und Nuß]) fehlt zum entsprechenden Text und wird erst 2rb (zwischen Fabel Nr. 6 und 7) nachgeholt. – Mit Ausnahme der Sequenz zu Nr. 52 (Mann, Sohn und Esel) ist nahezu durchgängig eine 1 : 1–Illustration angestrebt. Dieses Prinzip wird nur zweimal gebrochen: Daß 5vb die Fabel Nr. 11 (Wolf und Kranich) mit zwei Bildern bedacht wird, ist auf den Versuch zurückzuführen, die »richtige« Plazierung der Bilder (zu Fabelbeginn) wiederherzustellen. Nur Fabel Nr. 37 (Fuchs und Storch) wird wie nahezu generell mit zwei Bildern illustriert ($17^{vb}/18^{ra}$). Kontinuierende oder Simultandarstellungen allenfalls 25ra zu Nr. 48 (Fieber und Floh): Kirchlein im Hintergrund, seitlich davon Fieber in Affengestalt zu einem Baum gewandt, unter dem der übergroße Floh hockt, im Vordergrund im Fluß waschende Frau; einziges Bild mit integriertem Spruchband, das aber unbeschriftet bleibt.

Kaum über den Text hinausweisende Akzentuierungen; zur Fabel Nr. 60 (Magen und Glieder) 33ra etwa die sehr wenig pointierte Darstellung eines auf einem Stuhl sitzenden Mannes, bei dem die durch die Sitzhaltung als reglos gekennzeichneten Arme und Beine sowie die Leibesfülle allenfalls schwach auf das im Text besprochene Verhältnis von Magen und Gliedern hinweisen (vgl. dagegen die erweiterte Fassung in Augsburg, I.3.2°3 [siehe Nr. 37.1.1.]). Aus unklarem Grund 45ra zu Fabel Nr. 86 (Tanne und Dornbusch) abweichend vom Text anstelle eines Nadelbaumes eine Palme (wie auch in Wolfenbüttel 69.12. Aug. 2° [siehe Nr. 37.1.1.] und im Bamberger Druck [siehe Nr. 37.1.a.]), hier sogar mit Früchten (Kokosnüssen).

Farben: Olivgrün und -braun, Graublau, Rotbraun, Grau, mattes Rosa.

Volldigitalisat online unter: http://digit.ub.uni.heidelberg.de/digit.cpg314/

Literatur: Bartsch (1887) S. 72–75; Miller/Zimmermann (2007) S. 56–66 (Matthias Miller) mit weiterer Literatur, Abb. 19 (Textseite 200^{*r}). – Wegener (1927) S. 53, Abb. 46 (25ra). 47 (40vb); Lehmann-Haupt (1929) S. 28 f., S. 192 f., Nr. 10, Abb. 14 (4rb); Goldschmidt (1947) S. 60, Abb. 61 (39ra); Blaser (1949) S. 12, Abb. 15 (17vb); Bodemann/Dicke (1988) S. 431 u. ö.; RSM 1 (1994) S. 171; Hans-Joachim Ziegeler: Kleinepik im spätmittelalterlichen Augsburg – Autoren und Sammeltätigkeit. In: Janota/Williams-Krapp (1995), S. 308–329, S. 321 f.; Kostbarkeiten (1999) S. 155, Nr. A27 (Karin Zimmermann), Abb. 8 (4^{*r}); Saurma-Jeltsch (2001) Bd. 1, S. 244 f.; Renate Achenbach: Handschriften und ihre Texte. Dietrichs Flucht und Rabenschlacht im Spannungsfeld von Überlieferung und Textkritik. Diss. Frankfurt a. M. 2004 (Bayreuther Beiträge zur Literaturwissenschaft 26) S. 117–157, 219–242.

Abb. 91: 22rb.

37.1.10. Heidelberg, Universitätsbibliothek, Cod. Pal. germ. 794

Um 1415 (Wasserzeichendatierung Zimmermann [2009]). Schwaben (Schriftsprache)/Elsaß (Zeichenstil).
Vielleicht (nach Wegener [1927] S. VII: sicher) aus der Bibliothek Kurfürst Ludwigs III. von der Pfalz. 1^r unten Signatur des 17. Jahrhunderts: *794 P.*

Inhalt:

1^r–80^v Ulrich Boner, ›Der Edelstein‹
Hs. H4 (Bestandsklasse III), unvollständig

I. Papier, 84 Blätter (maßgeblich ist die Zählung des 17. Jahrhunderts: 1–80, zählt je ein neueres Vorsatzblatt 1* und 81* vorn und hinten nicht mit, ebensowenig das bis auf einen kleinen Rest fehlende Blatt 7* und das nach 55 eingeschaltete Blatt 55*; vor Blatt 1 fehlt eine Lage bis auf ein Blatt, das als Blatt 80 falsch eingebunden wurde; weitere fehlende Blätter: je ein Blatt vor 1 und 33, zwei Blätter nach 9; 36 falsch vor 34 eingebunden; einige Blätter mit Fehlstellen, vor allem 36, 42, 46), 289–300 × 207 mm, einspaltig, 26–36 Zeilen, Verse abgesetzt, Bastarda, ein Schreiber, rote Lombarden über zwei bis drei Zeilen, Caputzeichen, Versanfänge rot gestrichelt.
Schreibsprache: schwäbisch (nicht bairisch, wie fälschlich bei Blaser und Bodemann/Dicke).

II. Von ca. 105 ursprünglich enthaltenen kolorierten Federzeichnungen sind wegen Blattverlusts nur 84 erhalten, darunter 36^r, 41^r, 42^v, 46^v beschädigt (Blattangaben siehe S. 200–205); von zwei weiteren lediglich minimale Spuren (42^r, 46^r).

Format und Anordnung: halbseitig vor Beginn jeder Fabel bzw. im Text einer Fabel, ungerahmt, nur die Bildbasis ist linear angegeben (37^r auch doppellinig, 13^r ausnahmsweise umlaufend angedeutete Federstricheinfassung), der untere Bildrand grenzt unmittelbar an die folgende Textzeile, Überschriften sind nicht vorhanden bzw. vorgesehen. Bildbreite orientiert sich an der Schriftspiegeleinfassung (Grundmaß ca. 160 × 130–160 mm), doch werden Randstege oft als Bildraum mit genutzt, sowohl in seitlicher Erweiterung als auch neben dem Schriftraum nach oben oder unten (12^r, 23^r, 38^v, 42^v, 66^r, 68^v).

Bildaufbau und -ausführung: freistehende, rahmenlose Bildszenen, dabei werden jedoch randständige Architekturen (20^r, 25^r u. ö.) oder Landschaftselemente

(z. B. 10^{v}) zur seitlichen, gelegentlich von gedachtem Rahmen beschnittenen Bildbegrenzung. Schlichte, aber klare und sichere Konturzeichnung in weicher, geschlossener Linienführung, die an Glasmalerei erinnert (auf klare Umrisse bedacht zeigt sich etwa auch die lineare Gesamteinfassung der aus Einzelblättern bestehenden Baumkronen 1^{v}, 2^{v}, 5^{r} usw.); mehrfach abweichende Silberstiftvorzeichnungen erkennbar. Flächige, die Konturen sehr genau einhaltende Farblavierung in klaren, wenig ausgemischten Farben, die gerne kontrastreich gegeneinander gesetzt werden, gelegentlich aber auch dezente Muster bilden, z. B. hellgraue Kringel für das Fell des Apfelschimmels (19^{r} u. ö.). Auffallend die Verwendung von Gold (für Krone und Zepter) und Silber (für Rüstung und Schwert).

Auf meist schmalen Grünstreifen, deren Gräserbewuchs durch vertikale Federstrichel angegeben ist, agieren die Figuren auf vorderster Bildebene. Das dem Text entsprechende Fabelpersonal steht immer im Zentrum der Darstellung (Ausnahme 49^{v} zu Nr. 63 [Frau und Wolf]: Verzicht auf die Darstellung der Frau, die ihrem weinenden Kind mit dem Wolf droht). Figuren werden ohne perspektivische Ansprüche neben- oder hintereinander gestellt, dabei fehlen gelegentlich Körperteile (4^{r} der Knecht hinter dem Esel ohne Beine, ähnlich 66^{r}, 67^{v} u. ö.), sind falsch angeordnet (26^{r} die Augen des Frosches) oder unstimmig proportioniert. Tiere stets im Profil, wenig naturgetreu, aber punktuell auf Herausarbeitung einzelner anatomischer Detail bedacht (z. B. Kniescheibe als Kreis mit Kreuz beim Ochsen 3^{v}, 26^{r}, die mächtigen Sprungbeine der Heuschrecke 21^{r}, die Euter der Geiß 24^{r}, 74^{v}, der Penis des Pferdes 33^{r}); eher ornamental sind Gefieder (z. B. 9^{v}) oder Geweihe (z. B. 14^{r}) herausgearbeitet; Fellstruktur vielfach als rhythmisch aufeinanderfolgende Strichelreihen. Das dialogische Gegenüber wird mehrfach ganz besonders hervorgehoben, bei Tieren z. B. durch aus dem Maul hervorschauende Zungen (2^{v}, 10^{v}, 14^{r} usw.), bei Menschen durch angestrengt bewegte, wenn auch dilettantisch ausgearbeitete Mimik (25^{r}, 65^{r}, 70^{v}, 79^{r}) und Überbetonung der Gestik (überlange Weisefinger und -hände 19^{r}, 27^{r}, 56^{v}, 69^{v}, 79^{r}). Architekturkulissen in der Regel stereotyp (hell verputzte Spitzgiebelhäuser mit roten Schindeldächern, leeren Fenster- und Torbögen), wo eine genauere Ortsbestimmung notwendig ist, jedoch auch ausführlich geschilderte Architekturanlagen (29^{v} Kloster, 41^{r} Friedhof auf Kirchengelände, 60^{r} Stadttor mit Zollbrücke). Innenräume werden durch (isoliert ins Gras gesetzte) gotische Ziergiebel (43^{r}, 44^{r}, 44^{v}, 55^{r}, 63^{r}, 64^{r}, 65^{r}) nur angedeutet. Immer wieder scheint ein Hang zur Detailfreude auf: 46^{v} (zu Nr. 61 [Jude und Schenk]) steht ein reich gedeckte Tisch, an dem die königliche Gesellschaft sitzt, im Blickpunkt; 60^{r} (zu Nr. 76 [Buckliger und Zöllner]) ist der Bucklige zusätzlich mit einem Kropf versehen, 53^{r} (zu Nr. 53 [Geschundener Esel]) wird die Frau beim eigenhändigen Häuten des Esels dargestellt (so nur noch in München, Cgm 3974, siehe Nr. 37.1.15.).

Hin und wieder ist das tierische Personal durch Attribute vermenschlicht: 14^{r} (zu Nr. 35 [Wolf, Schaf und Hirsch]) Wolf als Richter sitzend, mit Stab und roter Sendelbinde, 33^{r} (zu Nr. 50 [Löwe und Pferd]) der am Boden liegende Löwe mit leidvoll verzerrtem Gesicht und roter Sendelbinde; Löwe sonst stets heraldisch stilisiert.

Vor allem die Gestaltung der menschlichen Figuren spricht laut STAMM (1981) S. 210f. für eine oberrheinische, genauer elsässische Stilprovenienz der Zeichnungen: hölzern wirkende Körperhaltungen, ohne Rücksicht auf stimmige Proportionen, Gesichter mit kräftigem, aus einem der geraden Augenbrauen hervorgehenden Nasenrücken und deutlich markiertem Nasenflügel, mit starren, mandelförmigen Augen, mit wie geschürzt wirkendem kleinen Mund. Dazu beidseits vom Kopf abstehende Haartrachten, bei denen jede Strähne durch wellenförmige Linien einzeln gezeichnet ist. Modische Miparti- oder Querstreifenkleidung (diese in heller abgetönten Farben: Hellblau, Violettrosa, Gelb, Weiß; z.B. 10^{v} oder 13^{r}), rhythmisierte Faltenanlagen von Gewändern, auch z.B. von Tisch- und Bettüchern (46^{r}, 72^{r}, 73^{r}), sowie Architekturschachtelungen (29^{v}, 41^{v}) haben elsässische Parallelen (Wien, Cod. 2915, Elsaß, Ende 14. Jahrhundert; Heidelberg, Cod. Pal. germ. 359, Straßburg, um 1420). Auffällig herausgearbeitete modische Kleidungsdetails (Kruseler 43^{r}–44^{v}. 55^{v}; Trompeten- oder Beutelärmel 4^{r}, 34^{r}–37^{r}, 47^{v}, 64^{r}) sind so auch im Gebetbuch der Ursula Begerin (Bern, Burgerbibliothek, Cod. 801, siehe KdiH Nr. 43.1.30.) und der Bilderbibel (Lüttich, ms. Wittert 3, siehe KdiH Nr. 15.4.2.) zu finden (beide Straßburg bzw. Elsaß, um 1400).

Bildthemen: übliche Themenwahl, mit Ausnahme vereinzelter kontinuierender Darstellungen (z.B. 40^{r} zu Nr. 55 [Fuchs und Wolf]: 1. der Hirte, begleitet vom Fuchs, ersticht den Wolf, 2. der Fuchs geht in die Falle) jeweils nur eine Handlungsszene pro Bild, jedoch mehrfach zwei oder mehr Bilder zu einer Fabel. Einzelgängerisch ist dabei die Gestaltung des zweiten Bildes zu Fabel Nr. 43 (Maus und ihre Kinder). Neben zwei Mäusen, die sich vorsichtig der am Feuer hockenden Katze nähern, ist in der rechten Bildhälfte groß ein Haus mit Wachtturm zu sehen: Der auf dem Turm stehende, in sein Horn stoßende Wächter untermalt die im Text angesprochene Mahnung zur Wachsamkeit in der richtigen Situation. Zu dieser den Text pointierenden Akzentuierung paßt, daß in manchen Bildern Inschriften (auf angedeuteten Schriftbändern, von Schreiberhand?) auf die vom Fabelpersonal verkörperte Eigenschaft hinweisen: 64^{r} *gitikeit*, 69^{v} *Betrachtung dis zergangen leben*, 70^{v} *gitikeit, Nid vnd hass*, 78^{r}

unståter sin. Auf eine reale Person dagegen dürfte der Eintrag 30ᵛ deuten, der die dargestellte Wäscherin als *ålli sprengerin* identifiziert.

Individuell ist die Wahl einer monumentalen Frauenbüste für das sonst stets Männer darstellende Bildnis in der Illustration zu Fabel Nr. 38 (Wolf und Bildnis).

Nicht zum Bildprogramm gehört 55aʳ (Fragment, auf ein neues Blatt montiert) mit der Darstellung einer Musikantengruppe: ein Fanfarenspieler, drei Bläser, ein Dudelsackspieler und ein Trommler. Stilistisch schlichter als die übrigen Illustrationen, diesen jedoch nahestehend (u. U. vom selben Zeichner).

Farben: Grün, Rot, Grau, Blau, Hellbraun, Gelb, Violett, Schwarz; Blattsilber, Blattgold.

Volldigitalisat online unter: http://digit.ub.uni.heidelberg.de/digit.cpg794/

Literatur: Bartsch (1887) S. 179; Karin Zimmermann: Vorläufige Neubeschreibung, online unter http://digit.ub.uni.heidelberg.de/sammlung2/werk/pdf/cpg794.pdf (Stand: 2009). – Wegener (1927) S. 10f., Abb. 13 (19ʳ); Goldschmidt (1947) S. 52. 60, Abb. 40 (18ʳ). 60 (57ʳ); Blaser (1949) S. 12, Abb. 16 (16ʳ); Peil (1985) S. 152, Abb. 9 (45ʳ); Mittler/Werner (1986), S. 78f., Nr. 11, Abb. S. 79 (19ʳ); Stamm (1981) S. 210f., Abb. 129 (72ʳ). 130 (44ʳ); Bodemann/Dicke (1988) S. 431 u. ö.; Häussermann (2008) S. 31f., Abb. 6 (1ᵛ).

Taf. XXIVb: 64ʳ.

37.1.11. Karlsruhe, Badische Landesbibliothek, Cod. Donaueschingen A III 53

15. Jahrhundert. Bayern?

Inhalt:

1ʳᵃ–1ᵛᵇ Ulrich Boner, ›Der Edelstein‹
Hs. D (Fragment: Fabel Nr. 74 Ende und Nr. 76 Anfang)

I. Papier, Fragment eines Doppelblattes (als Spiegelblatt benutzt), ein Blatt ist bis auf defekte Ränder und Wurmlöcher annähernd vollständig, ca. 300 × 205 mm, vom Gegenblatt nur ein kleiner Rest (innerer Randsteg) erhalten; zweispaltig, ca. 35 Zeilen, abgesetzte Verse, rote Lombarden über zwei Zeilen, Vers-

eingänge rot gestrichelt. Aus derselben Handschrift stammen womöglich weitere Donaueschinger Fragmente: B III 10, B III 11, B III 12, B III 24 (freundlicher Hinweis Gisela Kornrumpf).
Schreibsprache: bairisch.

II. Nur rudimentär erhalten ist 1va das Bild zu Fabel Nr. 76 (Buckliger und Zöllner): viertelseitig in Spaltenbreite eingefügt vor Fabelbeginn (ca. 90×80 mm), ungerahmt, ohne Überschrift oder Bildtitel, dilettantische Federzeichnung, sparsam laviert. Buckliger und Zöllner begegnen sich auf einem Holzsteg, der Zöllner lüftet dem Buckligen den Hut (wie Augsburg, I.3.2° 3, 77^{v} [Nr. 37.1.1.], Wolfenbüttel, Cod. 2.4 Aug. 2°, 38rb [Nr. 37.1.20.], Bamberger Druck 1461, S. 126 [Nr. 37.1.a.]), statt einer Krücke oder eines Stockes (wie sonst) hat der Bucklige eine zweizinkige Gabel geschultert.

Literatur: Bodemann/Dicke (1988) S. 430 u. ö.

Taf. XXIIIa: 1^{v}.

37.1.12. Karlsruhe, Badische Landesbibliothek, Cod. Ettenheimmünster 30

Zweite Hälfte 15. Jahrhundert (mehrere P-Wasserzeichen um 1470–80), Südwestdeutschland; nach Schreibsprache ggf. schwäbisch-alemannischer Grenzraum (nördlich des Bodensees?).
Herkunft unbekannt, im 16. Jahrhundert in der Hand eines Besitzers, der im Vorderdeckel kurze Koch-, Rebbau- und Schlachthinweise eintrug. Später in der Bibliothek des Benediktinerklosters Ettenheimmünster (Ortenaukreis); nach der Säkularisation 1803 in die damalige Badische Hofbibliothek gelangt.

Inhalt:
1. 1^{r}–108^{v} Ulrich Boner, ›Der Edelstein‹
Hs. K1 (Bestandsklasse II), Prologbeginn fehlt
2. 109^{r}–126^{v} Freidanks ›Bescheidenheit‹
Hs. g, Bezzenberger (1872) Nr. 34; Corpus-Sammlung, Schluß fehlt; Details siehe unter http://www.mrfreidank.de/106/

I. Papier, I + 126 Blätter (I = vorderes Spiegelblatt, bei der Restaurierung 1999 abgelöst; Blattverluste: zwei Blätter vor Blatt 1, drei Blätter nach Blatt 126), ca. 285×215 mm, einspaltig, Verse abgesetzt; zwei Schreiber, Schreiber I: 4^{r}–86^{v}, unruhige, gedrungene Bastarda, durchschnittlich 32–36 Zeilen, Verseingänge rot

gestrichelt, rote Lombarden über drei bis vier Zeilen; II: 1^{r}–3^{v}, 87^{r}–126^{v} sowie Überschriften im Bereich von Schreiber I, klare, aufrechte Bastarda, 26–28 Zeilen, Verseingänge rot gestrichelt, Lombarden über drei Zeilen. Schreiber II ersetzte wohl den von Schreiber I bereits niedergeschriebenen Textbeginn (ggf. beginnend mit Fabel Nr. 2) komplett durch eine neue Abschrift (beginnend mit Prolog) und tauschte dafür das ursprüngliche erste Blatt der Handschrift durch einen neuen Ternio aus, von dem lediglich das ehemals als Spiegel aufgeklebte Blatt I sowie die Blätter 1–3 erhalten sind (Rekonstruktion nach FECHTER, siehe unten Literatur); möglicherweise versah Schreiber II in ähnlicher Weise die Abschrift von Schreiber I auch mit einem neuen Ende (ab 87^{r} – neue Lage – unikale Version mit reduziertem Fabelbestand).
Schreibsprache: alemannisch, Schreiber I mit deutlich schwäbischen Merkmalen.

II. Zu Text 1 88 von ursprünglich 89 (Blattverlust vor 1) Bildfreiräumen (Blattangaben siehe S. 200–205), Illustrationen vorgesehen, nicht ausgeführt.

Format und Anordnung, Bildthemen: halbseitige Freiräume jeweils vor Fabelbeginn, zwischen der Fabelüberschrift (z. B. *das erst capittel seit von vnerkantniß* oder *das lxxvij von eim pfawen der gar vbermutig was*) und dem Text; gelegentlich ist am Seitenende der Freiraum so knapp bemessen, daß selbst bei Nutzung des kompletten Randstegs nur ein Bild von geringer Höhe (18^{v}) oder gar kein Bild (52^{v}, hier fehlt auch die Überschrift) hätte ausgeführt werden können; sehr gelegentlich wird aus Platzgründen der Bildraum deshalb im Text freigehalten (30^{r}, 34^{v}), wobei die Fabelüberschrift auch hier im Bildraum, d. h. im Text steht.

Zu jeder Fabel konsequent genau ein Bild – mit einer einzigen Ausnahme: Zur Fabel vom Mann, seinem Sohn und dem Esel, die außer in der Basler und der Berner Handschrift (Nr. 37.1.2., 37.1.3.) stets mit einer aus bis zu fünf Darstellungen bestehenden Bildsequenz illustriert ist, entwickelt der Schreiber eine eigene Gliederung, um das Prinzip der 1 : 1-Bebilderung beibehalten zu können: Er teilt die Fabel einfach in zwei Fabeln mit separaten Überschriften auf, wobei nun beide »Unterfabeln« mit jeweils einem Bildraum versehen sind (53^{v}: *Das L cappittel wie ein vatter vnd sin sun zu mercket furent der vatter sas vff dem esel vnd lies den sun gon*; 54^{v}: *Das LI cappittel wie ein vatter vnd sin sun ein esel trugent*).

Literatur: LÄNGIN (1894/1974) S. 86. 164; PREISENDANZ (1932/1973) S. 15 f. 100. – Handschriftenarchiv der Berlin-Brandenburgische Akademie der Wissenschaften: Beschrieben von WERNER FECHTER (1939), 13 Blätter (online über http://dtm.bbaw.de/HSA/); BODEMANN/DICKE (1988) S. 431 u. ö.

37.1.13. Karlsruhe, Badische Landesbibliothek, Cod. Ettenheimmünster 37

1482. Raum Konstanz (1ʳ–12ᵛ Konstanzer Kalender).
Im Vorderdeckel Verse eines unbekannten Besitzers (15./16. Jahrhundert): *dis bůch ist mir* [lieb] *wer mir das stilt der ist ein dieb es súent ritter oder d* (!) *knecht so ist im der galgen recht.* Bis zur Säkularisation 1803 in der Bibliothek des Benediktinerklosters Ettenheimmünster (Ortenaukreis).

Inhalt:

1. 1ʳ–80ʳ Iatromathematisches Hausbuch
2. 84ʳ–237ᵛ Ulrich Boner, ›Der Edelstein‹
   Hs. K2 (Bestandsklasse III)

I. Papier, I + 238 Blätter (zwei konkurrierende moderne Blattzählungen, maßgeblich ist diejenige, die auch die nur noch partiell vorhandenen Blätter ab Blatt 17 separat zählt und nicht wie die andere mit a- und b-Nummern versieht; ungeschrieben: 80ᵛ–83ᵛ), 215 × 155 mm, breite Bastarda, ein Schreiber: Johannes Tainiger (Kolophon 237ᵛ: *Anno domini M cccc lxxxij jar 1482 Johannes taininger mesner in der alten statt*), einspaltig, Text 2 25–28 Zeilen, abgesetzte Verse mit rot gestrichelten Verseingängen, Eingangsinitiale über fünf Zeilen, sonst Lombarden über zwei Zeilen.
Schreibsprache: schwäbisch.

II. In Text 1 Illustrationen ausgeschnitten und entfernt (Blatt 17ʳ–35ᵛ: Tierkreiszeichen- und Planetendarstellungen), siehe Stoffgruppe 87. Medizin.
In Text 2 117 Illustrationen vorgesehen, nicht ausgeführt (Blattangaben siehe S. 200–205).

Format und Anordnung, Bildthemen: Freigelassen wurden halbseitige Bildräume jeweils vor Fabelbeginn, weitere Bildräume ggf. zwischen dem Text (125ᵛ zu Nr. 35. [Wolf, Schaf und Hirsch] kein Bildraum freigelassen; 164ʳ zu Nr. 58. [Drei Römische Witwen] u. U. zusätzlicher Bildraum über ca. sechs Zeilen). Cod. Ettenheimmünster 37 ist die einzige illustrierte bzw. zur Illustrierung vorgesehene Handschrift, die den Prolog vollständig enthält; ein Eingangsbild bzw. ein Bild zum Prolog ist aber auch hier nicht vorgesehen. Die in der zweiten Hälfte des Zyklus in der Überlieferungsgruppe fehlenden Fabeln hat der Schreiber nach einer neuen Vorlage ab Blatt 211ᵛ bruchlos und ebenfalls mit freigehaltenen Bildräumen angefügt, allerdings in einer sehr ungewohnten Reihenfolge:

98, 54, 56, 59, 64, 66, 71, 81, 99, 97, 96, 95, 110 und Epilog, dazu zwischen Nr. 96 und 95 – wohl um auf die im Epilog genannte Hundertzahl zu kommen – ebenfalls mit Bildfreiräumen zwei Fabeln aus fremdem Zusammenhang (›Wiener Corpus‹ A 194: Frösche und Nachtigall; A 190: Eiche und Rohr [hier statt der stoffgleichen Boner-Fabel Nr. 83]). Zwei Fabeln dieser Nachtragssequenz – Nr. 66 (Sonne und Wind) und Nr. 100 (König und Scherer) – erhalten dabei (entgegen der gesamten Bildüberlieferung) je zwei Bildräume. Der allenfalls vierzeilige Freiraum vor dem Epilog (236ᵛ) hingegen dürfte kaum für eine Schlußillustration vorgesehen gewesen sein,

In der ersten Hälfte des Zyklus sind in die Bildfreiräume oftmals kurze, nur die Protagonisten oder die darzustellende Handlung benennende Hinweise eingetragen worden, z. B. 112ᵛ *ainer saget* [säht] zu Nr. 23 (Schwalbe und Hanf) 157ʳ *esel schinder* zu Nr. 53 (Geschundener Esel), 166ʳ *tod* zu Nr. 60 (Magen und Glieder).

Literatur: Längin (1894/1974) S. 101; Preisendanz (1932/1973) S. 17f. 102. – Bodemann/Dicke (1988) S. 432 u. ö.

37.1.14. München, Bayerische Staatsbibliothek, Cgm 576

Zweite Hälfte 15. Jahrhundert (Wasserzeichen P zwischen 1452 und 1465). Östlicher Schwarzwald/Westschwaben (nach Schreibsprache).
Aus dem Augustiner-Chorherrenstift St. Michael zu den Wengen in Ulm: Exlibris mit Wappen des Wengenklosters und des letzten Propstes Nikolaus Bucher (1785–1803) im Vorderdeckel. Nach der Säkularisation 1803 in die Hofbibliothek nach München gelangt (im Vorderdeckel Stempel *Ex Libris B.R.M.).*

Inhalt:
1ʳ–90ᵛ Ulrich Boner, ›Der Edelstein‹
Hs. M2 [Pfeiffer: c] (Bestandsklasse III)

I. Papier, 90 Blätter (vor 40, 70 und nach 90 fehlt je ein Blatt, entgegen Schneider (1978) kein Lagenverlust vor Blatt 1; 57ᵛ–58ʳ unbeschrieben und nachträglich mit rotem Farbstift voll gekritzelt), 228 × 210 mm, einspaltig, 36–37 Zeilen, Verse abgesetzt, Bastarda, ein Schreiber, jede Fabel beginnt mit roter Lombarde über vier Zeilen, die erste (1ʳ) besonders ausladend mit einfacher ornamentaler Binnenzeichnung; Versanfänge rot gestrichelt, darüber hinaus keine Rubrizierung. Schreibsprache: ostalemannisch mit einzelnen schwäbischen Schreibformen.

II. Von den vorgesehenen 95 Illustrationen (Blattangaben siehe S. 200–205) nur die ersten 18 (bis 17r) skizzenhaft ausgeführt, danach Bildfreiräume, im Freiraum 30r nachträgliche Zeichnung eines männlichen Oberkörpers; ebenso 49v spätere Zeichnung eines Pferdes (16. Jahrhundert).

Format und Anordnung: halbseitig jeweils vor Textbeginn, weitere Bildräume ggf. zwischen dem Text. Kapitelüberschriften oder Bildbeischriften sind nicht ausgeführt, wohl auch nicht vorgesehen.

Bildaufbau und -ausführung: Keine der Zeichnungen ist fertiggestellt, es handelt sich um ungerahmte, dilettantische Federzeichnungen (Konturen oft nachgezogen und korrigiert), die womöglich als Vorzeichnungen gedacht waren (von Anfang an fehlen z. B. über den sich bereits ansatzweise verzweigenden Stämmen die Baumkronen, die u. U. mit dem Pinsel hätten ausgeführt werden sollen), manche recht ausführlich konzipiert, z. B. 10r kräftige Figuren in modischer Kleidung, das Paar rechts reicht sich die Hände, links darauf hinweisend zwei Männer im Gespräch (Nr. 10: Hochzeit der Sonne); auch hier jedoch das Bild unvollendet, Bodenfläche etc. fehlen, ebenso die Sonne. Nur ausnahmsweise in Ansätzen (Architekturteile, Gewänder, Tierkörper) flächig in Blaßrosa laviert.

Bildthemen: Die am weitesten ausgeführten Bildskizzen geben lediglich Auskunft über eine konventionelle Auswahl und szenische Anordnung der dargestellten Protagonisten, z. B. 12r: Mann mit Gerte und Stock nähert sich von rechts der Schlange, die sich vor bzw. aus einem Haus mit gotischem Stufengiebel windet und ihn anzüngelt (Nr. 13: Schlange im Haus), oder 13v: Mann mit Krug in der linken Hand schließt mit der rechten Hand die Tür eines Stufengiebelhauses auf, dessen Seite ist »aufgeschnitten«, man sieht zwei Mäuse in der Vorratskammer (Nr. 15: Feldmaus und Stadtmaus). Zu Fabel Nr. 4 (Baum auf dem Berg) steht wie in den meisten, jedoch nicht allen Handschriften der Engel im Mittelpunkt der Darstellung (kein Engel in Augsburg, Dresden, Frankfurt, St. Gallen, Cod. 643 und Wolfenbüttel, 2.4 Aug. 2°). – Fabel Nr. 39 fehlt fast komplett (Abschreibfehler: Zu Beginn des Epimythions von Nr. 38 wechselt der Schreiber versehentlich zum Epimythion der Fabel 39 über)!

Literatur: Schneider (1978) S. 168 f. – Bredt (1900) S. 18; Blaser (1949) S. 12; Bodemann/Dicke (1988) S. 432 u. ö.

Abb. 99: 10v.

37.1.15. München, Bayerische Staatsbibliothek, Cgm 3974

Zweites bis drittes Viertel 15. Jahrhunderts; ›Der Edelstein‹: um 1430/35 und um 1450. Regensburger Raum?
Erstbesitzer war der Hauptschreiber I. Auf zisterziensische Herkunft könnte nach SCHNEIDER (1991) S. 507 die Darstellung des Bernhard von Clairvaux 4^r deuten (vgl. ferner 169^r Darstellung eines Klosters mit der Beischrift *Sci Bernhardi porta* und der Darstellung von Nonnen in zisterziensischer Ordenstracht, 202^r Bezeichnung des Abts als *Abbas ordinis cistersiensis*); Benutzereinträge wie 201ra der Hinweis auf die Hinrichtung des Hieronymus von Stauf in Ingolstadt 1516 (vgl. SCHNEIDER [1991] S. 516; vgl. ferner 211^v *Hec fabula tangit doctorem andream olim Ingolsteine conue*[...]*torem et regentem* [...]*modo in Bamberg* [...]) könnten auf mögliche Besitzer des 16. Jahrhunderts in Ingolstadt deuten. Den Namenseintrag 321^v *Geor. Eysen anno 1533* bringt SCHNEIDER (1991, S. 507) versuchsweise mit dem 1522 an der Wiener Universität immatrikulierten Georgius Eisen aus Haugstorff bei Wien in Verbindung. Spätestens im 18. Jahrhundert im Benediktinerkloster St. Emmeram in Regensburg (Rückensignatur *D LVIII*). Nach der Säkularisation 1811/12 nach München gelangt.

Inhalt: lateinisch-deutsche Sammelhandschrift, siehe GRUBMÜLLER (1975), SCHNEIDER (1991) S. 504–519; vgl. auch die Beschreibungen in KdiH 1 (1991) Nr. 9.1.12., S. 287–289 (mit Abb. 143. 144), 2 (1996) Nr. 16.0.15., S. 295 f.

Darin:

124^r–213^r Ulrich Boner, ›Der Edelstein‹
Handschrift M4 [PFEIFFER: d] (Bestandsklasse III)
mit lateinischen, gelegentlich deutschen Randkommentaren

I. Papier, 323 Blätter, modern gezählt 1–321 (nicht gezählt zwei leere Blätter zwischen 248 und 249; alte Blattzählung *1–324* vom Hauptschreiber und ersten Besitzer, ferner etwas jüngere Blattzählung *I–CCLXXVI*; im Quaternio 148–155 sind die beiden äußeren Doppelblätter ursprünglich falsch eingelegt und gezählt worden; die richtige Blattfolge 155, 154, 150, 151, 152, 153, 148, 149 ist bei einer Neubindung wiederhergestellt und mit einer korrigierten Bleistiftzählung versehen worden), 295 × 205 mm, neun Schreiber (SCHNEIDER [1991]: »In eine von einer einzigen Hand über einen längeren Zeitraum geschriebenen Hs. (I), in der 8 unterschiedliche Faszikel festzustellen sind [...], wurden vom Hauptschreiber 2 fremde Hss.teile (II–III) eingearbeitet«). – ›Der Edelstein‹ beginnt in einem eingearbeiteten Faszikel des Schreibers III (Blatt 124–167, Wasserzeichen um 1430–1435: SCHNEIDER [1991] S. 507); Bastarda, einspaltig, durchschnittlich ca. 33 Zeilen, abgesetzte Verse, sehr großzügige Seiteneinteilung (Schriftraum nur ca. 190–200 × 137–140 mm), Hauptschreiber I setzt die von Schreiber III offenbar unvollendet gelassene Abschrift des Fabeltextes in einem selbst angelegten Faszikel fort (Blatt 168–215, um/nach 1450), übernimmt dabei die Seitenanlage des Schreibers III. Erst nach Fertigstellung der Bildausstattung versieht der Hauptschreiber I den Gesamttext mit kommentierenden Nachträgen vor allem in der rechten Seitenhälfte, aber auch auf den Randstegen und in den Bildern (im einzelnen GRUBMÜLLER [1975]); die zahlreichen Hinweise auf die entsprechenden lateinischen Fabeln des Anonymus Neveleti und des Avian (mit Angabe von Nummer, Incipit und Blatt der Abschrift in derselben Handschrift: Anonymus Neveleti mit Kommentar 216ra–234vb, Avian mit Kommentar 235ra–248vb) deuten auf einen engen zeitlichen Zusammenhang mit dem von Schreiber I auf 1450 datierten (234vb) Faszikel. – Abschließend Rubrizierung vom Hauptschreiber: rote Strichelung (jeder zweite Versanfang), Unterstreichungen, Caputzeichen, Textbeginn jeweils mit roter Lombarde über zwei bis drei Zeilen. Schreibsprache: bairisch-österreichisch.

II. 108 kolorierte Federzeichnungen (Blattangaben siehe S. 200–205), davon mehrere über beide Seiten des geöffneten Buches: 146^{v}–147^{r}, 166^{v}–167^{r}, 166^{v}–167^{r}, 197^{v}–198^{r}; ein oder mehrere Zeichner einer Werkstatt. Von derselben Hand in Cgm 3974 nur noch das Eingangsbild 209vb zu ›Salomon und Markolf‹ (siehe Stoffgruppe 112).

Format und Anordnung: Freigelassen sind halbseitige Bildräume stets vor Textbeginn, bei mehreren Illustrationen zu einer Fabel zusätzlich auch zwischen dem Text, ausgenutzt wird jedoch nicht nur der vorgesehene Bildraum, sondern je nach Bedarf der gesamte Freiraum darum herum (Randstege), indem die Bildzonen um den Schriftspiegel herum komponiert werden. Gelegentlich, wenn der vorgesehene Bildraum zu geringe Entfaltungsmöglichkeiten bot, geht die Bildkonzeption auch vom Bildrand aus (z. B. 127^{r}, 165^{r}) oder nutzt den Blattrand für nahezu autonome Randzeichnungen (140^{v}, 147^{v}).

Bildaufbau und -ausführung: ungerahmte Zeichnungen, durch die ausladenden bis ausufernden Formate und Anordnungen wird die Handschrift zu einem Bilderbuch. Einzelne Zeichnungen sind zu einem Tableau mit mehreren Bildebenen und -szenen erweitert (v. a. 197^{v}–198^{r} zu Fabel Nr. 79: Prahlender Affe). Protagonisten werden in Nahsicht präsentiert, stehen auf einer meist kantig gebrochenen, grün lavierten Bodenscholle, die seitlich oft durch Felsformationen und/oder Bäume begrenzt wird; ohne Angabe eines Hintergrunds oder des Himmels. Felsen und Bruchkante durchscheinend bräunlich-rosa laviert, vor allem die oberen Bodenkanten strukturiert durch rhythmisch angeordnete Gräserzacken, die in der Reihung oft verschmelzen zu einer Art Rautenmuster. Souveräne Zeichnung mit spitzer schwarzer Feder, die die Umrisse zum Teil in doppelter, oft mehrfacher Strichlage ausführt, Felsformationen manchmal in mehr gekritzelten als gezogenen Linien gezeichnet (205ʳ). Gelegentliche Teilzeichnung mit deutlich breiterer Feder und in an- und abschwellenden Strichen (v. a. 155ᵛ [148ᵛ] und 154ʳ [149ʳ] die Baumkronen) könnten auf die Beteiligung von mehr als einer Hand deuten. Bis auf seltene Schraffuren und die durch Strichel oder Kringel angegebenen Fell- und Gefiederstrukturen weitgehend ohne modellierende Binnenzeichnung; figürliche Plastizität wird durch die anschließende Lavierung erzeugt, die den weißen Papiergrund gestaltend stark mit einbezieht: Abschattierte Gesichter, modellierte Faltenwürfe u. a. Räumliche Wirkung erzeugen Staffelungen vor allem von Erdformationen, Schrägstellungen von Gebäuden (128ᵛ, 162ʳ, 163ʳ), perspektivische Verkürzungen (z. B. 164ʳ Löwe), insbesondere aber die Verteilung der Protagonisten auf mehrere, gegeneinander versetzte Bildebenen. Menschliche Gestalten mit leicht gedrungenen Körpern, ovalen Gesichtern mit Andeutung von Doppelkinn, runden Augen, oft halb geschlossen durch die Augenlider, v. a. Frauen meist mit punktförmigem Wangenrot; faltenreiche Gewänder. Durch die Beigabe vieler Details (vgl. etwa die Trippen des Mannes 180ᵛ) lebendig und die Handlung einfühlsam ausmalend, wenngleich die Figuren etwas statuarisch wirken. Tiere werden durch Haltung (172ʳ zu Fabel Nr. 50 [Löwe und Pferd]: Löwe und Pferd ringen in aufrechter Haltung wie Menschen miteinander), durch Attribute (149ʳ [154ᵛ] zur Fabel Nr. 35 [Wolf, Schaf und Hirsch]: der Wolf aufrecht auf dem Richterstuhl sitzend, mit Richterstab und rot-grünem Zaddelhalstuch) oder durch situative Einbindung vermenschlicht (188ᵛ zu Fabel Nr. 68 [Frosch und Fuchs]: der Frosch an einem Medikamententisch sitzend und eine Arzneidose öffnend).

Protagonisten wie Details der Szenerie sind durch Beischriften unterschiedlicher Art kommentiert (dazu GRUBMÜLLER [1975] S. 146–152): Beischriften zu Figuren und Gegenständen (129ᵛ zu Fabel Nr. 4 [Baum auf dem Berg]: *arbor cum optimis fructibus*) können im Sinne eines Orbis pictus etwa zur Sprachschulung gedacht gewesen sein (wenn z. B. 133ʳ zu Fabel Nr. 11 [Wolf und Kranich] der Wolf die Beischrift *lupus* und der Kranich die Beischrift *grus* erhält, oder 169ʳ zu Fabel Nr. 48 [Fieber und Floh] in der Darstellung einer großen Klosteranlage die Nonnen Einzelbeschriftungen erhalten: *moniales*, *abatissa, priorissa, custrix*); sie können aber über die identifizierende Funktion hinaus den Bildinhalt auch weiter ausdeuten (wenn z. B. 168ᵛ zu Fabel Nr. 48 [Fieber und Floh] die Darstellung des Fiebers in Gestalt eines toten Mannes die Beischrift *der schutler oder rit* oder 169ᵛ zur selben Fabel der Steinbrunnen die Beischrift *fons salutis* erhält). Weitere Beischriften beziehen sich auf Auslegungsmöglichkeiten der Fabel (Auszüge aus den lateinischen Anonymus Neveleti- und Avian-Vorlagen und deren Kommentar; lateinische und deutsche Sprichwörter). Zahlreiche Weisehände machen dazu auf Stellen im Verstext und im Kommentar besonders aufmerksam. Die umfangreichen Beischriften-Apparate gibt es jedoch nicht zu jeder Fabel bzw. zu jeder Fabelillustration: Die Bilder 190ᵛ, 208ʳ oder 209ᵛ etwa haben über die Figurenidentifizierungen hinaus kaum eine Beischrift.

All dies deutet zwar auf eine enge Zusammenarbeit zwischen Schreiber und Illustrator, wobei aber der Illustrator nicht sichtbar nach Anweisung des Schreibers vorging, sondern der Schreiber seinerseits gelegentlich in Form einzelner dilettantischer Ergänzungen die Zeichnungen nachzubessern versuchte (175ʳ oben und 176ᵛ unten jeweils zwei Köpfe ergänzt, weil der Schreiber beim Kommentieren der Bilder offenbar beide Male die im Text genannten Kommentatoren der Situation vermißte).

In jüngerer Zeit wurde der Zusammenhang mindestens zweier Illustrationssequenzen der Handschrift mit Martinus Opifex († 1456), seiner Werkstatt bzw. seinem Umfeld in Regensburg diskutiert: Der Zuschreibung von 51ᵛ–59ᵛ, entstanden in den frühen vierziger Jahren des 15. Jahrhunderts, an Martinus (Suckale, in: Regenburger Buchmalerei [1987] S. 108) widerspricht Ziegler (1988) S. 69 f., die hier lediglich stilistische Einflüsse sieht. Die Fabelbilder 124ʳ–213ᵛ hält Suckale für vielleicht noch nach Entwürfen der Opifex-Werkstatt, aber wohl nicht mehr durch sie ausgeführt (ebd.); auch diese Vermutung ist abzuschwächen: Für einen Entstehungsort der Bilder im Regensburger Raum sprechen zwar Bildinschriften, die auf Albertus Magnus verweisen (zu Fabel Nr. 94 [Der Nigromant] wird im Bild 211ᵛ der Nigromant als *Albertus magnus nigromanticus* bezeichnet, ebenso 212ᵛ als *Albertus Magnus Episcopus ratisponsis*), doch die Vermutung einer auch nur mittelbaren Beziehung zu Martinus Opifex ist schon angesichts der völlig anderen Bildanlage nicht nachzuvollziehen. Auch eine Verbindung zu den Malern der Bilder in der Handschrift München, Bayerische Staatsbibliothek, Cod. hebr. 107 (Fabelsammlung des Isaak ben Salomon Abi Sahula) existiert gegen die Vermutung Suckales (Regensburger Buchmalerei [1987] Nr. 101, S. 109 f.) nicht (freundlicher Hinweis von Simona Gronemann; vgl. die unpublizierte Dissertation von Simona Gronemann: The Extant 15th century illuminated manuscripts of Meshal H'Kadmoni by Isaac B. Salomon Iben Sahula. Diss. Jerusalem 2008).

Von Benutzern des 16. Jahrhunderts sind Bärte (z. B. 134^{r}), Wangenrot (163^{r}, 169^{v}) sowie gelegentliche Bildbeischriften nachgetragen (145^{v} *sueuus*[?] *et rana sunt una persona*; 148^{v} *bauarus et sus habent unum corpus* [mit Zusatzzeichnung einer kleinen Sau]).

Bildthemen: Ein großer Anteil der Fabeln ist durch jeweils mehr als ein Bild illustriert, dazu kommen mehrfach auch kontinuierende Darstellungen vor, z. B. 125^{v} zu Fabel Nr. 6 (Frosch und Maus): links Frosch und Maus im Wasser, rechts Frosch und Maus im Nest des Adlers (hier als *Milvus* [Milan] bezeichnet), der den Frosch in Schnabel hält. Die Grenze zwischen kontinuierender Bebilderung oder Illustrierung zweier Handlungsschritte in zwei separaten Bildern verschwimmt wegen der unscharfen Bildgrenzen gelegentlich (179^{r} gehen zu Fabel Nr. 57 [Frau und Dieb] die Darstellung von Galgenwächter und Frau im Bett am oberen Randsteg und diejenige von Frau und Galgenwächter auf dem Friedhof ineinander über, da der Kirchturm des unteren Bildes in das obere Bild hineinragt).

Ein äußerst enger Text-Bild-Bezug wird sowohl durch eine spezifische Themenausweitung als auch durch die kommentierenden Beischriften des Schreibers hergestellt. Zusatzmotive weiten den Handlungsplot der Fabel narrativ aus, wobei manche lediglich dazu gedacht scheinen, eine spärliche Szenerie zu bereichern, z. B. 132^{v} zu Fabel Nr. 10 (Hochzeit der Sonne) zusätzlich am unteren Randsteg die Darstellung eines Schafe hütenden Hirten (die allerdings auch zum nächsten Bild 133^{r} zu Fabel Nr. 11 [Wolf und Kranich] gehören könnte), andere jedoch gezielt auf die Übertragung auf menschliche Lebenssituationen deuten könnten: z. B. auf Beziehungsgeflechte zwischen Herrschaft und Knechtschaft im Bild 131^{v} zu Fabel Nr. 8 (Löwenanteil) eine Burganlage im Hintergrund, die für den Machtanspruch des Löwen stehen könnte (hierzu Grubmüller [1975] S. 147–152), ebenso 139^{v} zu Nr. 19 (Alt gewordener Löwe); 140^{v} zu Nr. 20 (Schmeichelnder Esel) wird das neben dem dinierenden Königspaar an dessen Tafel mitspeisende Hündchen kontrastiert durch die Zusatzzeichnung am unteren Randsteg: Ein magerer Hund kaut auf einem abgenagten Knochen oder Stock. Herausstechend insbesondere 144^{v} zu Nr. 24 (Königswahl der Athener), wo die in anderen Handschriften disputierend oder bittend dem König entgegentretende Menschengruppe durch zwei Männer, in Fuß- und Handblock gefangen und von Wächter in Kettenhemd bewacht, ersetzt ist, womit das Thema Unfreiheit ungleich deutlicher ins Bild gesetzt wird. Andere thematische Zuspitzungen sind von Bildmustern geistlicher Provenienz inspiriert, vor allem 185^{r} zu Fabel Nr. 63 (Frau und Wolf) die Mutter (*rustica*) mit Kind (*puer*) als Maria lactans unter einem Arkadenbaldachin. Mehrere motivische Umdeutungen bleiben unklar, z.B. die Tatsache, daß 134r zu Fabel Nr. 13 (Schlange im Haus) anders als sonst der Mann (*hospes*) in voller Rüstung dargestellt ist, oder daß 189v zu Fabel Nr. 70 (Katze, Mäuse und Schelle), wo Mäuse und Schelle innerhalb eines dörflichen Ambientes arrangiert sind, ein Teil der Gebäude (diejenigen mit rotem Dach, die anderen haben graue Dächer) durch einen breiten, hufeisenähnlich an einer Seite offenen Ring umklammert werden.

Ohne unmittelbaren Textbezug (nicht Illustration zum Epilog, der im Cgm 3974 fehlt) ist 213r die Darstellung des *Magister Esopus et poeta* (Beischrift) als deutlich antikisierend ausgestatteten Gelehrten. Die Darstellung knüpft an die von Evangelistenbildern geprägte Autorbildikonographie an (Wagner [2003] S. 393), wobei diese womöglich durch die Attribute – langes Haupthaar und Bart, turbanartig ausladendes weißes Barett, lange Gewandung und unbeschriebenes Schriftband in Händen – spezifiziert wird in Richtung eines alttestamentlichen Patriarchen oder Propheten (Fouquet [1972] und Grubmüller [1983]: Salomo): Der Fabeldichter soll damit offenbar in die Tradition der biblischen Weisheitsbücher gestellt werden.

Farben: vornehmlich Grün-, Oliv-, Ocker- und Brauntöne, Braunrosa, Rot, Violettrot, Grau, selten Blau.

Literatur: Schneider (1991) S. 504–519; Schneider (1994) S. 57, Abb. 184 (240r). – Goldschmidt (1947) S. 55 u.ö., Abb. 41 (158r). 52 (185r). 57 (197r). 59 (192r); Blaser (1949) S. 12f.; Fouquet (1972) Abb. 6 (213r); Grubmüller (1975) S. 140–143; Peil (1985) S. 154, Abb. 12 (180v); Grubmüller (1983) Abb. S. 23 (213r); Regensburger Buchmalerei (1987) Nr. 97, S. 107f., Abb. 71 (56r). 163 (77r). 164 (124v); Bodemann/Dicke (1988) S. 432 u.ö.; Peil (1990) pass., Abb. 53 (134r). 54 (185r). 58 (197v–198r). 59 (137r). 60 (172r); Michael Curschmann: Marcolf or Aesop? The Question of Identity in Visio-Verbal Contexts. Studies in Iconography 21 (2000), S. 1–45, hier S. 9–11, Abb. 4 (213v). 5 (213r); Obermaier (2002) S. 65, Abb. 2 (213r); Wagner (2003) S. 392. 399–405 u.ö., Abb. 39 (213r); Häussermann (2008) S. 95, Abb. 115 (213r); Dicke (2008) Abb. 2 (213r).

Taf. XX: 211v. Abb. 100: 166v–167r.

37.1.16. München, Bayerische Staatsbibliothek, Clm 4409

12. bis 15. Jahrhundert. Schwäbischer Raum?
Aus der Bibliothek des Benediktinerklosters St. Ulrich und Afra in Augsburg. Vgl. MBK 1 (1918) S. 389. Blatt Iv: *Morales autores Vol. VI*

Inhalt: lateinische Schulhandschrift (vgl. Henkel [1988] S. 157 f.): Johannes de Garlandia(?), ›Poenitentiarius‹ mit Anhang; dass. ohne Anhang; ›Scolaris‹; ›Qui vult ornari‹; Frowin von Krakau, ›Antigameratus‹, unvollständig [bis hierher mit intermittierender deutscher Reimpaarübersetzung]; ›Liber Floretus‹, unvollständig; ›Physiologus Theobaldi‹; Ovid, ›Metamorphosen‹, Fragment; lateinischer Prosakommentar zu den ›Disticha Catonis‹; ›Facetus *Cum nihil utilius*‹; ›Facetus *Moribus et vita*‹; ›Novus Cato *Lingua paterna*‹; ›Rudium doctrina‹; ›Physiologus Theobaldi‹; ›Novus Physiologus‹, Anfang; Volpertus, ›Lima monachorum‹; ›Carmen de vita Pilati‹; Ps.-Bernhardus, ›De contemptu mundi‹; Gottfried de Thenis, ›Proba mulierum‹; Ps.-Boethius, ›De disciplina scolarium‹, unvollständig

Darin:

87^{r}–132^{r} Anonymus Neveleti, ›Esopus‹ (bis 122^{v}) / Ulrich Boner, ›Der Edelstein‹
jede lateinische Fabel mit lateinischem Kommentar und deutscher Reimpaarübersetzung aus dem ›Edelstein‹
Boner: Hs. M1 (Bestandsklasse III)

I. Pergament und Papier, V + 243 Blätter (neue Zählung, die die alte von Halm und Schmeller benutzte Zählung korrigiert, indem sie die unbeschriebenen Blätter nach Blatt 82, 132, 148, 224 und 242 mitzählt: 83^{r}–86^{v}, 132^{v}–136^{v}, 149^{r}–152^{v}, 224^{v}–226^{r}, 243$^{r–v}$; nach 11 ursprünglich leeres Blatt, in moderner Zählung 11b, von Benutzern mit Federproben und Kritzeleien gefüllt; ebenso 46^{v}, 226^{v}); zahlreiche Schreiber, I (zweite Hälfte 15. Jahrhundert): 1^{r}–82^{v}, einspaltig, Haupttext 8–12 Zeilen, 40^{v} unten Schriftband mit Kolophon (*per me … scribo*; Rest durch Beschnitt entfallen, 46^{v} lateinische Notizen, u. a. Beginn des Donat: *Partes orationis sunt*); II: 86^{r}–132^{r}, Anfang 15. Jahrhundert, einspaltig, lateinische Verse abgesetzt, ca. 22 Zeilen, für Glossierung vorgesehene Zeilenzwischenräume bleiben ungenutzt; Kommentar sehr engzeilig, oft die Verse umgreifend; der lateinische Grundtext gelegentlich mit blaßrötlichen Lombarden über zwei Zeilen, sonst nicht rubriziert; III: 137^{r}–148^{v}, Anfang 15. Jahrhundert, einspaltig, Haupttext 12 Zeilen, IV: 153^{r}–156^{v}, 12. Jahrhundert, einspaltig, 33 Zeilen; V: 157^{r}–166^{r}, 13. Jahrhundert, zweispaltig, 46 Zeilen; V (Johannes): 167^{r}–225^{r}, zweite Hälfte 14. Jahrhundert (174^{v} und 212^{r} *que me scribebat Johanes nomen habebat*; 199^{v} *Haincz schmid sol vilj lib*[…] *vmb* […]; 226^{v} u. a. *haincz schmid sol mir geben x ß*); gotische Buchschrift, einspaltig, 22–28 Zeilen, meist flüchtig vorgezeichneter Schriftspiegel mit separater Spalte für Verseingangsbuchstaben, Lombarden über zwei Zeilen nicht immer ausgeführt, texteinleitend gelegent-

lich Initialen mit Gesichtern im Binnenraum (192^{r}, 195^{r}, 196^{r}; 168^{r} an der Schriftspiegeleinfassung Gesicht im Halbprofil); VI: 227^{r}–242^{v}, um 1400, einspaltig, Haupttext 17–20 Zeilen.
Schreibsprache (Text 8): schwäbisch.

II. Zum ›Edelstein‹ 35 Illustrationen vorgesehen, nur z. T. ausgeführt (Blattangaben siehe S. 200–205); 212^{r} im Anschluß an den Schreiberkolophon ein weiteres Bild, unter Umständen vom Illustrator der Fabeln nachgetragen: Ritter überreicht Dame im Kniefall einen Blumenkranz.

Format und Anordnung: Text und Bild haben folgende Abfolge:
Bild – lateinischer Fabeltext – Kommentar – deutscher Fabeltext, d. h. das Bild ist stets eindeutig dem lateinischen Text zugeordnet.

Ab 116^{v} fehlt der Kommentar, es steht damit deutlich mehr Raum für die Bilder zur Verfügung, der aber nur manchmal genutzt wird. Ab 123^{r} fehlt auch der lateinische Fabeltext; obwohl nun nur noch der deutsche Text notiert ist, sind die Illustrationen dennoch nach wie vor nicht unmittelbar den deutschen Fabeln zugeordnet, sondern zwischen Bild und Fabel des ›Edelstein‹ bleibt stets der Raum für den lateinischen Text ausgespart.

Streifenbilder von bis zu halbseitigem Format, die Breite des Schriftspiegels überschreitend, ähnlich wie der lateinische Kommentar den Text durch Inanspruchnahme der Randstege auch umgreifend (100^{v}/101^{r} und 97^{v}/98^{r} über zwei Seiten der aufgeschlagenen Handschrift). Ausnahmsweise (108^{v}) nicht vor den Text, sondern neben diesen plaziert. Die einzige ganzseitige Zeichnung 113^{v} (zweites Bild zu Nr. 21 [Löwe und Maus]) dürfte eine Notlösung gewesen sein: Da der Kommentar kürzer als vom Schreiber erwartet ausfiel, wurde vor den deutschen Text ein zusätzliches ganzseitiges Bild eingefügt.

Bildaufbau und -ausführung: dilettantische Kompositionen, die Figuren werden in dialogischem Gegenüber, ansonsten ohne Rücksicht auf Einbindung in eine Gesamtkomposition oder gar auf Perspektive in die Fläche gesetzt (besonders drastisch 109^{v}, wo die Tiere beziehungslos im Bildraum verteilt sind), die Bodenfläche ist als Hintergrund oft bis zum oberen Bildrand hochgezogen, darüber hinaus ragen Einzelbäume mit kräftigem Stamm und kleiner Laubkrone. Flotte, aber schlichte Umrißzeichnung, die gänzlich unbeholfen die menschlichen Protagonisten gestaltet (94^{r}, 100^{v}, 111^{r}, 117^{v}, 123^{v}, 125^{v}): unproportionierte Körper mit viel zu kurzen Beinen, verzerrte Physiognomien. Beim Tierpersonal dagegen sticht das Bemühen um mimische und gestische Lebendigkeit hervor: stets geöffnete Mäuler, mehrfach erhebt ein tierischer Protagonist ein

Vorderbein gegen sein Gegenüber; 132^r trägt der aufrecht sitzende Wolf als Richter einen bowlerartigen Hut und hat einen Stab geschultert. 115^r wird der kranke Weih im Bett, unter einer Decke liegend, dargestellt.

Ab 127^v sind die Zeichnungen kaum noch koloriert (nur anfangs noch mit Orangerot); ab 129^r nur noch Vorzeichnungen.

Bildthemen: Das Bildprogramm ist zwar im Layout auf den lateinischen ›Esopus‹ bezogen, bezieht seine Motive aber aus dem deutschen ›Edelstein‹. Für die erste Fabel des Anonymus Neveleti *ut iuvet es prosit* gibt es im ›Edelstein‹ kein Pendant. Die Bildfolge beginnt somit erst mit Fabel 2 des Anonymus Neveleti (Fabel Nr. 5 des Edelstein). Unklar bleibt dabei allerdings, warum die Fabel Nr. 8 (Löwenanteil) umgestellt wurde (nach Nr. 11); möglicherweise hat die leichte Verwirrung bei der Bildausführung zu Nr. 11 (Wolf und Kranich) hiermit zu tun: 95^v ist als Eingangsbild zur lateinischen Fabel fälschlich ein Wolf vor abgeschnittenem Kopf eines Widders oder Geißbocks dargestellt. Das »richtige« Bild ist erst 96^r zwischen Kommentar und deutschen Text eingeschoben worden. 132^r endet das Programm mit Bild ohne nachfolgenden Text, 132^v–136^v bleiben leer!

Volldigitalisat (schwarzweiß) online unter http://daten.digitale-sammlungen.de/~db/bsb00006778/images/

Literatur: Halm (1894) S. 190f. – Grubmüller (1975) S. 153; Nikolaus Henkel: Deutsche Übersetzungen lateinischer Schultexte. Ihre Verbreitung und Funktion im Mittelalter und in der frühen Neuzeit. Mit einem Verzeichnis der Texte. München 1988 (MTU 90), S. 157–161; Bodemann/Dicke (1988) S. 432 u. ö.; Peil (1990) pass., Abb. 56 (115^r).

Abb. 98: 109^v.

37.1.17. St. Gallen, Stiftsbibliothek, Cod. Sang. 643

Drittes Viertel 15. Jahrhundert bis 16. Jahrhundert. Nordschweiz.
Die Handschrift besteht aus mehreren, ursprünglich separaten Teilen, die jedoch komplett (außer dem Nachtragsfaszikel des 19. Jahrhunderts) mit dem Nachlaß des Aedigius Tschudi (1505–1572) in die Stiftsbibliothek gelangten (1768). Im Bild S. 51a ist auf den Galgen mit einem Gehenkten (Fabel Nr. 57)

mit feiner Tinte *I.v.A.* eingetragen: Ildefons von Arx, Stiftsbibliothekar 1827–1833 (zu allen Einträgen und Indizien für die Besitzgeschichte VON SCARPATETTI [2003] S. 269).

Inhalt:

1. S. 1a–89a — Ulrich Boner, ›Der Edelstein‹
   Hs. SG 1 (Bestandsklasse III), Anfang fehlt
2. S. 89a–128b — Schweizer Anonymus: Reimpaargedichte
   unvollständig; darunter das nachträglich notierte Lied *Vnser herr der pfarer in ein kesboren* S. 112
   Vgl. JOHANNES JANOTA: Schweizer Anonymus. In: [2]VL 8 (1992), Sp. 931–942, hier Sp. 932
3. S. 131–201 — ›Chronik der Stadt Zürich‹ mit Fortsetzungen, darunter die Glarner Chronikfortsetzung von Rudolf Mad
   Johannes DIERAUER (Hrsg.): Chronik der Stadt Zürich. Basel 1900 (Quellen zur Schweizer Geschichte, Bd. 18), S. 3–158. 226–232. 233–271
4. S. 215–231 — Nachträge des 19. Jahrhunderts
   philologischer Vergleich der St. Gallener ›Edelstein‹-Fassung mit derjenigen der Edition Oberlin, Straßburg 1782, und weiterer durch Ildefons von Arx, mit Ergänzungen von Anton Henne (Stiftsbibliothekar 1855–1861)
5. S. 240–241 — Aegidius Tschudi, Namensliste von Adeligen

I. Papier, 242 Seiten (zeitgenössische Foliierung in Teil I: iii–lxvii; Paginierung des frühen 18. Jahrhunderts 1 [= iii^r] bis 260, wohl von Ildefons von Arx, der den Faszikel S. 215–230 einlegte; maßgeblich ist jedoch die neuzeitliche Paginierung bis 242 [= alt 260], die die nach der Benutzung durch von Arx verlorenen Blätter nicht berücksichtigt: vier Blätter vor S. 233 [alt 245], drei Blätter vor S. 237 [alt 255]; älter sind die Blattverluste vor S. 1, vor S. 17, und nach S. 242 [je zwei Blätter]; S. 3/4 bis auf kleinen Rest herausgerissen; unbeschrieben bis auf wenige Federproben: 129–130, 202–214, 232–239, 242), 300 × 220 mm.

Die Handschrift besteht aus mehreren Faszikeln, Teil I (S. 1–130): zweispaltig, 28–35 Zeilen, Schriftspiegel vorliniert, Bastarda (VON SCARPATETTI: »got. Halbkursive«), ein Schreiber (nicht, wie von ZIEGELER und SCHULZ-GROBERT [siehe unten: Literatur] vermutet, identisch mit Rudolf Mad); an den Textanfängen Lombarden über zwei bis vier Zeilen vorgesehen, nicht ausgeführt, keine Rubrizierung, S. 129–130 unbeschrieben; Teil II (S. 131–204, 231–242): bis S. 201 einspaltig, 31–37 Zeilen, zahlreiche (VON SCARPATETTI: sechs!) Hände, zahlreiche Randnotizen späterer Benutzer, S. 202–214 und S. 232–239 unbeschrieben, S. 231 ursprünglich ebenfalls unbeschrieben, später von den Schrei-

bern von Teil III mitbenutzt, S. 240–241 von Aegidius Tschudi; Teil III (S. 215–230): später eingelegt, beschrieben von Ildefons von Arx (signiert *I.v.A.* S. 228) und anderen.
Schreibsprache Teil I: alemannisch.

II. Text 1: Erhalten sind 79 von ursprünglich wohl 89 Federzeichnungen (Blattangaben siehe S. 200–205), nicht koloriert; dazu ein Bildfreiraum (S. 87); Text 2: Illustrationen vorgesehen, nicht ausgeführt.

Format und Anordnung: quadratisch bis rechteckig, der vorgezeichnete Schriftspiegel dient als seitliche Rahmenlinie (Breite ca. 70–80 mm), wird jedoch nicht selten überschritten; stets vor Fabelbeginn, ohne Beischrift; in den Fällen, in denen eine zweite Illustration in den Text eingefügt wird, ist hier zuweilen ein Textanschluß mit Lombarde vorgesehen (S. 26a, S. 45b). Eine Teilnumerierung mit Tinte (16. Jahrhundert) zählt die Zeichnungen (einschließlich des Freiraums S. 47a, der jedoch nur als potentieller Ersatz für den recht klein bemessenen Bildraum S. 46b unten freigelassen wurde) fortlaufend Nr. 10–37; eine Numerierung mit Bleistift (18./19. Jahrhundert) zählt ab S. 5 Nr. 4–93. Gelegentlich erstreckt sich ein Bildraum über beide Spalten: S. 44a–b, S. 45a–b, auch S. 8 war offenbar zunächst ein Bild über zwei Spalten geplant, realisiert wurde jedoch nur ein spaltenbreites Bild, der Bildraum S. 8b blieb leer. S. 87 (zu Fabel Nr. 94) Zeichnung nicht ausgeführt, Bildraum bleibt leer, wie in den unmittelbar anschließenden Bispeln, die offenbar die gleiche Ausstattung erhalten sollten wie die Fabeln.

Bildaufbau und -ausführung: schlichte Zeichnung mit schwarzer Tinte, die gelegentlich auch als Füllfarbe benutzt wird; deshalb bleibt es unklar, ob überhaupt eine Kolorierung vorgesehen war. Weiche, klare Linienführung, modelliert wird lediglich durch kurze Strichelreihen entlang der Konturen; die Protagonisten agieren auf einem stereotyp mit aus drei Stricheln bestehenden Grasbüscheln besetzten Bodenstück, ohne Hintergrund, ohne zusätzliche Requisiten. Keine Innenraumdarstellung, auch Mobiliar (etwa das Bett der Äbtissin S. 38b) ist auf Wiesengrund plaziert. Ein räumlicher Eindruck entsteht nicht. Figuren oft in verzerrten Proportionen, Menschen in schlichter, meist eng taillierter Kleidung, nur die Kopfbedeckungen – bei Männern in der Regel runde Hüte mit Wulstrand – sind punktuell auffallend variantenreich (z. B. S. 80a, 82b); kleine Gesichter mit starren, mandelförmigen Augen. Tiere stets im Profil, durch ihre anatomischen Eigenarten (Hörner, Schwänze u.ä.) gekennzeichnet, jedoch wenig individualisiert (Ausnahme: die sehr realistisch gezeichneten Krebse S. 59b).

Gelegentlich Schriftbänder mit lateinischen Moralsprüchen von Schreiberhand im Bildraum (S. 18a, 30b, 31b), was darauf deuten dürfte, daß der Schreiber die Illustrationen eigenhändig anlegte. S. 58b, 74b spätere Nachzeichnung von Konturen und Details.

Bildthemen: Zu jeder Fabel werden die Protagonisten vorgestellt, bei Tierfabeln vornehmlich in dialogischem Gegenüber, bei Menschenfabeln in Handlungsdarstellungen; mehrere Protagonisten- oder Handlungsbilder zu einer Fabel sind nur bei den nahezu regelhaft mit mehr als einem Bild versehenen Fabeln geboten (Nr. 37 [Fuchs und Storch], Nr. 47 [Löwe und Hirte], Nr. 51 [Pferd und Esel], Nr. 52 [Mann, Sohn und Esel]). Nur ausnahmsweise kontinuierende Darstellung innerhalb eines Bildraums: S. 11a (zu Nr. 17 [Adler und Schnecke]). Die Fabel Nr. 91 (Mensch und Satyr) fehlt in der Sammlung, somit auch das entsprechende Bild. Gelegentlich detaillierte thematische Zuspitzungen der Handlungsdarstellung, etwa zu Fabel Nr. 45 (Gefangenes Wiesel), wo das Wiesel gegen die sonstige Bildtradition in einer Falle steckend dargestellt ist (S. 34b: zwei Nagelbretter mit einer durch ein Zugseil zu bedienenden Schnappvorrichtung); zu Fabel Nr. 76 (Buckliger und Zöllner) stehen sich Buckliger und Zöllner in »falscher« Aufstellung gegenüber: nicht der Bucklige bewegt sich auf das Stadttor zu, sondern der Zöllner; der Zöllner hat dem Buckligen gerade seine Mütze vornüber vom Kopf gezogen (ähnlich das Donaueschinger Fragment [Nr. 37.1.11.] und verwandte Darstellungen); zu Fabel Nr. 58 (Drei römische Witwen) werden die drei Frauen, alle mit Rosenkränzen in Händen, als Gruppe auf einem gemauerten Turm stehend gezeigt (S. 53a); ungewöhnlich drastisch die Darstellung S. 38b zu Fabel Nr. 48 (Fieber und Floh): Die Magd sucht im Bett der nackten Äbtissin nach dem Floh, das Fieber in Menschengestalt schaut zu.

Volldigitalisat online unter http://www.cesg.unifr.ch/virt_bib/handschriften.htm/

Literatur: SCHERRER (1875) S. 210f.; VON SCARPATETTI (2003) S. 268–271. – FISCHER (1965) Abb. nach S. XII (S. 89 und 124); FOUQUET (1972) Abb. 12 (S. 20a); RUDOLF GAMPER: Die Zürcher Stadtchroniken und ihre Ausbreitung in die Ostschweiz. Zürich 1984 (Mitteilungen der Antiquarischen Gesellschaft in Zürich 52,2), S. 188f.; HANS-JOACHIM ZIEGELER: Das Vergnügen an der Moral. Darbietungsformen der Lehre in den Mären und Bispeln des Schweizer Anonymus. In: GEORG STÖTZEL (Hrsg.), Germanistik. Forschungsstand und Perspektiven. Vorträge des Deutschen Germanistentages 1984, 2. Teil. Berlin 1985, S. 88–109, bes. S. 89f.; PEIL (1985) S. 152, Abb. 8 (S. 54b); BODEMANN/DICKE (1988) S. 432 u. ö.; JÜRGEN SCHULZ-GROBERT: »Autoren gesucht«. Die Verfasserfrage als methodisches Problem im Bereich der spätmittelalterlichen Reimpaarkleindichtung. In: JOACHIM HEINZLE (Hrsg.): Literarische Interessenbildung im Mittelalter. Stuttgart/Weimar 1993, S. 60–74;

Geschichte und Hagiographie in St. Galler Handschriften. Katalog durch die Ausstellung in der Stiftsbibliothek St. Gallen von Ernst Tremp und Karl Schmucki. St. Gallen 2003, S. 112–114, Abb. S. 113 (S. 26).

Abb. 96: S. 53.

37.1.18. ehem. Straßburg, Stadtbibliothek, ohne Signatur

Ende 14. oder Anfang 15. Jahrhundert. Oberrhein/Elsaß?
Bis Mitte des 17. Jahrhunderts Eigentum des elsässischen Geschlechts derer von Gottesheim (Scherz S. 6), zu Beginn des 18. Jahrhundert Privatbesitz des Straßburger Professors für Moralphilosophie und Jurisprudenz Johann Georg Scherz (1678–1754), nach dessen Tod in die Sammlung des Straßburger Professors für Geschichte und Staatslehre Johann Daniel S. Schöpflin (1694–1771) gelangt, der seine Bibliothek 1764 der Stadt Straßburg übereignete. 1870 verbrannt. Eine Abschrift des Frankfurter Ratsherrn und Bibliophilen Zacharias Konrad von Uffenbach (1678–1734) befindet sich in der Staats- und Universitätsbibliothek Hamburg (Cod. germ. 35).

Inhalt:
1. Ulrich Boner, ›Der Edelstein‹
   Hs. St [Pfeiffer: G] (Bestandsklasse IIa)
   Teilabdruck bei Scherz (1704–1710): Fabeln Nr. 2–18, 20–27, 29–38, 40–53, 55
2. Freidanks ›Bescheidenheit‹
   Hs. N, Bezzenberger (1872) Nr. 14; Corpus-Sammlung; zum Bestand siehe http://www.mrfreidank.de/207/

I. Papier, Folio, ein Schreiber (Scherz).
Schreibsprache: alemannisch.

II. Text 1 mit kolorierten Federzeichnungen.

Nach Oberlin (S. 2) war die Handschrift illustriert (»picturis rudioribus«). Scherz hingegen erwähnte keine Illustrationen, ebenso wenig hat die Abschrift Uffenbachs Hinweise auf Bebilderung der Vorlage. Daß Pfeiffer Bilder nicht erwähnt, ist wohl darauf zurückzuführen, daß er die Handschrift »nur flüchtig angesehen« hat (S. 187) und stattdessen den Abdruck von Scherz benutzte. Für zuverlässig ist die Aussage von ENGELHARDT zu halten, der von einem »mit hübschen, bemalten, von Oberlin zu gering geachteten, Federzeichnungen geschmückte(n) Mscpt.« spricht (S. 54).

Literatur: JOHANN GEORG SCHERZ: Philosophiae moralis Germanorum medii aevi specimen [...]. Straßburg 1704–1710, S. 5 f.; JEREMIAS JACOBUS OBERLIN: Bonerii Gemma sive Boners Edelstein. Supplementum ad Joh. Gerogii Scherzii Philosophiae moralis [...]. Straßburg 1782, S. 2; CHRISTIAN MORIZ ENGELHARDT: Der Ritter von Stauffenberg, ein Altdeutsches Gedicht, herausgegeben nach der Handschrift der öffentlichen Bibliothek zu Straßburg [...]. Straßburg 1823, S. 54; PFEIFFER (1844) S. 187; BLASER (1949) S. 11; BODEMANN/DICKE (1988) S. 433 u. ö.

37.1.19. Wien, Österreichische Nationalbibliothek, Cod. 2933

Um 1470–1480. Pfalz/Mittelrhein?
Auf einen frühen Vorbesitzer könnte der mehrfach auftretende Namenseintrag Otto Kolb deuten (24^{r}, 26^{r}, 34^{v} u. ö.; 52^{v} wird in einer Zeichnung ein Mann mit *kolb* bezeichnet). – MENHARDT I (1960) vermutet die Herkunft der Handschrift aus der Bibliothek des aus dem Elsaß stammenden, für Maximilian II. tätigen Diplomaten Kaspar von Niedbruck (1525–1557) und ihre Identität mit der im Blothius-Katalog von 1597 unter der Nummer P 4477 genannten, ursprünglich mit mehreren Drucken zusammengebundenen Handschrift. 1^{r} Exlibris-Eintrag durch Peter Lambeck *Ex Augustissima Bibliotheca Caesarea Vindobonensis CCLII*; neuer Pergamenteinband der Hofbibliothek von 1753 mit Signet Gerards van Swieten *17. G.L.B.V.S.B.53* (Gerardus Liber Baro Van Swieten Bibliothecarius).

Inhalt:

1. 1^{r}–101^{v} Ulrich Boner, ›Der Edelstein‹
   Hs. Wi [PFEIFFER: H] (Bestandsklasse IIa)
   102^{ra-va} Register
2. 103^{r}–104^{r} Johannes Hartlieb, Onomatomantie, Auszug
   Erläuterung zu dem Zirkel 103^{v}, der aber nicht ausgeführt ist: *Wiltu wissen wan czwene kemphen sollen wilcher da gewunnen sal Adder wiltu wissen czuschen czweien ee luden wilch daz ander vber lewen sal so nym der lude name ...*
3. 104^{r}–106^{r} Vier Liebesbriefe
   BRANDIS (1968) Nr. 181–184; sonst nicht überliefert
   dazwischen Notizen: 104^{r} *1 Johannes 2 Catharina;* 104^{v} Berechnungen

Sebenczenn brode ist eyn meste (?) *Eeiner der veruel verdynet dusent …*, darunter Zeichenübungen, 105^{v} Liste männlicher Namen (Teilnehmer- oder Mitgliederliste)

4. 106^{v} Schreib- und Zeichenübungen

I. Papier, 106 frühneuzeitlich gezählte von ursprünglich 122 Blättern (fehlende Blätter vor Blatt 1, 3, 4, 5, 8, 10, 16, 20, 24, 30, 50, 58, 59, 50, 63, zu Beginn einige der erhaltenen Blätter verbunden), dazu zwei Vorsatzblätter, Text 1 einspaltig (Register 102^{r-v} zweispaltig), 21–29 Zeilen, nachlässige Bastarda, ein Schreiber, rote Lombarden über zwei bis vier Zeilen, rot gestrichelte Versanfänge, Überschriften, anfangs auch die ersten zwei Verse jeder Fabel mit fahrig gezogenen Federstrichen eingefaßt, zahlreiche Korrekturen und nachgetragene Verse; Text 2 wohl von demselben Schreiber, Text 3 von einem oder zwei weiteren Schreibern. Die ganze Handschrift ist schmuddelig bis schmutzig, Defekte alt repariert. Schreibsprache: rheinfränkisch.

II. 86 von ursprünglich ca. 104 kolorierten Federzeichnungen erhalten (Blattangaben siehe S. 200–205), Blattverluste siehe unter I. Wohl ein Zeichner (identisch mit dem Schreiber?).

Format und Anordnung: In Text 1 Zeichnungen mit Bildüberschriften, die zugleich als Fabelüberschriften fungieren, in der Regel zu Beginn jedes Textes, gelegentlich (z. T. mitsamt der Überschrift) zwischen dem Text (4^{r}, 15^{v}, 34^{v}, 37^{v}, 42^{r}, 58^{r}, 60^{v}), ausnahmsweise auf den unteren Randsteg ausgreifend (v. a. 23^{r}, 50^{v}); manchmal sind zusätzliche Motive (von Zeichner- und Benutzerhänden) aber auch einfach in den Text hinein gezeichnet worden (21^{v}, 27^{r}, 64^{r}). Der Schriftspiegel ist oft durch Zwischenlinien in Text- und Bildfelder unterteilt, die Zeichnungen halten sich nur annähernd an diese Begrenzung.

Zu Text 2 nicht ausgeführter Zirkel 103^{v}. 104^{v} autonome (nicht gänzlich ausgeführte) Zeichnung ohne Textbezug: die Heiligen Drei Könige huldigen Maria und dem Kind.

Bildaufbau und -ausführung: sehr dilettantische Zeichnungen, offenbar vom Schreiber/Rubrikator selbst angefertigt (Orangerot: dieselbe Tinte wie für Rubrum). Figuren verzerrt und unproportioniert, auf angedeutetem Bodenstück, das oft mit Streublumen und -gräsern bedeckt wurde. Trotz der Schlichtheit punktuell mit Detailfreude ausgeführt: unterschiedliche Blattformen, Architekturteile u. a. von (zeitgenössischen?) Benutzern noch dilettantischer und offenbar in mehreren Schichten nachgearbeitet (mit schwarzer Tinte und roter Farbe).

Wohl von Benutzerhänden stammen die folgenden Bildeinträge: manchmal lateinische Benennungen der Protagonisten in den Illustrationen, z. B. 28^{r} *lupus*, 61^{v} *canis*; in der Fabel von Vater, Sohn und Esel sind in den Illustrationen die Protagonisten beschriftet, der Sohn: *veller*, der Vater *mercator mi:*(*nu*:?), auch die Personen, die das Handeln von Vater und Sohn kritisieren (52^{v} wird ein Mann mit *kolb* bezeichnet [siehe oben], alles übrige unleserlich). Unklar bleibt auch Blatt 4^{r} ein Monogramm im Schriftband: *Z.V.E.I.B.N.M.*, ferner 9^{v} ein seltsames Zeichen im Bild (zwei sich gegenüberstehende Doppelangelhaken).

Bildthemen: Bei allem Dilettantismus kennt der Zeichner sehr wohl das gängige Themenspektrum der Fabelillustration. Bei allen standardmäßig durch ein Bildpaar illustrierten Fabeln wählt auch er zwei Motive. Fehlerhafte oder ungenaue Zuordnungen werden in der zweiten Hälfte der Sammlung häufiger: Blatt 55^{r} zu Fabel Nr. 53 (Geschundener Esel) zusätzlich zum Hauptmotiv 54^{r} (die Frau, die ihren Knecht den geschundenen Esel in die Stadt treiben läßt) dessen nur geringfügig abgewandelte Wiederholung eingefügt (nur der Knecht, den Esel durch die Stadt treibend); Blatt 57^{r} zu Fabel Nr. 57 (Frau und Dieb) fälschlich Wiederholung des Bildes Nr. 55 (Wolf und Fuchs), Blatt 76^{v}–79^{v} ist die Text-Bildzuordnung verrutscht (Bild Nr. 82 zu Fabel Nr. 84, Bild Nr. 84 zu Fabel Nr. 85, Bild Nr. 85 zu Fabel Nr. 86). – Hinzu kommen thematische Mißverständnisse: Zu Fabel Nr. 74 (Drei Kaufleute als Gesellen) werden drei Kaufleute schlafend dargestellt, während sich ein vierter (!) am Brot zu schaffen macht (64^{r}); zu Fabel Nr. 87 (Edelstein des Kaisers) ist an Stelle einer Waage (üblicherweise als Pendelwaage dargestellt) ein vierrädriger Wagen gezeichnet (81^{r}). Die Bilder zu Fabel Nr. 97 (Kind Papirius) und Nr. 98 (Bischof und Erzpriester) dürften vertauscht sein: Zur Fabel von der Weisheit eines Kindes, mit der dieses die Geheimnisse des römischen Senats vor der Neugier der Frauen bewahrt, wird an Stelle einer Senatsversammlung ein Papst gezeigt.

Die Wiener Handschrift gehört zu den wenigen Textzeugen des ›Edelstein‹, die den Epilog überliefern und mit einer Zeichnung versehen: Ein Mann mit einer Schriftrolle unter dem Arm geht auf ein Stadttor zu; über dem Tor Inschrift des Schreibers *bedengh daz ende* (100^{v}).

Die Fabeln Nr. 18 (Fuchs und Rabe, mit Bild), Nr. 37 (Fuchs und Storch, ohne Bild) und Nr. 48 (Fieber und Floh, Textbeginn, ggf. mit Bild, fehlt) sind gegenüber der üblichen Textfolge anders, nämlich zusammen nach Fabel Nr. 10 (Hochzeit der Sonne) positioniert, ähnlich Fabel Nr. 8 (Löwenanteil, mit Bild) nach Fabel Nr. 11 (Wolf und Kranich).

Farben: vor allem Rot und schmutziges Braun, daneben Violettrot, Grün, Ocker.

Literatur: MENHARDT I (1960) S. 637–639. – PFEIFFER (1844) S. 187; BLASER (1949) S. 11, Abb. 12 (34^{v}); BRANDIS (1968) S. 71, Nr. 181–184. S. 269; PEIL (1985) S. 156 f., Abb. 18 (58^{v}); BODEMANN/DICKE (1988) S. 434 u. ö.; PEIL (1990) pass., Abb. 66 (5^{r}); HÄUSSERMANN (2008) S. 63, Abb. 66 (5^{r}).

Abb. 97: 34^{v}.

37.1.20. Wolfenbüttel, Herzog August Bibliothek, Cod. Guelf. 2.4 Aug. 2°

Um 1450–80 bis ca. 1492. Nachtrag 1535–1544. Wohl Nürnberg / Text 1: Nordbayern?
Zu weiten Teilen in Nürnberg geschrieben, dort um 1500 zusammengestellt und bis mindestens 1535–1544 beheimatet (vgl. Text Nr. 3: Predigten des Nürnberger Pfarrers an St. Lorenz Andreas Osiander [1498–1552]). Der ehemals im Vorderdeckel eingeklebte Einblattdruck (Ave Maria mit 1100jährigem Ablaß von Papst Sixtus IV. und Holzschnitt Madonna mit Kind) heute im Herzog-Anton-Ulrich-Museum in Braunschweig (KIEPE [1984] S. 362), weitere Einblattdruckreste am Schluß der Handschrift deuten darauf hin, daß »hier eine Sammlung von Bilderdrucken eingeklebt« war (KIEPE S. 365). Die beiden Wappenholzschnitte auf dem neueren Spiegelblatt bislang nicht identifiziert (KIEPE S. 362). Von Herzog August dem Jüngeren (1579–1666) vermutlich aus Nürnberg erworben.

Inhalt: ›Wolfenbütteler Priamelhandschrift‹ (Inhaltsbeschreibung bei EULING [1908] und KIEPE [1984]), vom Kompilator um 1500 als zweigeteilte – weltlich-geistliche – Priamelsammlung konzipiert, wobei der geistliche Teil (170–255) offenbar früher vorlag und dann um einen mit dem ›Edelstein‹ beginnenden weltlichen Teil (1–169) erweitert wurde; ein gemeinsames Register 1ra–8ra erschließt alle Teile der Handschrift.

Darin:

1. 15ra–52rb (alt: *I^{ra}–$XXXVIIJ^{rb}$*) Ulrich Boner, ›Der Edelstein‹
   Hs. W1 [PFEIFFER: W^{a}] (Bestandsklasse IIa)
2. 91rb–99rb, 119rb–125rb, 130vb, 133vb–142va, 206va, 212rb, 244vb–245rb Zahlreiche Exzerpte und Einzelsprüche aus Freidanks ›Bescheidenheit‹
   Hs. E, BEZZENBERGER (1872) Nr. 6; Detailübersicht online unter http://www.mrfreidank.de/232/

3. 149^{r}–169^{r}	Nachtrag: Andreas Osiander, Predigten (1535–1544)
3. 187rb–194ra	Ps.-Engelhart von Ebrach, ›Das Buch der Vollkommenheit‹ Versbearbeitung auf Grundlage der Fassung C; vgl. KARIN SCHNEIDER (Hrsg.): Pseudo-Engelhardt von Ebrach, Das Buch der Vollkommenheit. Berlin 2006 (Deutsche Texte des Mittelalters 86), S. LIII
4. 208^{rb-va}	›Meister Eckhart und der nackte Knabe‹ Versbearbeitung; vgl. Kurt Ruh, in: ²VL 2 (1980), Sp. 350–353, Nachtrag: ²VL 11 (2004) Sp. 390
5. 243^{v}	Mönch von Salzburg, ›Das guldein ABC‹ Reimpaarbearbeitung u; vgl. BURGHART WACHINGER, in: ²VL 6 (1987), Sp. 658–670, Nachtrag: ²VL 11 (2004) Sp. 1012

I. Pergament (sieben Blätter: 19, 20, 25, 26, 31, 32, 37) und Papier, noch 256 (nicht wie fälschlich bei BODEMANN/DICKE 169) Blätter (moderne Zählung, die letzten drei Blätter nicht foliiert, Blatt 256 im Deckel eingeklebt), vom Kompilator aus mehreren Faszikeln zu einer Einheit zusammengefügt (ursprüngliche Foliierungen Blatt 15–146 [= rot *I–CXXXIJ*] und Blatt 183–256 [= *I–LXXV*], nach 169 ca. 26 Blätter herausgerissen, am Schluß ca. 50 weitere Blätter herausgerissen, beim Zusammenmontieren der einzelnen Teile sind weitere Einzelblätter entfernt bzw. ausgetauscht worden; in Text 1 ist vermutlich schon früher Blatt 29 [= *XV*] ersetzt worden, erst der Kompilator ersetzte das letzte Blatt durch ein neues [52]; unbeschrieben: 8^{v}–14^{v}, 70^{v}–78^{v}, 146^{v}–148^{v}), ca. 360 × 270 mm (die Lagen 2 bis 4 mit Text 1 bestehen aus Blättern eines Faszikels von ehemals deutlich kleinerem Format, die in ausgeschnittene Blätter der Haupthandschrift hinein montiert wurden; die Zusammensetzung des Faszikels war ursprünglich anders: die Pergamentblätter bildeten vermutlich die außen liegenden Doppelblätter von vier Ternionen [KIEPE (1984) S. 364 f.] oder die äußeren und Mittelblätter von zwei Sexternionen, wobei das Gegenstück zu Pergamentblatt 19 fehlt [ehem. Blatt vor 15 / 19, 20 / 25, 26 / 31, 32 / 37], die folgenden Lagen ohne Pergamentblätter), zweispaltig (mit Ausnahme von 149–169), fünf Schreiber, I (KIEPE: *Sa*), der Hauptschreiber und Kompilator der Sammlung: 1^{r}–8ra, 52ra–146rb, 170^{r}–253^{v}, II (*Sb*), der Schreiber des ›Edelstein‹ als ältesten Teil der Sammlung: 15ra–28vb, 30ra–47vb, saubere Buchbastarda, ca. 51–52 Zeilen, erster Vers einer Spalte beginnt oft mit Kadelle, Versanfänge rot gestrichelt, rote Caputzeichen, Lombarden über zwei Zeilen und Überschriften, 15ra durchbrochene Eingangsinitiale über sieben Zeilen; III (*Sd*), der Fortsetzer von II:

47vb–51vb, ca. 51–52 Zeilen, kleinere, fast schleifenlose Bastarda, Rubrizierung wie II, doch ohne Überschriften; IV (*Sc*), Nachtrag zu II: 29^{r-v}; V, Nachtragsschreiber des 16. Jahrhunderts: 149^{r}–169^{r}. Etliche Benutzeranmerkungen an den Rändern.
Schreibsprache (Text 1): nordbairisch.

II. Zu Text 1 104 kolorierte Federzeichnungen (Blattangaben siehe S. 200–205) von drei Händen: A: 15^{r}–48va, B: 48vb–51ra. C: 30^{r-v}. – Auch die anderen, von Schreiber I (*Sa*) geschriebenen Teile der Sammlung waren zur Bebilderung vorgesehen: zwischen den Priameln stets Freiräume von 50–60 mm Höhe (vgl. KIEPE [1984] S. 363).

Format und Anordnung: meist spaltenbreite, quer- bis hochrechteckige Bilder, die genau in den vorgegebenen Bildraum vor dem Fabeltext mit Überschrift eingepaßt sind. Die Bildhöhe richtet sich nach dem vorhandenen Platz, zuweilen sind nur schmale Bildstreifen möglich (26vb, 27rb). Die vorgezeichnete Kolumneneinfassung (Breite ca. 90 mm) wird manchmal unter- und nur sehr gelegentlich überschritten (16ra, 16vb, 31ra, vor allem aber bei der Bilderfolge 30^{v} [über beide Spalten] und 32ra).

Bildaufbau und -ausführung: sorgfältige Federzeichnung in violettrot gefüllter doppelliniger Einfassung (im Bereich des Zeichners C ohne Rahmen), in deckenden Farben koloriert. Zeichner A: Vor detailreich gestalteter Landschaftskulisse (wellige Hügel, Wälder, Wege schlängeln sich in den Hintergrund, darüber Himmelsstreifen aus sich nach oben verdichtenden blauen Pinselstrichen) oder in zentralperspektivisch konstruierten Innenräumen agieren die Fabelprotagonisten auf vorderster Bildebene. Der Rahmen grenzt die Darstellungen streng ein und überschneidet sehr häufig Figuren, wodurch sich eine räumlich exakte Text-Bild-Trennung ergibt. Die Rahmung sorgt aber zuweilen für sehr ungewöhnlich entwickelte Motivausschnitte, etwa 28va (Nr. 47. Löwe und Hirte): Der Betrachter blickt durch den vom Rahmen gebildeten Ausschnitt eines in den unmittelbaren Vordergrund gerückten Eisengitters auf den von wilden Tieren umringten Hirten. Protagonisten wirken marionettenhaft, wenig in die Kulissen eingebunden, menschliche Figuren klein mit oft zu großen Köpfen und stereotypen Physiognomien, Tiere ungelenk, dabei aber mit ansprechender Detailfreude und Bemühen um plastische Modellierung (Feder- und Pinselschraffen). Charakteristisch ist das vom Zeichner bevorzugte Gestaltungselement der Staffelung oder Reihung identischer Objekte, besonders für die Darstellung von Wäldern, die aus exakt gestaffelten Baumreihen bestehen, aber auch für Tiere (z. B. 31va, 39rb, 43va, 44ra) oder Häuser (z. B. 31ra, 47ra).

Zeichner B paßt sich dem Stil von A weitgehend an (er übernimmt z. B. die Baumreihungen), doch fügt er andere Gestaltungselemente hinzu: Landschaft wird bei ihm aus in versetzter Richtung ansteigenden, hintereinander liegenden Anhebungen gebildet, er bevorzugt Einzelbäume mit Kronen aus stern- oder palmförmig auseinanderstrebenden Ästen.

Zeichner C (30^{r-v}) ist deutlich jünger, vermutlich benutzte er das heute verlorene Blatt als Vorlage, seine Zeichnungen sprechen jedoch eine andere Sprache: Deutlicher versucht er Bewegung festzuhalten und Plastizität zu erzeugen; charakteristisch der Ersatz der Staffagebäume durch knorrige Baumstümpfe.

Bildthemen: Die Handschrift umfaßte zunächst nur die Fabeln der Redaktion IIa (einschließlich Epilog bis 47vb); dann wurden in einem nächsten Schritt nach einer anderen Vorlage einzelne Fabeln mit Bildern ergänzt, darunter auch die im ursprünglichen Stadium wohl übersehene Fabel Nr. 18 (Fuchs und Rabe). Die Handschrift ist die einzige, die eine Illustration zu den Fabeln Nr. 54 (Nachtigall und Sperber: 50ra) und Nr. 56 (Hirsch und Jäger: 50rb) bietet.

Bevorzugt sind 1:1-Darstellungen, zwei Bilder zu einer Fabel nur zu Nr. 37 (Fuchs und Storch) und Nr. 47 (Löwe und Hirte); dazu Fabel Nr. 52 (Mann, Sohn und Esel) mit fünf Bildern, die hier durch die auf eine Seite beschränkte Anordnung eine besonders verdichtete Sequenz bilden. Dazu mehrfach kontinuierende Darstellung: etwa zu Nr. 21 (Löwe und Maus: 20ra; ähnlich, nämlich in zwei Bildern hat nur der Münchener Clm 4409 die Fabel illustriert), zu Nr. 25 (Königswahl der Frösche: 21rb; zusätzlich zum Storch als neuer König der Frösche wird erläuternd auch eine weitere Königsfigur ins Bild gesetzt: Auf einem säulenartigen Sockel steht ein nackter König mit einem unbeschriebenen Schriftband in der Hand; so nur noch in der Inkunabel [Nr. 37.1.a.], S. 35), zu Nr. 28 (Wolf und gebärendes Schwein: 22rb; zusätzlich und singulär in der Bildüberlieferung das Motiv des vom Handlungsort fliehenden Wolfs), zu Nr. 51 (Pferd und Esel: 30ra, statt eines sonst üblichen Bildpaars), zu Nr. 71 (Schlange, an Pfahl gebunden: 51ra; links bindet der Mann die an einen Stamm gebundene Schlange los, rechts der Mann mit Schlange um den Hals, auf den Fuchs weisend, der als Richter aufrecht sitzt und den Stab hält), zu Nr. 72 (Frau und zwei Kaufleute: 36vb, statt eines sonst üblichen Bildpaars).

Auf eine mindestens punktuell sehr enge Orientierung am Text deutet die Darstellung des Kahlen (Nr. 36: Fliege und Kahlkopf) als nicht glatzköpfigen Buchgelehrten (24va): Aufgrund eines Schreibfehlers spricht nämlich die Wolfenbütteler Handschrift nicht von einem *calwen*, sondern von einem *clugen* (ebenfalls nicht glatzköpfig ist der Kahle im Holzschnitt des Bamberger Drucks [Nr. 37.1.a.], 31r, auch hier spricht der Text nicht von einem *calwen*, sondern von einem *manne*). Von besonderer Textnähe zeugt auch die zweite Darstellung zur Fabel Nr. 47 (Löwe und Hirte): Der Löwe küßt dem Hirten (entsprechend Vers 90) auf den Mund (28va), ferner die Darstellung zu Fabel Nr. 10 (Hochzeit der Sonne), die nicht dem Standard folgend die Binnenfabel des Textes (Hochzeit) illustriert, sondern das in Vers 1–4 der Fabel berichtete Motiv der Rahmenhandlung (Dieb als Ehemann): Ein Mann zieht einen sargförmigen Kasten aus einem Haus (17rb). Eher auf einem Mißverständnis beruht dagegen die Darstellung zu Fabel Nr. 67 (Esel und Löwenhaut): Ein Mann treibt einen Esel, der ein quer über den Rücken gehängtes Löwenfell trägt (35rb).

Farben: Violettrot, Rot, helles Blau, gelbliches Grün, mehrere Braun- und Rosttöne, Grau, Schwarz.

Literatur: Heinemann I (1890/1965) S. 68 f. – Karl Euling (Hrsg.): Kleinere mittelhochdeutsche Erzählungen, Fabeln und Lehrgedichte. II. Die Wolfenbütteler Handschrift 2.4. Aug. 2°. Berlin 1908 (DTM 14); Fabula docet (1983) Kat. Nr. 26, S. 107 f., Abb. S. 108 (49rb); Kiepe (1984) S. 362–366 und passim; Peil (1985) S. 156, Abb. 16 (33rb); Bodemann/Dicke (1988) S. 434 u. ö.; Peil (1990) pass., Abb. 62 (15r). 63 (41r); Häussermann (2008) S. 32 f. Abb. 8 (19r).

Taf. XXI: 21r.

37.1.21. Wolfenbüttel, Herzog August Bibliothek, Cod. Guelf. 3.2 Aug. 4°

Wohl drittes Viertel 15. Jahrhundert (Wasserzeichen u. a. Tatzenkreuz ähnlich Piccard online Nr. 125515: München 1467). Süddeutschland.
Herkunft unbekannt; 26r ein Benutzereintrag *Englhart Engelhart von irem ding*; im vorderen Einbanddeckel Altsignatur des 17. Jahrhunderts: *Folio. 58.*

Inhalt:
1. 1r–25v Jacobus de Cessolis, ›Liber de moribus‹, deutsch (= Schachzabelbuch, Zweite Prosafassung)
 Hs. Wolfenbtl HAB 1 (Plessow); unvollständig
2. 26r–58v Ulrich Boner, ›Der Edelstein‹
 Hs. W2 [Pfeiffer: Wd] (Bestandsklasse III), unvollständig

I. Papier, I + 58 + I Blätter (Blattverluste vor 52, vor 56 und nach 58), 280 × 185 mm, einspaltig, zwei Schreiber, I: 1r–25v, einspaltig, 35 Zeilen, II: 26r–58v, ein-

spaltig, 42 Zeilen, Raum für Lombarden über zwei Zeilen freigelassen, nicht rubriziert (Ausnahme: 1^r), ab 55^r jedoch der Beginn des Auslegungsteils der Fabeln durch Caput-Zeichen gekennzeichnet. 58^v am unteren Blattrand der Text von Nachtragshand weitergeführt.
Schreibsprache: bairisch (Text 1 mit alemannischem Einschlag).

II. Illustrationen vorgesehen, nicht ausgeführt; in Textfragment 1 Bildräume für 10 Illustrationen, siehe Stoffgruppe 114, in Textfragment 2 Bildräume für 37 Illustrationen (Blattangaben siehe S. 200–205).

Format und Anordnung: Bildräume halbseitig oder kleiner, jeweils vor Fabelbeginn, Überschriften/Bildtitel sind nicht ausgeführt.

Literatur: HEINEMANN 4 (1900/1966) S. 116. – BODEMANN/DICKE (1988) S. 434; PLESSOW (2007) S. 440 u. ö.

37.1.22. Wolfenbüttel, Herzog August Bibliothek, Cod. Guelf. 69.12 Aug. 2°

Vor 1492 (1^r–95^v) / 1492 (96^{r-v}). Bayern?
Herkunft unbekannt. Um 1658 von Herzog August dem Jüngeren erworben. Eine Abschrift der Handschrift durch Johann Christoph Gottsched befindet sich in Dresden (Sächsische Landesbibliothek – Staats- und Universitätsbibliothek, Mscr. Dresd. M. 45).

Inhalt:
1^r–96^v Ulrich Boner, ›Der Edelstein‹
Hs. W3 [PFEIFFER: W^b] (Bestandsklasse II), unvollständig

I. Papier, noch 96 Blätter (zahlreiche Verluste vor den Blättern 11, 14, 16, 33, 40, 42, 43, 46, 49, 58, 59, 62, 82, 83, 86, die Blätter 40 und 41 gegeneinander vertauscht), einspaltig, drei Schreiber, I: 1^r–57^v, 24–26 Zeilen, II: 58^r–95^v, 25–29 Zeilen, Eingangslombarden über vier Zeilen vorgesehen, III (Nachtragsschreiber): 96^r (datiert *anno etc lxxxxij*), 30 Zeilen; nicht rubriziert. Im vorderen Deckel ein Blatt mit von mehreren Schreibern eingetragenen moralischen Sprüchen; im rückwärtigen Deckel als Makulatur ein Blatt aus einem ›Catholicon‹-Druck.
Schreibsprache: (nord-)bairisch.

II. Ehemals vollständig illustriert, viele Blätter mit Illustrationen fehlen jedoch (siehe oben Blattverluste), dazu sind mehrfach Illustrationen zerstört worden, indem einzelne Figuren durch kräftiges Nachzeichnen der Konturlinien herausgelöst wurden (6^{r}, 13^{v}, 23^{v}, 27^{v}). Ganz oder teilweise erhalten sind 77 kolorierte Federzeichnungen (Blattangaben siehe S. 200–205). Drei Zeichner (entsprechend der Schreiberanteile), A: 1^{r}–57^{v}, B: 58^{r}–95^{v}, C: 96^{v}.

Format und Anordnung: ungerahmte Streifenbilder, tendenziell der Breite des Schriftspiegels (ca. 125 mm) angepaßt (Bodenstück), jedoch meist nicht auf diese Abmessungen beschränkt. Zwischen Überschrift und Fabeltext.

Bildaufbau und -ausführung: klare Konturzeichnung in geschlossener Linienführung, die Handlung spielt auf einer flächig lavierten Bodenscholle, meist mit breiter Bruchkante, Bodenfläche und Häuser sind oft von einer gedachten Rahmung abgeschnitten; kein Hintergrund. Zeichner A weist dem Betrachter eine Position der Nahsicht, oft mit leichter Draufsicht zu. Kulissen bestehen bei ihm aus hohen, vielfach zur Seite geneigten Bäumen mit kleiner Krone aus großen Blättern, Architekturen (einzelne Häuser oder unperspektivisch verschachtelte Komplexe wie 42^{r} oder 49^{v}) nur dort, wo sie zur Ortsbestimmung notwendig sind, keine Innenraumansichten (auch das Bett 54^{v} steht auf einer schlichten Bodenscholle). Protagonisten sind meist ohne Bodenhaftung ins Bild plaziert (Schritte gehen ins Leere), Tiere mit nur geringer Tendenz zur Vermenschlichung. Farbgestaltung der Figuren ist zurückhaltend, viel freistehender Papiergrund, Pinselstriche in transparenten Farben dienen vor allem der Modellierung von Falten- und Schattenpartien.

Zeichner B orientiert sich sehr eng an A, könnte sogar (ggf. mit zeitlicher Verschiebung) mit A identisch sein, arbeitet jedoch kleinfiguriger, kann deshalb die Bildfläche meist ohne Beschnitt ausnutzen (außer 77^{r}, 87^{v}); Bodenflächen gestaltet er gelegentlich mit Kräuterbewuchs (71^{r}, 85^{r}), Tiere sehr ähnlich, menschliches Personal schlanker und unbeholfener charakterisiert als bei A.

Einige Bilder könnten die Kenntnis des Bamberger Drucks oder eher einer gemeinsamen Vorlage voraussetzen, die von der Handschrift als seitengleiche, vom Druck als seitenverkehrte Variante übernommen worden sein könnte (z. B. 12^{r} entspricht dem Druck [Nr. 37.1.a.] 12^{v}). An Holzschnittechniken erinnern auch die kantigen Felsformationen (z. B. 5^{r}, 12^{r}), die kräftige Zeichnung der Gesichtszüge, die schematische Gestaltung von Falten (Engel 5^{r}; Magd 44^{r}) oder Locken (Löwe 14^{v}, 46^{r}).

Bildthemen: Warum zur ersten Fabel (Nr. 2 Affe und Nuß) keine Illustration geplant ist, bleibt unklar. Der zusätzliche vierte (nicht genutzte) Bildraum 57^{r} zur Fabel Nr. 58 (Drei Römische Witwen) dürfte auf einem Irrtum beruhen.

Punktuelle Nähe zu den Holzschnitten des Erstdrucks in gemeinsamen Themenvarianten, z. B. im Bild zu Nr. 24 (Königswahl der Athener): Handschrift (24^{v}) wie Druck (Nr. 37.1.a., 19^{r}) zeigen einen Jüngling, der sich mit einem Pokal in Händen dem thronenden König nähert. Andere Bildfindungen sind jedoch ganz individuell: 72^{r} (zu Nr. 79 [Prahlender Affe]) hält der Affe einen Spiegel (Symbol der Eitelkeit) in der Hand (im Holzschnitt des Drucks fehlt der Affe völlig!), 83^{v} (zu Nr. 92 [Gefangene Nachtigall]) sitzt der Vogler in seinem als Laubhaufen getarnten Versteck, 93^{v} (zu Nr. 100 [König und Scherer]) übergibt der Pfaffe/Kaufmann dem Boten des Königs keinen geschlossenen Brief, sondern ein Schriftband, das als Aufschrift das Thema der Fabel trägt: *Respice finem* (der Holzschnitt des Drucks [Nr. 37.1.a., 86^{v}] zeigt hier ein Gestell, in dem Papierbogen und -bahnen liegen, über dieses beugt sich ein Jüngling, mit unbeschriebenem Schriftband in der Hand). Ganz eigentümlich ist die Zeichnung eines Gerippes mit Sense als Illustration des Epilogs (95^{v}), doch auch sie schließt, wie die drei weiteren erhaltenen Epilogillustrationen (Wolfenbüttel, 2.4 Aug. 2°, 47va; Wolfenbüttel, 69.12 Aug. 2°, 95^{v}, Pfisterdruck 88^{r}), die eine Brief- oder Schriftübergabe zeigen, an die Thematik der Schlußfabel Nr. 100 an (*Respice finem* als Vergänglichkeitsmahnung).

Die nachgetragene Zeichnung eines bäuerlich gekleideten, bärtigen Mannes mit Gehstock und weisend vorgestreckter Hand könnte sich auf den Fabeldichter Aesop beziehen und eher vom Titelblatt des ›Esopus‹-Drucks Heinrich Steinhöwels (Ulm: Johann Zainer, um 1476) als vom Versatzholzschnitt des ›Edelstein‹-Drucks (siehe Nr. 37.1.a.) angeregt sein.

Farben: Vor allem Braun-, Oliv-, Ocker- und Grüntöne, Violettrosa, kaum Rot.

Literatur: Heinemann 3 (1898/1966) S. 348. – Fabula docet (1983) Kat. Nr. 25, S. 106 f., Abb. S. 22 (96^{v}). 107 (26^{r}); Bodemann/Dicke (1988) S. 434 u. ö.; Peil (1985) S. 151, Abb. 7 (57^{v}); Peil (1990) pass., Abb. 61 (66^{v}); Wagner (2003) S. 392 u. ö., Abb. 40 (96^{v}); Häussermann (2008) S. 32–35.59 f., Abb. 10 (4^{v}). 15 (70^{r}). 56 (47^{v}). 57 (48^{v}).

Taf. XXIIIa: 95^{v}.

37.1.23. Wolfenbüttel, Herzog August Bibliothek, Cod. Guelf. 76.3 Aug. 2°

1458. Augsburg / Zweite Hälfte 15. Jahrhundert. Nürnberg.
Die Handschrift wurde vermutlich in Augsburg aus mehreren Faszikeln zusammengestellt. Um 1636/37 von Herzog August dem Jüngeren erworben.

Inhalt:

1. 1^{r}–95^{v} Ulrich Boner, ›Der Edelstein‹
   Hs. W4 [Pfeiffer: W^{c}] (Bestandsklasse III)
2. 96^{r}–104^{r} Küchlin, Augsburger Reimchronik *Vom Herkomen der Stadt Augsburg*
   Hs. W (Clarissa Altschäffel, in: ^{2}VL 5 [1985], Sp. 407–409, hier Sp. 408)
3. 104^{v}–106^{v} Bildseiten
4. 108^{r}–149^{v} Rosenplütsche Fastnachspiele
   Hs. K (Ingeborg Glier, in: ^{2}VL 8 [1992], Sp. 211–232, hier Sp. 214)
5. 152^{r}–155^{v} Hans Rosenplüt, ›Die 15 Klagen‹
   Fassung A, unvollständig (Ingeborg Glier, in: ^{2}VL 8 [1992], S. 195–211, hier Sp. 207)
6. 156^{r}–189^{r} Priameln
7. 190^{r-v} Scherzhafter Liebesbrief
8. 191^{r}–199^{v} Rosenplütsche Fastnachtspiele
   siehe zu Text 4

I. Papier, 199 Blätter (moderne Bleistiftfoliierung; es fehlen mit Text- und Bildverlust eine Lage vor Blatt 1, je ein Blatt nach 44 und 199, ferner einige unbeschriebene Blätter nach 151 und nach 190; zahlreiche Defekte im 19. Jahrhundert dilettantisch repariert, insbesondere die Bildseiten 104^{v}–106^{v} teilweise mit neuem Papier hinter- bzw. überklebt); 295–300 × 210 mm, einspaltig, abgesetzte Verse, saubere Bastardaschriften, vier Schreiber, I: 1–104, einspaltig, meist 29 Zeilen, Verse abgesetzt, Versanfänge rot gestrichelt, rote Lombarden über zwei bis drei Zeilen, Überschriften (Text 2) rot; datiert 95^{v}: *1458*; II: 108–189, wohl zu unterschiedlichen Zeiten: 108–149 je nach Strophenabsätzen 18–25 Zeilen, um 1460, 152–189 engzeiliger, nach der Wasserzeichenanalyse Simons (S. 92) vielleicht deutlich jünger (um 1480), III: 190^{r-v}, IV: 191–199, um 1460. Die Schreiberidentifizierungen Simons (1970, S. 93 f.) – Schreiber I (*Ka*) auch München, Staatsbibliothek, Cgm 270, 1^{r}–232^{r}; Schreiber II (*Kb*) auch Wien, Cod. 3214, 185^{r}.189^{v} und Cod. 13377, Schreiber III (*Kc*) auch München, Cgm 270, 234^{r}–388^{v}, Schreiber IV (*Kd*) auch Wien, Cod. 3214, 195^{r}–202^{r} – werden von Kiepe (1984, S. 155 f.) abgelehnt.
Schreibsprache: Text 1, 2, 7 schwäbisch, Text 4–6, 8 nürnbergisch.

II. Zu Text 1 86 kolorierte Federzeichnungen (Blattangaben siehe S. 200–205), zu Text 2 fünf kolorierte Federzeichnungen (siehe Nr. 26A.1.2.); ein Zeichner. – Die ganz- bzw. doppelseitigen Bildtafeln 104^{v}–106^{v} vielleicht vom selben Zeichner, mit völlig unklarem inhaltlichen Bezug (104^{v}–105^{r}: Pfau nähert sich von rechts einer kleinen Kirche, 105v Schwarzer Vogel (Adler?) mit Kreuznimbus auf gedecktem Tisch, 106r kleine, behaarte (?) Figur (Mensch oder Affe) auf einem Bett sitzend, den Blick zum Kopfkissen gewandt, in der Hand einen runden Gegenstand (Spiegel?) haltend, 106v brüllender Löwe).

Format und Anordnung: schriftspiegelbreit (ca. 140–150 mm) in variablen Formaten, die der Größe der Fabelfiguren angepaßt sind (gelegentlich ragen Bildteile aber auch über den Rahmen hinaus: 21r, 34v, 42r, 48v, 79r, 83v u. ö.); Einfassung durch schmalen, violettroten Pinselstrich. Jeweils vor Fabelbeginn (ohne Überschrift); zu den Fabeln Nr. 13 (1r erster Text der Sammlung) und Nr. 62 (59r) ist der vorgesehene Bildraum durch Rankenornamente gefüllt, das Bild zu Nr. 62 befindet sich auf einer (eigentlich zu klein bemessenen) Fläche der vorhergehenden Seite (58v), das vermutlich ebenfalls vorgezogene Bild zu Nr. 13 fehlt mit der gesamten ersten Lage.

Bildaufbau und -ausführung: Ein meist unstrukturiertes Bodenstück, flächig hellgrün laviert, mit olivockerfarbigen Pinselstrichen darüber, füllt ungefähr die Hälfte der Bildhöhe, davor agieren die Fabelprotagonisten. Die Kulissen bilden Einzelbäume mit aus waagerechten Stricheln und Kritzeln gebildeten Kronen, im Verlauf der Bildausführung zunehmend sparsamer eingesetzt, daher wirken die Bildräume in der zweiten Hälfte der Sammlung oft sehr leer. Zurückhaltende, manchmal brüchige, manchmal strichelige Konturzeichung, bewußt skizzenhafter sind z. B. Hände und Haartrachten gezeichnet, Fell- und Gefiederstrukturen durch dünne, flüchtige Strichel angegeben. Abgesehen von (Reit-)Pferden sind Tiere eher ungelenk gestaltet (unstimmige Proportionen), sehr selten mit menschlichen Zügen (Wolf 22r, Affe 76v). Menschen dagegen sehr viel behender: schlanke Körperformen, modische, eng taillierte Kleidung, Frauengewänder mit kantigen Faltenwürfen, bewegte Gestik (kennzeichnend die ausholenden Schrittformen). Zeichnerisch den um Hektor und Georg Mülich entstandenen Abschriften der Meisterlin-Chronik aus dem Jahr 1457 nahestehend (vgl. Nr. 26A.2.1., 26A.2.3., 26A.2.6., 26A.2.9.), doch deutlich schlichter und ohne räumliche Tiefenwirkung.

In der Darstellung zu Nr. 80 (Gans, die goldene Eier legt) ausnahmsweise ein unbeschriebenes Schriftband, das die Gans im Schnabel hält (78r).

Bildthemen: mehrfach werden mehrere Themen zur Illustrierung einer Fabel ausgewählt, dabei nur selten kontinuierende Darstellungen innerhalb eines Bildfeldes (Nr. 43. Maus und ihre Kinder, 31v). Keine einzelgängerischen Bildfindungen, auch bei größeren Darstellungsspielräumen bleiben die Motive wenig pointiert: zu Nr. 38 (Wolf und Menschbildnis) als Bildnis nackte Männerfigur, liegend, Hände vor dem Geschlecht verschränkt (25^{v}); zu Nr. 60 (Magen und Glieder) ein nicht weiter spezifizierter Mann, am Boden liegend (56^{r}).

Literatur: HEINEMANN 3 (1898/1966) S. 392. – GERD SIMON: Die erste deutsche Fastnachtsspieltradition. Zur Überlieferung, Textkritik und Chronologie der Nürnberger Fastnachtsspiele des 15. Jahrhunderte (mit kurzen Einführungen in Verfahren der quantitativen Linguistik). Lübeck / Hamburg 1970 (Germanische Studien 240), S. 91–107; Fabula docet (1983) Kat. Nr. 24, S. 106, Abb. S. 107 (13^{r}); KIEPE (1984) S. 155 f. 349 f.; PEIL (1985) S. 154, Abb. 14 (56^{r}); BODEMANN/DICKE (1988) S. 434 f. u. ö.; HÄUSSERMANN (2008) S. 57, Abb. 51 (31^{v}).

Taf. XXIIb: 76^{v}. Abb. 101: 105^{v}–106^{r}.

DRUCKE

37.1.a. Bamberg: Albrecht Pfister, 14. Februar 1461

Inhalt: Ulrich Boner, ›Der Edelstein‹
Druck b1 [PFEIFFER Dr] (Bestandsklasse IIa)

4°, [88] Blätter (ungezählt, ungezählte Lagen: a–d^{10}, e^{4}, f^{10}, g^{11}, h–i^{10}, k^{3}), einspaltig, 25 Zeilen (ohne Versabsätze gedruckt).

1+101 Holzschnitte (Blattangaben siehe S. 200–205), jedes Bild ist aus zwei Holzschnitten zusammengesetzt, ein Versatzholzschnitt (ca. 81 × 30 mm) ist 101mal wiederholt (wobei gegen FOUQUET [1972, S. 17] wohl auch nur ein einziger Druckstock vorlag; vgl. HÄUSSERMANN [2003] S. 97 Anm. 6), unter den Textholzschnitten (ca. 80 × 114 mm) keine Wiederholung. Die Holzschnittkombinationen erreichen nahezu Satzspiegelbreite, sie sind in der Regel vor Fabelbeginn, bei Platzmangel und bei mehreren Bildern zu einer Fabel auch zwischen den Text eingefügt. Bild- oder Textüberschriften fehlen. Nicht illustriert ist die Fabel Nr. 19 (Alt gewordener Löwe). Jeweils zwei Bilder zu den Fabeln Nr. 25

(Königswahl der Frösche), 43 (Maus und ihre Kinder), 47 (Löwe und Hirte), 51 (Pferd und Esel), 57 (Frau und Dieb), 61 (Jude und Schenk), Nr. 62 (Amtmann und Ritter), 72 (Frau und zwei Kaufleute), 85 (Ritter als Mönch), 94 (Der Nigromant), fünf Bilder zu Fabel Nr. 52 (Mann, Sohn und Esel). Irrtümlich verwechselt wurden die Holzschnitte auf Blatt 60^{v} und 61^{r} (Zwei Gesellen und Bär/Frau und zwei Kaufleute). – Eine handschriftliche Vorlage ist nicht auszumachen; zu möglichen Berührungen mit handschriftlichen Textzeugen des ›Edelstein‹ siehe unter Nr. 37.1.20. und 37.1.22.; ganz individuelle Motivvarianten hat der Druck etwa zu Nr. 31 (Alter Hund): der Herr als gesichtsloser Kahlkopf (36^{v}), zu Nr. 58 (Drei Römische Witwen): der (erste) Heiratskandidat als Jüngling im Strahlenkranz (49^{r}), u. ö.

Pfisters Druck gilt als das älteste mit beweglichen Lettern gedruckte Buch in deutscher Sprache mit Holzschnittillustrationen. Der Druck erfolgte in drei Arbeitsgängen (Text – Bildholzschnitt – Versatzholzschnitt). Besondere Aufmerksamkeit widmet die druck- und literaturhistorische Forschung dem innovativen Versatzholzschnitt und seiner appellativen Funktion als Verbildlichung einer immer wieder gleichen, doch bezogen auf die jeweilige Fabel und ihre Lehre immer wieder neuen Vermittlungssituation: Dargestellt ist ein Mann in langem Gewand und Gugel als Kopfbedeckung, dessen Blick auf die Fabelszene des nebenstehenden Holzschnitts gerichtet ist, auf die er zudem mit dem Zeigefinger der rechten Hand weist (zusammenfassend und mit Erörterung älterer Forschungspositionen HÄUSSERMANN [2003] und WAGNER [2003]); deutlich unterschieden ist diese Erzähler- bzw. Vermittlerfigur von der Darstellung des Autors zum Epilog 88^{r}: sitzender Gelehrter mit Buch (als Chiffre für Schriftwissen) unter dem rechten Arm und vorgestreckter linker Hand, umrahmt von einem langen, unbeschriebenen Schriftband (Verweis auf mündliche Vermittlung), wobei auch hier nicht eindeutig zu präzisieren ist, ob mit der Figur der sich im Epilog selbst nennende Verfasser *Bonerius* gemeint ist oder der legendäre Gattungsstifter *Esopus*.

Einziges erhaltenes Exemplar: Wolfenbüttel, Herzog August Bibliothek, 16.1 Eth. 2° (ehemals zusammengebunden mit zwei weiteren Pfister-Drucken: ›Biblia pauperum‹, deutsch, um 1462/63 [GW 4325] und Johannes von Tepl, ›Der Ackermann aus Böhmen‹, deutsch, um 1470/71 [GW 195]). Vor 1652 durch Herzog August d. J. erworben (u. U. über seinen Bücheragenten Georg Forstenheuser in Nürnberg); 1807 nach Paris deportiert, dort neu beschnitten und gebunden; 1815 zurückgeführt; 1972 restauriert und faksimiliert, seither ungebunden.

Faksimile: Fouquet (1972).

Literatur: Hain 3578; GW 4839; ISTC ib00977450o. – Pfeiffer (1844) S. 187; Schramm 1 (1922) S. 1–4, Abb. 8–22, 24–68, 71–111; Blaser (1949) S. 11; Wolfgang Milde: Incunabula Incunabulorum. Früheste Werke der Buchdruckerkunst. Mainz – Bamberg – Straßburg 1454–1469. Peine 1972, S. 50 mit Abb.; Milde (1976) mit Abb.; Fabula docet (1983) Kat. Nr. 27, S. 110f., Abb. S. 109 (18r). 86 und Titelbild (87r); Peil (1985) S. 152, Abb. 10 (50v); Bodemann/Dicke (1988) S. 435 u. ö.; Horst Wenzel: Autorenbilder. Zur Ausdifferenzierung von Autorenfunktionen in mittelalterlichen Miniaturen. In: Elizabeth Andersen u. a. (Hrsg.): Autor und Autorschaft im Mittelalter. Kolloquium Meissen 1995. Tübingen 1998, S. 1–28, hier S. 10f. mit Abb.; Wolfgang Borm: Incunabula Guelferbytana. Blockbücher und Wiegendrucke der Herzog August Bibliothek Wolfenbüttel. Ein Bestandsverzeichnis. Wiesbaden 1990 (Repertorien zur Erforschung der frühen Neuzeit 10), Nr. 568; Michael Curschmann: Wort – Schrift – Bild. Zum Verhältnis von volkssprachigem Schrifttum und bildender Kunst vom 12. bis zum 16. Jahrhundert. In: Walter Haug (Hrsg.): Mittelalter und frühe Neuzeit. Übergänge, Umbrüche und Neuansätze. Tübingen 1999 (Fortuna vitrea 16), S. 378–470, hier S. 454 mit Abb.; Obermaier (2002) S. 65 mit Abb.; Häussermann (2003) mit Abb.; Wagner (2003) S. 392. 405–414 u. ö. mit Abb.; Häussermann (2008) S. 131 und S. 54–64. 90–100. 110–112 pass. mit zahlreichen Abb.

Taf. XXIIa: 19r.

37.1.b. Bamberg: Albrecht Pfister, [um 1463/64]

Inhalt: Ulrich Boner, ›Der Edelstein‹
Druck b2 (Bestandsklasse IIa)

4°, [78] Blätter (ungezählt, ungezählte Lagen: a–g10, h8), 28 Zeilen (ohne Versabsätze gedruckt), Lombarden über zwei Zeilen nicht ausgeführt (im Berliner Exemplar auch nicht handschriftlich). Blatt 1 leer (im Berliner Exemplar handschriftlicher Titel: *Esopus hat das buch geticht Vil weiser red dar Inn beriht*).

Illustriert mit 103 Holzschnitten, dazu drei verschiedene Versatzstücke (Blattangaben siehe S. 200–205). Gedruckt mit denselben Typen wie 1461, aber anderer Satz. Dabei wurde jede Bildseite, anders als in der Erstausgabe, durch einmaligen Druck hergestellt. Der offenbar in der ersten Ausgabe abgenutzte Druckstock für den Versatzholzschnitt (Erzählerfigur) wurde durch drei Varianten dieses Motivs ersetzt (darunter eine, die den Erzähler mit leerem Schriftband in der linken Hand zeigt). Es fehlt die Darstellung zum Epilog (siehe

Nr. 37.1.a.). Gegenüber dem Erstdruck ist das Bildprogramm erweitert um: Nr. 19 (Alt gewordener Löwe), Nr. 51 (Drei Römische Witwen, zwei weitere Illustrationen).

Neu auch die Titel, die teils als Fabelüberschriften, teils als Bildunterschriften fungieren (bei Mehrfachillustration einer Fabel erhält auch der Holzschnitt im Text einen Titel!): moralisierende Überschriften des Typs *Von geistlichem leben* (zu Fabel Nr. 2: Affe und Nuß), die zuweilen nach einem nicht durchschaubaren Prinzip gezählt sind; z. B. *Von zackeit iij* (23r) ohne vorhergehendes Vorkommen, *Von posen Zungen j* (41v) nach *Von posen zungen ij* (12r)!

Einziges Exemplar: Berlin, Staatsbibliothek zu Berlin – Preußischer Kulturbesitz, Inc. 332. 1835 erstmals im Kunsthandel (Paris) aufgetaucht (Häussermann [2008] S. 136); 1837 vom Münchener Antiquar Franz Xaver Stöger entdeckt und erworben. 1845 von der Königlichen Bibliothek Berlin angekauft. Handkoloriert bis 37v, sehr sorgfältig, in durchscheinenden Wasserfarben (grün, gelb, bräunlich, mattrosa, rot), ab 38r (aber auch schon 31r) zunehmend wesentlich grober und in deckenden Farben.

Faksimile: Paul Kristeller (Hrsg.): Ulrich Boner, Der Edelstein. Lichtdrucknachbildung der undatierten Ausgabe im Besitze der Kgl. Bibliothek zu Berlin. Nebst sechs Tafeln nach der Ausgabe der Herzogl. Bibliothek zu Wolfenbüttel. Berlin 1908 (Graph. Gesellschaft, Ausserordentliche Veröffentlichungen I).

Literatur: Copinger 1203; GW 4840; ISTC ib00974550. – Ernst Vouillième: Die Inkunabeln der königlichen Bibliothek und der anderen Berliner Sammlungen. Leipzig 1905 (Beihefte zum Zentralblatt für Bibliothekswesen 30), Nr. 332; Schramm 1 (1922) S. 1, Abb. 8–110; Fouquet (1972) S. 18 u. ö., Abb. 13–14; Milde (1976) mit Abb.; Bodemann/Dicke (1988) S. 435; Wagner (2003) S. 392. 414–417 u. ö. mit Abb.; Häussermann (2008) S. 61 f. 135 f. u. ö. mit Abb.

37.2. Ulrich von Pottenstein, Cyrillusfabeln, deutsch

Die einem legendären heiligen Bischof Cyrillus zugeschriebene Sammlung von 95 Fabeln, eingeteilt in vier Bücher, unterscheidet sich in Herkunft und Form deutlich von den aesopischen Fabelsammlungen. Zusammengestellt wurden die Prosatexte in der ersten Hälfte des 14. Jahrhunderts, vermutlich durch einen italienischen Dominikaner, Bonjohannes von Messina. Nur in wenigen Fällen berühren die Fabelinhalte, insbesondere die Präsentation der Protagonisten und ihre situative Charakterisierung, antike Traditionen; sie orientieren sich vielmehr an naturkundlicher und naturallegorischer Literatur. Natürliche Eigenschaften der Akteure stehen für laster- bzw. tugendhaftes Verhalten, das weniger in Konflikten als in langen gelehrten Diskussionen enthüllt wird. Anthropomorphisierung von nicht menschlichen Figuren ist zwar das Grundprinzip auch der Cyrillusfabeln, moralisches Verhalten zeigt sich jedoch nicht in Handlungspointen, sondern wird in rhetorischer Argumentation von den Fabelfiguren selbst gelehrt. Im Prolog wird das ethisch-moralische Programm hierfür entwickelt: Die vier Kardinaltugenden und die ihnen jeweils entgegengesetzten Laster geben jedem der vier Bücher sein Leitthema vor.

In lateinischer Sprache ist die Fabelsammlung als ›Speculum sapientiae‹ (seltener auch ›Quadripartitus apologeticus‹) sehr weit verbreitet; lag der geographische Überlieferungsschwerpunkt anfänglich in Oberitalien, so könnte die Sammlung über Böhmen, wo sie im humanistischen Umfeld von Johann von Neumarkt einen womöglich entscheidenden Schub für ihr Bekanntwerden nördlich der Alpen erfuhr (vgl. Nigel F. Palmer: Rezension zu Bodemann [1988]. PBB 116 [1994], S. 137–146, hier S. 143), nach Niederösterreich vorgedrungen sein. Hier fanden die Fabeln in der Übersetzung des Pfarrers und Kanonikers Ulrich von Pottenstein (geboren um 1360, gestorben spätestens 1417; vgl. Gabriele Baptist-Hlawatsch / Ulrike Bodemann: Ulrich von Pottenstein. In: ²VL 10 [1999], Sp. 9–17) Eingang in die deutschsprachige Literatur. Der Druck machte die lateinischen Fabeln am Ende des 15. Jahrhundert dann noch weiter, unter anderem auch in Frankreich, bekannt (vgl. GW 07891-07897, 0789410N).

Ulrich von Pottenstein war vor seiner Übersetzung der Fabeln bereits mit einem ausladend angelegten, jedoch schmal überlieferten katechetischen Werk hervorgetreten (Auslegung von Paternoster, Ave Maria, Credo und des Magnificats mit Dekalog), in dem er sich dezidiert darum bemüht hatte, theologische Inhalte in einer speziellen Übersetzungssprache (*aigen dewtsch*) einem laikalen Lesepublikum nahezubringen. Mit seiner sprachlich ebenfalls höchst ambitionierten Übersetzung der moralisierenden Fabelsammlung, entstanden vermutlich in seiner Amtszeit als Dechant der Stadtkirche in Enns bei Linz (wohl zwischen ca. 1411 und 1417), traf er auf eine bereitwillige Leserschaft vor allem im näheren Umfeld seines Wirkungsfeldes. 22 Handschriften des 15. Jahrhunderts, fast ausschließlich aus dem bairisch-österreichischen Sprachraum, sind inzwischen bekannt (der bei Baptist-Hlawatsch / Bodemann [siehe oben] genannte Überlieferungsstand [20 Handschriften] ist zu ergänzen um: Schlägl, Stiftsbibliothek, Cpl 93 [452 b], und Warszawa, Biblioteka Narodowa, III 80333 [Ehem. Przemysl, Bibliothek des Griechisch-Katholischen Domkapitels], 122ʳ–260ʳ; für freundliche Hinweise danke ich Regina Cermann und Gisela Kornrumpf).

Die Handschriften sind ähnlich häufig illustriert oder zur Illustrierung vorgesehen wie die der aesopischen Fabeln Ulrich Boners. Lediglich vier Handschriften sind reine Textabschriften. Insgesamt erweisen sich die realisierten Bilderfolgen sowohl im Umfang als auch im Inhalt als sehr homogen (siehe die Übersicht S. 278–281). Textsortenspezifisch ist ein Bild pro Fabel üblich. Dargestellt werden, in fabeltypischer Weise, die Protagonisten der Fabelerzählung. Die Handlungsstruktur der mittelalterlichen Cyrillusfabel ist allerdings deutlich schlichter ist diejenige einer Fabel antiker Tradition. Selten gibt es eine szenisch umsetzbare Interaktion der Protagonisten: Sie begegnen sich und sie trennen sich, nachdem, ausgehend von einem ihnen eigenen körperlichen oder Verhaltensmerkmal, einer von ihnen den oder die anderen sehr gelehrt und beredt über die Tugend- oder Lasterhaftigkeit dieses Merkmals oder Verhaltens und die daraus resultierenden Konsequenzen unterwiesen hat. Wegen der minimierten narrativen Entwicklung findet deutlich seltener eine Mehrfachbebilderung einer Fabel statt als in der Überlieferung der Boner'schen Sammlung; nur wenige Einzelfabeln führen mit großer Regelmäßigkeit zu Bildkonzeptionen, die simultan bzw. kontinuierend mehrere Szenen in einem Bild vereinen oder auf mehrere Einzelbilder aufteilen (vor allem die Fabeln I,24 [Der Fuchs, der nach Rom pilgern will, weist viele Tiere wegen ihrer Laster als Begleiter ab und wählt stattdessen andere aus]; II,6 [Der Affe klettert trotz der Warnung des Raben wie ein Schiffer auf einen Mastbaum, stürzt ab und träumt, er habe trotz der Warnung des Fuchses sich als König auf den Thron gesetzt, um zur Strafe von Hunden zerfetzt zu werden]; II,11 [Der Fuchs weckt in der Hirschkuh den Wunsch nach Hörnern, um sie damit dem Bären zuzuspielen, der die Hörner anfertigen soll, tatsächlich aber die Hirschkuh als Beute will; der Hirsch überzeugt die Hirschkuh von der Unsinnigkeit ihres Wunsches]; II,15 [Der Fuchs schmeichelt sich beim Hahn ein und bringt ihn, nachdem er ihn über sein Fehlverhalten belehrt hat, um]).

Charakteristisch für die Cyrillus-Fabeln ist, daß als lehrende und zu belehrende Protagonisten nicht nur, wie in den klassischen aesopischen Fabeln, Tiere auftreten (seltener auch Pflanzen oder Menschen), sondern auch andere Realien oder Phänomene der Natur und des Makrokosmos: Sonne und diverse Sterne, Tag und Nacht, Licht und Dunkelheit, Luft und Erde, Donau und Meer, aber auch Abstrakta wie *anima*, *voluntas*, *affectus*, *intellectus*, *fortuna* werden im Text personalisiert bzw. anthropomorphisiert. Dies dürfte für einen zur Konzipierung eines Bildprogramms aufgerufenen Buchmaler eine beachtliche Herausforderung dargestellt haben (vgl. Einhorn [1975] bes. S. 419–421), denn hier geht es nicht nur darum, einen Akteur mitsamt seinen im Text thematisierten Eigenschaften naturgetreu darzustellen, was angesichts der Fremdartigkeit mancher tierischer Protagonisten zu auffallend wenig Varianten führt (Vogel Strauß, Krokodil, Schwertfisch u. a.), sondern eine Visualisierung erst zu entwerfen.

Dabei gibt es für die Bildüberlieferung keine Anknüpfungspunkte in der lateinischsprachigen Stofftradierung. Die einzige durchillustrierte Abschrift in lateinischer Sprache (München, Bayerische Staatsbibliothek, Clm 3801 [aus dem Domstift Augsburg], 1^{r}–53^{r}, zwölf Miniaturen in querrechteckigem, die Breite des einspaltigen Schriftspiegels vollständig erfassenden Streifenformat, bis einschließlich Fabel I,25 [12^{v}], danach freistehende Bildräume; vgl. Einhorn [1975] S. 394. 399–407, Abb. 19 [4^{v}]. 26 [12^{v}]) ist erst 1436 datiert und steht in keinem Zusammenhang mit der deutschsprachigen Bildüberlieferung: Die Miniaturen werden an den Oberrhein (Jerchel [1932] S. 79, Abb. 36 [10^{v}]) bzw. in den Bodenseeraum um Konstanz lokalisiert (Konrad [1997] S. 269 f. Nr. KO 14 mit Abb. [10^{v}]).

In der deutschsprachigen Überlieferung gibt es bei der Wahl der Bildthemen und ihrer Ausgestaltung Varianten, die zumindest teilweise mit der der Fabelsammlung eigenen Textvariation in Einklang zu bringen sind. Die ›Speculum‹-Übersetzung Ulrichs von Pottenstein liegt in zwei gleichermaßen mit Bildern ausgestattenen Redaktionen vor. Beide Redaktionen stimmen zwar in Bestand und Reihenfolge sehr genau überein – ohnehin gibt es hierin, anders als bei der Boner'schen Sammlung, bis auf Textabbrüche ungeklärter Ursache (New Haven, Beinecke 653 [Nr. 37.2.14.], Eger [Nr. 37.2.4.] und ehem. Konstanz [Nr. 37.2.6.]) keinerlei Schwankungen –, nicht aber im Wortlaut: Die ursprüngliche Übersetzung (*X) orientiert sich eng an den lateinischen Formulierungen, eine gegenüber dieser Fassung systematisch erweiternde Bearbeitung, die möglicherweise Ulrich von Pottenstein selbst vorgenommen hat, schwillt den Text um ca. ein Viertel seines Umfangs auf, ohne daß damit neue inhaltliche Aussagen verbunden wären. Der erweiterten Fassung *YZ sind die meisten der 21 Textzeugen zuzuordnen, sie lassen sich mittels textkritischer Verfahren in mindestens zwei weitere Überlieferungsgruppierungen (*Y und *Z) unterscheiden.

Daß es auf der Ebene der Bildüberlieferung Ansätze für eine ähnliche Differenzierung, aber auch Widersprüchlichkeiten gibt, hat Einhorn (1975) aufgrund eines kritischen Vergleichs der Prologillustration (Darstellung der vier Laster) und der Illustrationen zu den Fabeln I,8 und I,25 nachgewiesen. Er stellte fest, daß unter den *Z-Handschriften der erweiterten Fassung die Codices London (Nr. 37.2.7.) und Eger (Nr. 37.2.4.) einen mit der Textüberlieferung übereinstimmend separaten Bildüberlieferungszweig bilden (zu dem nun auch die ehemals Konstanzer Handschrift [Nr. 37.2.6.] zu stellen ist), der z. B. die Darstellungen zum Prolog und zu Fabel I,1 in ein Doppelbild zusammenfügt. Der Münchener Cgm 254 (Nr. 37.2.10.; 1975 einzig bekannter bebilderter Vertreter der kürzeren Textfassung, die inzwischen bekannt gewordenen Bilderhandschriften Beinecke 653 und Princeton, Cotsen Children's Library, 40765 [Nr. 37.2.14. und 37.2.15.] vertreten ebenfalls die Redaktion *X) scheint im Fall der Prologillustration das Vorbild zu sein für alle Bildercodices der erweiterten Fassung (eine von der Überlieferung unabhängige Variante hat an dieser Stelle das Berliner Ms. germ. fol. 641 [Nr. 37.2.3.]). Eine stilistisch und motivisch besonders enge Verwandtschaft ergibt sich zwischen Cgm 254 (Redaktion *X) und Melk, Cod. 551 (Redaktion *YZ). Einhorn (1975, besonders S. 422 f.) hält Cgm 254 für die unmittelbare Bildervorlage von Melk 551 – ein Befund, der angesichts der so nicht belegten Textverwandtschaft aufmerken läßt.

Eine signifikante, ebenfalls textuelle Bezüge nur teilweise widerspiegelnde Gruppierung zeigt sich auch bei erweiterter Überlieferungsgrundlage und an anderer Stelle, nämlich im Vergleich der Darstellungen zu Fabel II,5 mit ihren Personalvarianten. In der Fabel geht es um den Disput zwischen einem Streitroß und einem Maulesel, der das Roß wortreich vor allzu großer Kühnheit warnt und mit ansehen muß, wie das Roß – seine Warnungen ausschlagend – in der Schlacht niedergemetzelt wird. Ulrich von Pottenstein sorgte mit seiner Übersetzung von *equus* mit *vrs* offenbar für Verwirrung: In der Überlieferung wird *vrs* in zwei Fällen (unabhängig voneinander?) als vermeintlich lateinische Tierbezeichnung verstanden und zu *per* korrigiert (in München, Cgm 583 [37.2.12., Textstufe *Y], mit nicht ausgeführten Illustrationen, und im Druck von 1490 [37.2.a., Textstufe *Z], vgl. Bodemann [1988] S. 124 Anm. 4). In der Bildüberlieferung hinterläßt diese Unsicherheit noch deutlicher sichtbare Spuren: Cgm 254 und die Cotsen-Handschrift (37.2.10. und 37.2.15.) als Vertreter der kürzeren Übersetzungsfassung *X zeigen textgetreu lediglich die Protagonisten Maulesel und Pferd; die meisten Handschriften der erweiterten Redaktion bleiben dabei, markieren aber das Pferd noch prägnanter als Streitroß, indem sie einen geharnischten Ritter in die Szene einbringen (Berlin, Ms. germ. fol. 459, Berlin, Ms. germ. fol. 641, ehem. Konstanz, Schlägl; siehe Nr. 37.2.2., 37.2.3., 37.2.6., 37.2.16.). Die in Text und Bild sehr eng verwandten *Z-Handschriften London und Eger (Nr. 37.2.7. und 37.2.4.) jedoch sehen anstelle des Rosses oder zusätzlich wie die beiden oben genannten Textzeugen einen Bären als Handlungsbeteiligten und stellen zwei Szenen zu einem Bild zusammen: den Disput zwischen Bär und Maulesel und den Tod des Bären, der von einem Ritter erstochen wird, wobei am Bildrand ein Pferd zu sehen ist – ob als Reminiszenz der textlichen Unsicherheit oder als natürliches Attribut eines Ritters, bleibt unklar. Spuren dieser Figurendeutung scheinen jedoch auch in den beiden einzigen bebilderten Handschriften der Textstufe *Y auf. Cgm 340 (Nr. 37.2.11.), als *Y-Handschrift im Text nicht signifikant nah mit London und Eger verwandt, bringt als Illustration deren zweite Szene: Ein Ritter sticht mit einer Lanze auf einen Bären ein, am Bildrand der Kopf eines Pferdes (oder Maultiers?). Melk 551 (Nr. 37.2.9.) hat in einer versehentlich falsch eingefügten und deshalb gelöschten Vorzeichnung eine dem Cgm 340 äußerst ähnliche Lösung, und im Holzschnitt des Drucks (Textstufe *Z, Nr. 37.2.a.) schließlich stehen sich Bär, nun selbst – im Einklang mit der Neuübersetzung, aber damit in gänzlichem Mißverständnis des Textes – durch die mitgeführte Lanze als kämpfendes Tier gekennzeichnet, und Roß mit Ritter gegenüber. Eigenständig ist ebenfalls die Beinecke-Handschrift, deren Zeichner vielleicht eher einer Maleranweisung folgte als einer Bildvorlage (siehe Nr. 37.2.14.): Einem Roß mit flammenartiger Mähne stellt sich ein Ritter mit gezogenem Riesenschwert in den Weg, daneben steht unbeteiligt das Maultier.

Die Beispiele zeigen auch, daß die Bildüberlieferung teilweise, aber nicht notwendig immer kongruent mit der Textüberlieferung verläuft. Bild- und Textvorlage sind offensichtlich nicht immer identisch, die Konzeption der Bildausstattung ist deutlich weniger als die des Textes von einer einzigen zu kopierenden Vorlage bestimmt: Rückgriffe nicht nur auf die Bildvorgaben, sondern auch auf den Textwortlaut, Orientierung an Maleranweisungen, eigene Deutungen führen dazu, daß »Illuminatoren und Illustratoren sich einerseits getreu an die Textüberlieferung halten, jedoch auch häufig davon abweichen« (Ziegler [1983] S. 187).

Begünstigt wird dies sicherlich dadurch, daß sich die Überlieferung auf einen zeitlich und geographisch übersichtlichen Rahmen konzentriert. Sämtliche Handschriften entstanden innerhalb von kaum mehr als 50 Jahren, und die allermeisten dürften in Ober- oder Niederösterreich hergestellt worden sein. Stilistische Einordnungen ihrer Bildausstattungen ergeben, daß der Raum Wien signifikanter, als sich dies noch 1988 abzeichnete, als Schwerpunkt der Überlieferung hervortritt: Zwar ist die vermutlich älteste der erhaltenen Handschriften nicht lokalisierbar (Stockholm, Kungliga Biblioteket, Cod. X 537; 1425 [siehe Nr. 37.2.17.]), der nächstjüngere Cgm 254 von 1430 (siehe Nr. 37.2.10.) stammt hingegen mit großer Sicherheit aus Wien, ebenfalls möglicherweise Princeton, Cotsen Children's Library, 40765 (um 1430; siehe Nr. 37.2.15.). Aber auch die deutlich später entstandenen, der erweiterten Redaktion zugehörigen Handschriften Melk, Stiftsbibliothek, Cod. mell. 551 (um 1440–50; siehe Nr. 37.2.9.), München, Cgm 340 (1457; siehe Nr. 37.2.11.) und vielleicht auch Klagenfurt, Bischöfliche Bibliothek, Cod. XXXI b 24 (1445; siehe Nr. 37.2.5.) deuten nach Wien. – Die in der Qualität ihres Textes wie ihrer Bildausstattung anspruchsvollste Handschrift dagegen entstand in Salzburg (London, The British Library, Egerton 1121, um 1430; siele Nr. 37.2.7.). Sie gehört ebenfalls zur frühesten Überlieferungsschicht der Fabelsammlung, vertritt aber die erweiterte Redaktion.

In ihr Umfeld gehören die nicht mit Bestimmtheit zu lokalisierenden Handschriften Berlin, Staatsbibliothek, Ms. germ. fol. 459 (1432; siehe Nr. 37.2.2.), Eger, Diözesanbibliothek, Cod. U[2].III.3 (um 1450; siehe Nr. 37.2.4.) und die ehemals Konstanzer Handschrift (1453; siehe Nr. 37.2.6.); letztere ist allerdings aufgrund ihres schreibsprachlichen Befundes mit sehr hoher Wahrscheinlichkeit nicht im Salzburger Raum entstanden. Da die handschriftliche Überlieferung im dritten Viertel des 15. Jahrhunderts bereits abebbt, stellt der Augsburger Druck von 1490 (siehe Nr. 37.2.a.) keine nahtlose Anknüpfung an die handschriftliche Überlieferung dar oder bettet sich in sie ein, sondern ist als ein eher isoliertes Zeugnis schon der Spätwirkung der Fabelsammlung zu werten und weist keine nennenswerten Bezüge zur Bildüberlieferung der Handschriften auf.

Im deutschsprachigen Raum büßen die spröden Cyrillusfabeln bald ihre Ausstrahlungskraft zugunsten der sehr viel wirkungsmächtigeren Fabeln aesopischer Tradition ein; in lateinischen wie in anderen volkssprachigen Fassungen stehen sie zudem in Konkurrenz mit einer weiteren, in ihrer Intention ähnlich konzipierten Fabelsammlung: In dem Mayno de Mayneriis (oder Nicolas de Pergameno?) zugeschriebenen ›Dialogus creaturarum moralizatus‹, einer vor Ende des 14. Jahrhunderts entstandenen Sammlung von ca. 122 Fabeln, treten sich noch deutlicher naturkundlich charakterisierte Protagonisten ebenfalls in langen moralisierenden Disputationen gegenüber.

Anders als im Fall der Cyrillusfabeln liegen schon vom lateinischen ›Dialogus‹ (in unterschiedlichen Fassungen) gleich mehrere bebilderte Handschriften vor (Cremona, Biblioteca statale, Cod. LII. 6.4.; Firenze, Biblioteca Medicea Laurenziana, Cod. Ashburnham 1550; Fribourg, Bibliothèque des Cordeliers, Cod. 25; München, Bayerische Staatsbibliothek, Clm 1222; Paris, Bibliothèque nationale de France, Ms.lat. 8507; Turin, Biblioteca Nazionale Universitaria, Cod. H. III.6); für den Druck (Erstdruck: Gouda: Gerard Leeu, 1480 [GW M 822690]) wurde dann eine Holzschnittfolge entworfen, die auch für die volkssprachigen Drucke Verwendung fand (niederländischer Erstdruck Gouda: Gerard Leeu, 1481 [GW M 22277], Erstdruck der französischen Übersetzung von Colart Mansion Gouda: Gerard Leeu, 1482 [GW M 22270], vgl. auch die dem Druck folgenden illustrierten Handschriften in Privatbesitz [zuletzt Sotheby's, Auktion 12.3.2002, Nr. 32, vgl. auch Antiquariat Heribert Tenschert. Leuchtendes Mittelalter I–VI. Fazit 1996: Die noch verfügbaren Manuskripte. Rotthalmünster 1996, Nr. 76 mit Taf. 139–142] und in Wien [Österreichische Nationalbibliothek, Cod. 2572]).

Völlig unabhängig von der Übersetzung Ulrichs von Pottenstein und ohne jegliche Breitenwirkung bleibt eine thüringische Fassung der Cyrillusfabeln (siehe Untergruppe 37.3).

Ebenfalls eigenständig ist die zuerst in Basel gedruckte Übersetzung der Fabelsammlung durch Sebastian Münster (Basel: Adam Petri, 1520 [VD16 S

8191]; vgl. ROMY GÜNTHART: Sebastian Münster, der Übersetzer des ›Spiegels der wyßhait‹. Euphorion 89 (1995), S. 228–237; dies.: Sebastian Münster, »Spiegel der wyßheit«. Einführung, Edition und Kommentar. 2 Bände. München 1996). Wohl auf deren Neudruck von 1564 (Frankfurt am Main: Johann Lechler d. Ä. in Verlegung Sigmund Feyerabends und Simon Hüters; VD16 S 8192) beruht die Versbearbeitung der Fabeln durch Daniel Holtzmann. Sie erschien mit Holzschnitten Nikolaus Holzmeyers zwischen 1570 und 1574 in mehreren Auflagen bei Philipp Ulhart d. J. in Augsburg (VD 16 S 8193, S 8194, S 8195, ZV 14625).

Edition:
Nur die lateinische Fassung der Cyrillusfabeln ist vollständig ediert: Die beiden ältesten lateinischen Fabelbücher des Mittelalters: des Bischofs Cyrillus »Speculum sapientiae» und des Nicolaus Pergamenus »Dialogus creaturarum«. Herausgegeben von Dr. J. G. TH. GRÄSSE. Tübingen 1880 (StLV 148). Zu Abdrucken einzelner Fabeln der deutschen Übersetzung Ulrichs von Pottenstein vgl. BODEMANN (siehe unten: Literatur) S. 143; ebd. S. 149–179 kritische Editionsprobe (Vorrede, I,24, II,13, II,21, IV,1). Vgl. ferner ADALBERT ELSCHENBROICH: Die deutsche und lateinische Fabel in der Frühen Neuzeit. Bd. I: Ausgewählte Texte. Tübingen 1990, S. 3–10 (I,1, II,4, III,19, IV,9).

Literatur zur Überlieferung und zu den Illustrationen:
JÜRGEN WERINHARD EINHORN: Der Bilderschmuck der Handschriften und Drucke zu Ulrichs von Pottenstein ›Buch der natürlichen Weisheit‹. In: Verbum et Signum. Beiträge zur mediävistischen Bedeutungsforschung. Studien zu Semantik und Sinntradition im Mittelalter. Festschrift für Friedrich Ohly. Hrsg. von HANS FROMM, WOLFGANG HARMS. und UWE RUBERG. 2 Bde. München 1975, Bd. 1, S. 389–424. – ULRIKE BODEMANN: Die Cyrillusfabeln und ihre deutsche Übersetzung durch Ulrich von Pottenstein. Untersuchungen und Editionsprobe. München 1988 (MTU 93).

Bildthemen und -stellenübersicht: Ulrich von Pottenstein, Cyrillusfabeln, deutsch
Die anschließende Tabelle verzeichnet die Blatt- bzw. Seitenangaben der Illustrationen in ihrer Zuordnung zu den jeweiligen Fabeltexten und Handschriften (bzw. zum Druck). Die Handschriften sind nach ihrer Redaktionszugehörigkeit (Erstfassung *X bzw. erweiterte Redaktion*YZ) angeordnet, innerhalb dieser in zeitlicher Abfolge.

Legende zur Tabellenzeilenfüllung:

–	kein Bild vorgesehen
( )	Bild vorgesehen, nicht ausgeführt
Hellgraue Füllung	Bild fehlt wegen Blattverlusts
Dunkelgraue Füllung	Bild fehlt wegen reduzierten Textbestands

Redaktionsstufe	*X				*YZ		
Fabel, Fabelthema	37.2.10. München Cgm 254 (M2)	37.2.15. Princeton, Cotsen Library (Pr)	37.2.14. New Haven, Beinecke 653 (Nh)	37.2.18. Wien 12645 (W)	37.2.17. Stockholm X 537 (St)	37.2.12. München Cgm 583 (N)	37.2.7. London Egerton 1121 (Eg)
Vorrede	1^{v}	2ra	–	(2ra)	(4^{r})		2^{r}
I,1. Fuchs und Rabe	2^{r}	1vb	163rb	(2va)	(5^{r})	1^{r}	2^{r} (!)
I,2. Adler und Sonne	2^{v}	2rb	164ra	(3vb)	(6^{v})	2^{r}	3^{v}
I,3. Affe und Tiere mit Rabe und Fuchs als Anführern	3^{r}	3rb	164vb	(4va)	(7^{v})	3^{r}	4^{v}
I,4. Grasmücke und Fliege		3va	165vb	(6ra)	(9^{r})	(4^{r})	5^{v}
I,5. Rabe und Fuchs, der sich totstellt	5^{r}	4rb	167ra	(7ra)	(10^{r})	(5^{v})	7^{v}
I,6. Unvorsichtige Fliege und Spinne	5^{v}	5ra	168ra	(8ra)	(11^{v})	(6^{v})	8^{v}
I,7. Schnecke mit Haus und Maus	6^{r}	5va	169rb	(9ra)	(12^{v})	(7^{v})	10^{r}
I,8. Walfisch als Insel und getäuschter Schiffer	7^{r}	6ra	169vb	(10ra)	(14^{r})	(8^{v})	11^{r}
I,9. Fuchs und Affe, der sich am Vollmond erfreut	7^{v}	6va	171rb	(11ra)	(16^{r})	(10^{r})	12^{v}
I,10. Fuchs, unzufrieden mit seinem Bau, und Ameise	8^{v}	7rb	172rb	(12ra)	(17^{v})		14^{r}
I,11. Ochse und Schwein	9^{v}	8rb	174ra	(14ra)	(19^{r})	(11^{v})	16^{r}
I,12. Pferd und Ochse	10^{r}	8vb	175ra	(15ra)	(20^{r})	(13^{r})	17^{v}
I,13. Rabe, fromm gewordener Fuchs und Hühner, gewarnt vom Hahn 1	11^{r}	9rb	176ra	(16ra)	(21^{v})	(14^{r})	19^{r}
I,13. Rabe, fromm gewordener Fuchs und Hühner, gewarnt vom Hahn 2	–	–	176vb	–	–	–	–
I,14. Ochse als Lasttier und Wolf	12^{r}	10rb	177vb	(17vb)	(23^{v})	(16^{r})	21^{r}
I,15. Rabe und Frosch, der sich seiner Rede rühmt	13^{r}	11rb	179rb	(19ra)	(24^{v})	(17^{r})	22^{v}
I,16. Brüllender Esel, Löwe und Wölfe	13^{v}	11vb	180rb	(20ra)	(26^{r})	(18^{v})	24^{r}
I,17. Sonne und Merkur	14^{r}	12rb	181^{ra-b}	(21ra)	(27^{v})	(19^{v})	25^{r}
I,18. Löwe, Fuchs und Maus	15^{r}	13rb	182^{ra-b}	(22ra)	(29^{v})	(20^{v})	26^{v}
I,19. Igel und Natter	16^{r}	14ra	183^{va-b}	(23ra)	(31^{r})	–	28^{r}
I,20. Taube und Rabe	16^{v}	14vb	185^{ra-b}	(24vb)	–	(23^{r})	30^{r}
I,21. Keimendes Weizenkorn und Stein	17^{v}	15vb	186^{va-b}	(26ra)	(33^{v})	(24^{r})	31^{r}
I,22. Taube belehrt Bär, der ein Lamm quält	18^{v}	16rb	189rb	(27vb)	(35^{r})	(26^{r})	33^{r}
I,23. Fuchs und Schlange	19^{r}	17ra	190va	(28rb)	(36^{v})	(27^{r})	34^{v}
I,24. Fuchs als Pilger mit Tieren 1	19^{v}	17vb	191^{ra-b}	(30ra)	(38^{r})	(28^{v})	36^{r}
I,24. Fuchs als Pilger mit Tieren 2	–	–	191^{va-b}	–	–	–	–
I,24. Fuchs als Pilger mit Tieren 3 ff.	–	–	192rb	–	–	–	–
I,25. Ohr und Auge	21^{r}	18vb	193^{ra-b}	(31ra)	(39^{v})	(30^{r})	38^{r}
I,26. Drei Edelsteine	21^{v}	19rb	194ra	$(32^{ra}, 32^{vb})$	(41^{v})	(31^{r})	39^{v}
I,27. Feigenbaum und vier Bäume	22^{v}	20ra	195^{va-b}	(33vb)	(42^{r})	(32^{v})	41^{r}
II,1. Hochmütige Luft und Erde	23^{r}	20va	196va	(34rb)	(43^{v})	(33^{v})	42^{r}
II,2. Undankbarer Körper und Seele	23^{v}	21rb	197^{va-b}	(35ra)	(44^{v})	(34^{v})	43^{r}
II,3. Ziegenbock, sich im Brunnen spiegelnd, und Igel 1	24^{v}	22rb	198rb	(36ra)	(46^{r})	(35^{v})	44^{v}
II,3. Ziegenbock, sich im Brunnen spiegelnd, und Igel 2	–	–	198va	(36vb)	–	–	–
II,4. Strauß, der vorgibt, fliegen zu können, und Henne	25^{v}	22vb	200^{ra-b}	(37vb)	(47^{r})	(37^{r})	46^{r}
II,5. Kühnes Streitroß (stattdessen auch: Bär) und Maulesel	26^{r}	23va	201^{ra-b}	(38vb)	(48^{v})	(38^{r})	47^{r}
II,6. Affe am Schiffsmast und Rabe / Affe auf dem Thron und Fuchs	27^{r}	24rb	202^{ra-b}	(40ra)	(50^{v})	(39^{r})	48^{v}
II,7. Hase und Sperling	28^{r}	25ra	203rb	(41ra)	(51^{v})	(40^{v})	50^{r}
II,8. Vermessener Wille und Vernunft	28^{v}	25vb	205ra	(42ra)	(52^{v})	(42^{r})	51^{v}
II,9. Hirsch und freiheitsuchendes Schaf	29^{r}	26rb	206^{ra-b}	(43ra)	(54^{r})	(43^{r})	52^{v}
II,10. Herrschsüchtige Begierde und Verständigkeit	30^{v}	27rb	208^{ra-b}	(45ra)	(56^{r})	(44^{v})	54^{v}
II,11. Hirsch rät Hirschkuh von Hörnern ab / Bär, der Hörner haben wollte 1	32^{r}	28vb	209^{ra-b}	(47ra)	(58^{r})	(46^{r})	56^{r}
II,11. Hirsch rät Hirschkuh von Hörnern ab / Bär, der Hörner haben wollte 2	–	–	210^{ra-b}	–	–	–	–
II,12. Überhebliche Wolke und Erde	33^{r}	29va	211^{ra-b}	(48ra)	(59^{r})	(48^{r})	58^{r}
II,13. Fliegende Ameise und Nachtigall	33^{v}	30va	213^{ra-b}	(49vb)	(61^{v})	(49^{v})	60^{r}
II,14. Schilfrohr und Zuckerrohr	34^{v}	31rb	214rb	(50vb)	(62^{v})	(51^{r})	62^{r}
II,15. Hahn und schmeichelnder Fuchs	35^{v}	31vb	215^{ra-b}	(52ra)	(63^{v})	(52^{r})	63^{v}
II,16. Junger Frosch, der gerade seinen Schwanz verloren hat, und Aal	36^{r}	32vb		(53ra)	(65^{v})	(54^{r})	65^{v}

37.2.4. Eger (E)	37.2.2. Berlin Ms.germ.fol. 459 (B2)	37.2.5. Klagenfurt (K)	37.2.8. Melk 437 (Me2)	37.2.9. Melk 551 (Me1)	37.2.6. ehem. Konstanz (P)	37.2.11. München Cgm 340 (M1)	37.2.1. Basel (Ba)	37.2.3. Berlin Ms.germ.fol. 641 (B1)	37.2.16. Schlägl (Schl)	37.2.13. München Cgm 584 (O)	37.2.a. Druck: Augsburg 1490 (I)
2^{v}		3^{v}	3^{r}		1vb		(15vb)	2^{r}, 2^{v}		–	1^{v}
2^{v} (!)		(4^{r})	(3^{v})		1vb (!)		(16ra)	3^{v}		–	3ra
3^{v}	4^{r}	(5^{r})	(4^{r})	1^{r}	2va		(16va)	5^{r}	2^{r}	(3rb)	3vb
4^{v}	5^{v}	(6^{r})	(4^{v})	2^{r}	3rb		(17va)	6^{r}	3^{r}	(4ra)	4va
5^{v}	7^{v}	(7^{r})	(5^{v})	3^{r}	4ra		(18va)	7^{r}	4^{v}	(5ra)	5va
7^{v}	9^{v}	(8^{r})	(6^{v})		5ra		(19vb)	8^{v}	6^{v}	(6rb)	6va
8^{v}	11^{v}	(9^{r})	(7^{v})	4^{r}	5vb		(20va)	10^{r}	8^{r}	(7rb)	7va
10^{r}	14^{v}	(10^{r})	(8^{v})	5^{r}	6vb		(21vb)	11^{v}	9^{v}	(8ra)	8va
11^{r}	15^{v}	(11^{r})	(9^{r})	6^{r}	7va		(22va)	12^{v}	10^{v}	(9ra)	9rb
12^{v}	18^{r}	(12^{r})	(10^{r})	7^{v}	8va		(23vb)	14^{r}	12^{v}	(10ra)	10rb
14^{r}	20^{r}	(13^{r})	(11^{r})	8^{v}	9va		(24va)	15^{v}	14^{r}	(11rb)	11rb
15^{v}	23^{v}	(14^{v})	(12^{v})	10^{r}	10vb		(26ra)	17^{v}	16^{r}	(12vb)	12va
17^{r}	26^{r}	(15^{v})	(13^{v})	11^{r}			(27rb)	19^{r}	18^{r}	(14ra)	13va
18^{r}	28^{r}	(17^{r})	(15^{r})	12^{r}	11va		(28rb)	20^{r}		(14vb)	14va
–	–	–	–	–	–		–	–		–	–
20^{r}	31^{v}	(18^{r})	(16^{r})	14^{r}	13ra		(29va)	22^{r}		(16rb)	16ra
21^{r}	33^{r}	(19^{r})	(17^{r})	15^{r}	13vb		(30va)	23^{v}		(17rb)	16vb
22^{v}	36^{r}	(20^{r})	(18^{r})		14vb		(31va)	25^{r}	19^{v}	(18rb)	18ra
23^{v}	37^{v}	(21^{r})	(19^{r})	16^{v}	15vb		(32rb)	26^{r}	20^{v}	(19ra)	18vb
24^{v}	40^{r}	(22^{r})	(20^{r})	18^{r}	16vb		(33rb)	27^{v}		(20vb)	19vb
26^{r}	42^{r}	(23^{r})	(21^{r})	19^{r}	17va		(34rb)	29^{r}	22^{v}	(21va)	21vb
27^{v}	44^{v}	(24^{r})	(22^{r})	20^{v}	18vb		(35va)	30^{v}	24^{v}	(23ra)	22rb
28^{v}	46^{v}	(25^{r})	(23^{r})	21^{v}	19va	13rb	(36rb)	32^{r}	26^{r}	(23vb)	23ra
30^{r}	49^{v}	(26^{v})	(24^{r})	23^{r}	20vb	14^{va-b}	(37va)	34^{r}	28^{r}	(25rb)	24rb
31^{v}	52^{r}	(28^{r})	(25^{v})	24^{v}	21vb	16^{ra-b}	(38va)	35^{v}	–	(26va)	25va
32^{v}	54^{v}	(29^{r})	(27^{r})	25^{v}	22vb	17^{va-b}	(39rb)	37^{r}	31^{r}	(27vb o/u)	26rb
–	–	–	–	–	–	–	–	–	–	($28^{ra/b}$)	–
–	–	–	–	–	–	–	–	–	–	($28^{va/b}$), (29ra), (29va)	–
34^{v}	58^{r}	(30^{v})	(28^{r})	27^{r}	24rb	19rb	(40vb)	39^{r}	33^{r}	(29vb)	27vb
36^{r}	60^{r}	(32^{r})	(28^{v})	28^{r}	25ra	20^{va-b}	(41va)	40^{v}	34^{v}	(31rb)	28va
37^{v}	63^{r}	(32^{v})	(30^{r})	29^{v}	26rb	21^{va-b}	(42va)	42^{r}	36^{r}	(32rb)	29vb
38^{r}	65^{r}	(34^{r})	(31^{r})	30^{v}	27ra	22^{va-b}	(43rb)	43^{r}	37^{r}	–	–
39^{r}	66^{v}	(35^{r})	(32^{r})	31^{v}	27vb	23^{va-b}	(44rb)	44^{r}	38^{r}	(34ra)	–
40^{r}	69^{r}	(36^{r})	(33^{r})	32^{v}	28vb	25^{ra-b}	(45ra)	45^{v}	–	(35ra)	32ra
–	–	–	–	–	–	–	–	–	–	–	–
41^{v}	71^{r}	(37^{v})	(33^{v})	33^{v}	29vb	26^{ra-b}	(46ra)	47^{r}	41^{v}	(36rb)	33ra
42^{v}	73^{r}	(38^{v})	(34^{v})		30va	27^{ra-b}	(46vb)	48^{v}	43^{r}	(37rb)	34ra
43^{v}	75^{v}	(39^{v})	(35^{v})	35^{r}	31va	28^{va-b}	(47vb)	50^{r}	44^{v}	(38va), (38vb)	35ra
45^{r}	78^{r}	(40^{v})	(36^{v})	36^{v}	32vb	30^{ra-b}	(48vb)	51^{v}	46^{r}	–	36ra
46^{r}	80^{v}	(41^{v})	(37^{v})	37^{v}	33va	31^{ra-b}	(49vb)	52^{v}	–	(41ra)	–
47^{v}	83^{r}	(42^{v})	(38^{v})		34va	32^{ra-b}	(50vb)	54^{r}	48^{v}	(42ra)	37va
49^{r}	86^{r}	(44^{r})	(40^{r})	39^{v}	35vb	34^{ra-b}	(51vb)	56^{r}	–	–	–
50^{v}	89^{v}	(46^{r})	(41^{r})	41^{r}	37ra	35^{va-b}	(52vb)	57^{v}	–	(45rb)	40ra
–	–	–	–	–	–	–	–	–	–	(45vb), (46va)	–
53^{r}	93^{r}	(47^{r})	(42^{v})	42^{v}	38va	37rb	(54rb)	59^{v}	–	(47rb)	–
54^{v}	96^{v}	(49^{r})	(44^{r})	44^{v}	39vb	38^{va-b}	(55va)	61^{v}	–	(49rb)	42va
56^{v}	99^{v}	(50^{v})	(45^{r})	46^{r}	40vb	40rb	–	63^{r}		(50vb)	–
57^{v}	101^{r}	(51^{v})	(46^{r})	47^{r}	41va	41rb	(57va)	64^{v}		(52ra), (52vb)	44va
59^{v}	104^{v}	(53^{r})	(47^{v})	48^{v}	42va	43^{ra-b}	(58vb)	66^{v}	134^{v}	(53vb)	46ra

Redaktionsstufe	*X				*YZ		
Fabel, Fabelthema	37.2.10. München Cgm 254 (M2)	37.2.15. Princeton, Cotsen Library (Pr)	37.2.14. New Haven, Beinecke 653 (Nh)	37.2.18. Wien 12645 (W)	37.2.17. Stockholm X 537 (St)	37.2.12. München Cgm 583 (N)	37.2.7. London Egerton 1121 (Eg)
II,17. Schwertfisch und Zahnfisch	37^{v}	33vb	217^{ra-b}	(54ra)	(66^{v})	(55^{v})	67^{r}
II,18. Rabe und überhebliches Einhorn	38^{r}	34rb	218^{va-b}	(55vb)	(68^{r})	(57^{r})	69^{r}
II,19. Überhebliches Maulpferd und Maulesel	39^{r}	35rb	220^{ra-b}	(56vb)	(70^{r})	(59^{v})	70^{v}
II,20. Selbstgefälliger Fuchs und nackter Affe	39^{v}	36ra	221^{ra-b}	(57vb)	(71^{v})	(60^{r})	72^{r}
II,21. Überheblicher Pfau und Igel	40^{v}	36vb	222^{ra-b}	(58vb)	(72^{v})	(61^{v})	74^{r}
II,22. Hochmütiger Strauß und Rabe	41^{v}	37va	224^{ra-b}	(59vb)	(74^{v})	(62^{v})	76^{v}
II,23. Dornbaum mit Blüten und Feigenbaum mit Früchten	42^{v}	38va	225^{ra-b}	(61rb)	(75^{v})	(64^{r})	78^{r}
II,24. Selbstgefälliges Firmament und Saturn	43^{r}	39ra	226^{ra-b}	(62rb)	(76^{v})	(65^{r})	79^{v}
II,25. Rabe und sich seiner Federn rühmender Pfau	44^{r}	40rb	227^{va-b}	(62vb)	(78^{r})	(67^{v})	81^{v}
II,26. Krächzender Rabe und singende Nachtigall	44^{v}	40vb	228^{va-b}	(63vb)	(79^{v})	(69^{r})	83^{v}
II,27. Fuchs belehrt lobheischenden Raben	45^{r}	41rb	229^{va-b}	(64va)	(80^{v})	(70^{v})	84^{v}
II,28. Selbstgefälliger Hahn und Rabe	46^{r}	42va	231^{ra-b}	(65vb)	(82^{r})	(72^{r})	87^{r}
II,29. Affe und trauriger Waldesel	47^{v}	43vb	232^{ra-b}	(67ra)	(84^{v})	(74^{r})	89^{r}
II,30. Taube und schadenfrohe Dreckpfütze	48^{r}	44va	234ra	(67vb)	(85^{v})	(76^{r})	92^{r}
III,1. Fuchs belehrt Raben über Reichtum	48^{v}	45ra	235^{ra-b}	(68rb)	(89^{r})	(77^{v})	93^{v}
III,2. Maulwurf, sich über mangelnde Sehkraft beklagend, und Natur	49^{v}	46ra	236^{ra-b}	(70ra)	(90^{v})	(79^{r})	95^{r}
III,3. Freßgieriger Cocodrillus und Scrophilus	50^{v}	46va	237^{ra-b}	(71ra)	(92^{v})	(80^{v})	97^{v}
III,4. Besitzgieriger Mann und Glück	51^{v}	47vb		(73ra)	(94^{v})	(82^{v})	98^{v}
III,5. Fuchs und Affe, der ihm den Schwanz neidet, mit anderen Tieren	52^{v}	48vb		(74va)	(97^{v})	(84^{v})	102^{r}
III,6. Rabe und Pfau, seiner Federn beraubt	54^{r}	49vb		(76ra)	(99^{v})	(87^{r})	105^{r}
III,7. Stolzer Drache und Hyäne	55^{r}	50rb		(77va)	(101^{v})	(88^{v})	107^{v}
III,8. Wassersüchtiger Fuchs und Wiesel	56^{r}	50vb		(79ra)	(104^{r})	(90^{v})	109^{v}
III,9. Sich selbst täuschender Spielaffe und Fuchs	57^{r}	51vb		(80vb)	(105^{v})	(92^{v})	112^{r}
III,10. Jüngling am Goldberg	58^{r}	52vb		(82ra)	(108^{v})	(94^{v})	114^{v}
III,11. Fuchs und schlankes Wiesel im Vorratskeller	59^{v}	53vb		(83vb)	–	(97^{r})	118^{r}
III,12. Affe, der sich vom Spielmann gegen Kleider anketten läßt	60^{v}	54vb		(85rb)	(110^{r})	(98^{v})	119^{v}
III,13. Palme und hochmütiger Kürbis	61^{v}	55vb		(86va)	(112^{v})	(101^{r})	121^{v}
III,14. Jüngling und Blutegel, mit belehrender Ameise	62^{v}	56va		(87vb)	(114^{r})	(102^{r})	
III,15. Fleißige Biene und spottende Spinne	63^{r}	57ra		(88rb)	(115^{v})	(103^{v})	127^{r}
III,16. Genügsamer Ochse und Wolf	63^{v}	58ra		(89rb)	(116^{v})	(104^{v})	124^{r}
III,17. Eule, vom Tageslicht überrascht, mit Falken	64^{r}	58vb		(90ra)	(118^{r})	(106^{r})	
III,18. Spinne und Seidenraupe	65^{r}	59rb		(91rb)	(119^{v})	(107^{v})	
III,19. Trockene Erde und feuchte Luft	65^{v}	59vb		(92ra)	(121^{r})	(109^{r})	
III,20. Maus und Seidenraupe	66^{r}	60va		(92vb)	(122^{v})	(110^{r})	
III,21. Neidische Erde und Firmament	66^{v}	60vb		(93rb)	(124^{r})	(111^{v})	
III,22. Tag und sich beschwerende Nacht	67^{v}	61rb		(94rb)	(125^{r})	(112^{v})	122^{r}
III,23. Donau und sich beschwerendes Meer	68^{r}	61vb		(95rb)	(126^{v})	(114^{r})	
III,24. Sonne und sich beschwerende Finsternis	68^{v}	62rb		(95vb)	(128^{r})	(115^{r})	
III,25. Adler und im Feuer sitzender Phönix		62vb		(96va)	(129^{v})	(116^{v})	
III,26. Gebärende Natter	69^{r}	63rb		(97va)	(130^{v})	(117^{v})	
III,27. Mann, schicksalsergebener Hund und Wolf	69^{v}	63vb		(98va)	(132^{r})	(119^{r})	
IV,1. Kater und Schwein	70^{v}	64rb		(99va)	(134^{r})	(121^{r})	
IV,2. Schwein und Fuchs	71^{r}	64vb		(100va)	(136^{r})	(122^{v})	
IV,3. Wolf, einsichtiger Hund und Schafe	71^{v}	65va		(101rb)	(138^{r})	(124^{v})	
IV,4. Fuchs, Schwein und Rat des Wiesels	72^{v}	66ra		(102rb)	(140^{r})	(227^{r})	
IV,5. Biene und Weinmücke	73^{v}	66vb		(103va)	(142^{r})	(228^{v})	
IV,6. Wasser, Öl und Flamme	74^{r}	67rb		(104va)	(144^{r})	(230^{v})	
IV,7. Kamel und Streit der in ein Kalb verliebten Stiere	74^{v}	67vb		(105va)	(145^{v})	(232^{r})	
IV,8. Phönix und Schlange	75^{v}	68vb		(106va)	(148^{r})	(234^{v})	
IV,9. Lilie, Rose, Feigenbaum	76^{v}	69rb		(108rb)	(151^{r})	(237^{r})	
IV,10. Lüsterne Schlange und keuscher Elefant	77^{r}	70ra		(109ra)	(152^{v})	(238^{v})	
IV,11. Taube und lüsterner Sperling	78^{r}	70va		(109vb)	(154^{r})	(240^{r})	

37.2.4. Eger (E)	37.2.2. Berlin Ms.germ.fol. 459 (B2)	37.2.5. Klagenfurt (K)	37.2.8. Melk 437 (Me2)	37.2.9. Melk 551 (Me1)	37.2.6. ehem. Konstanz (P)	37.2.11. München Cgm 340 (M1)	37.2.1. Basel (Ba)	37.2.3. Berlin Ms.germ.fol. 641 (B1)	37.2.16. Schlägl (Schl)	37.2.13. München Cgm 584 (O)	37.2.a. Druck: Augsburg 1490 (I)
61^{r}	107^{r}	(54^{r})	(49^{r})	50^{r}	43va	44^{va-b}	(60ra)	68^{r}	136^{v}	(55va)	47rb
62^{v}	109^{v}	(56^{r})	(50^{r})	51^{v}	44va	45^{va-b}	(61ra)	70^{r}	138^{r}	(57ra)	48rb
64^{v}	113^{r}	(57^{r})	(51^{v})	53^{r}	45va	47^{ra-b}	(62rb)	71^{v}	139^{r}	(58vb)	49va
66^{r}	115^{r}	(59^{r})	(52^{v})	54^{r}	46va	48^{va-b}	(63rb)	73^{r}	140^{v}	(60ra)	50va
67^{v}	117^{r}	(60^{r})	(53^{v})	55^{v}	47rb	50^{ra-b}	(64va)	75^{r}	142^{v}	(61vb)	51vb
70^{r}	121^{r}	(62^{r})	(55^{v})	57^{v}	48rb	52^{ra-b}	(66rb)	77^{r}		(63vb)	53va
(71^{v})	124^{v}	(63^{r})	(56^{v})	59^{r}	49rb	53^{ra-b}	(67rb)	78^{v}		(65ra)	54va
(73^{r})	125^{v}	(64^{r})	(57^{r})	60^{r}	50rb	54^{va-b}	(68ra)	80^{r}	–	(66rb)	–
(74^{v})	128^{v}	(66^{r})	(58^{v})	61^{v}	51rb	56^{ra-b}	(69rb)	81^{v}	118^{r}	(67vb)	56va
(76^{r})	131^{r}	(67^{r})	(59^{v})	63^{r}	52rb	57^{va-b}	(70rb)	83^{r}	119^{v}	(69rb)	57vb
(77^{r})	135^{v}	(68^{r})	(61^{r})	64^{v}	53ra	58^{va-b}	(71rb)	84^{v}	121^{r}	(70vb)	58vb
(79^{r})	136^{v}	(70^{r})	(62^{r})	66^{r}	53vb	60^{va-b}	(72vb)	86^{v}	123^{r}	(72va)	60ra
(81^{r})	139^{r}	(72^{r})	(64^{r})	68^{r}	54ra	62^{ra-b}	(74ra)	88^{v}	125^{r}	(74va)	61va
(83^{v})	144^{v}	(74^{r})	(66^{r})	70^{r}	56vb	64^{va-b}	(76ra)	91^{r}	127^{v}	–	63rb
(85^{r})	147^{v}	(75^{r})	(67^{r})	71^{v}	57va	65^{va-b}	(76vb)	92^{r}	80^{v}	(78ra)	64rb
(86^{v})	149^{r}	(76^{v})	(68^{r})	73^{r}	58va	67rb	(78rb)	94^{r}	82^{r}	(79vb)	–
(88^{r})	151^{v}	(78^{r})	(69^{r})	74^{v}	59va	68^{va-b}	(79rb)	95^{v}	–	(81rb)	66vb
(90^{v})	155^{r}	(80^{r})	(70^{v})	76^{v}	60vb	70^{va-b}	(81ra)	97^{v}	–	(83rb)	–
(92^{v})	159^{r}	(82^{r})	(72^{v})	78^{v}	62ra	72^{va-b}	(82va)	100^{r}	87^{r}	(85rb)	69vb
(95^{v})	163^{r}	(84^{r})	(75^{r})	81^{r}	63vb	75^{ra-b}	(84va)	102^{v}	90^{r}	(87va)	71vb
(97^{v})	166^{r}	(86^{r})	(76^{r})	83^{r}	64vb	77^{ra-b}	(86rb)	104^{v}		(89va)	–
(100^{r})	169^{r}	(88^{r})	(77^{v})	85^{r}	66ra	79^{ra-b}	(87vb)	106^{v}		(91va)	74vb
(102^{v})	173^{r}	(90^{r})	(79^{r})	87^{r}	67va	81^{ra-b}	(89va)	109^{r}	54^{r}	(93vb)	76rb
(104^{v})	176^{v}	(92^{r})	(80^{v})	89^{r}	58vb	83^{ra-b}	(91rb)	111^{v}	–	–	77vb
(108^{r})	181^{v}	(94^{r})	(82^{v})	91^{v}	70rb	85^{va-b}	(93rb)	114^{r}	58^{v}	$(98^{rb}$	80ra
(109^{v})	184^{v}	(96^{r})	(83^{v})	93^{r}	71rb	87^{ra-b}	(94va)	115^{v}		(99va)	81ra
(113^{r})	189^{v}	(98^{r})	(85^{v})	95^{v}	73rb	89^{va-b}	(96va)	118^{v}	–	(102^{r})	–
(114^{r})	191^{r}	(99^{r})	(86^{v})	96^{v}	74rb	90^{va-b}	(97va)	120^{r}	–	(103^{r})	–
(116^{r})	194^{r}	(100^{v})	(87^{v})	98^{r}	75rb	92^{ra-b}	(98vb)	121^{v}	–	(104vb)	85rb
(117^{r})	196^{v}	(102^{r})	(88^{r})	99^{r}	76rb	93^{va-b}	(99va)	123^{r}	–	(105vb)	86ra
(118^{r})	199^{v}	(103^{r})	(89^{r})	100^{v}	77rb	94^{va-b}	(100va)	124^{v}	72^{v}	(107rb)	–
(120^{v})	202^{r}	(105^{r})	(90^{r})	101^{v}	78rb	96^{ra-b}	(101vb)	126^{r}	–	(108va)	–
(122^{r})	205^{v}	(106^{r})	(91^{v})	103^{r}	79rb	97^{va-b}	(102vb)	127^{v}	–	(110ra)	–
(123^{v})	207^{v}	(108^{r})	(92^{r})	104^{v}	80rb	98va	(103vb)	129^{r}	77^{v}	(111rb)	–
(125^{v})	209^{v}	(109^{v})	(93^{r})	105^{v}	81rb	99^{va-b}	(104vb)	130^{r}	–	(112va)	–
(126^{v})	210^{v}	(110^{v})	(94^{r})	106^{v}	82ra		(105vb)	131^{v}	–	(113va)	–
(128^{r})	214^{r}	(112^{r})	(95^{r})	108^{r}	82vb	102^{ra-b}	(106vb)	133^{r}	–	(115ra)	–
(129^{v})	216^{v}	(113^{r})	(96^{r})	109^{v}	83vb	103^{va-b}	(107vb)	134^{v}	–	(116va)	–
(131^{r})	218^{v}	(114^{r})	(97^{r})	110^{v}	84va	104^{va-b}	(108vb)	136^{r}	108^{r}	(117vb)	94va
(132^{v})	221^{r}	(115^{v})	(98^{r})	111^{v}	85va	106^{ra-b}	(109vb)	137^{r}	–	(119ra)	–
(134^{r})	223^{r}	(117^{r})	(99^{r})	113^{r}	87vb	107^{ra-b}	(110vb)	138^{v}	110^{v}	(120rb)	96va
(136^{v})	227^{r}	(119^{r})	(100^{r})		86vb	109^{ra-b}	(112va)	140^{v}	113^{r}	(122rb)	98ra
(138^{v})	230^{r}	(121^{r})	(101^{r})			111^{ra-b}	(113rb)	142^{r}	115^{r}	(123vb)	–
	234^{r}	(123^{r})	(102^{v})			113^{ra-b}	(114vb)	144^{r}		(126rb)	–
	237^{v}	(125^{r})	(104^{r})	116^{r}		115^{ra-b}	(116rb)	146^{v}	95^{v}	(127rb)	102rb
	240^{v}	(127^{r})	(106^{r})	117^{v}		116^{ra-b}	(117va)	148^{v}	–	(129va)	–
	243^{v}	(129^{v})	(106^{v})	120^{r}		118^{va-b}	(119ra)	150^{r}	–	(130vb)	–
	246^{r}	(131^{r})	(107^{v})			120^{ra-b}	(120rb)	151^{v}	101^{v}	(132rb)	106ra
	250^{r}	(134^{r})	(109^{r})			122^{ra-b}	(122ra)	154^{r}	–	(134vb)	–
	254^{v}	–	(111^{r})			124^{va-b}	(124ra)	156^{v}	–	(137rb)	109va
	257^{v}	(137^{r})	(112^{r})			126^{ra-b}	(125rb)	158^{r}	–	–	–
	260^{v}	(138^{r})				127^{va-b}	(126rb)	159^{v}	66^{v}	(139vb)	–

37.2.1. Basel, Öffentliche Bibliothek der Universität, Cod. F II 31a

Drittes Viertel 15. Jahrhundert (Wasserzeichen u.a. Krebs [Blatt 77, 127], ähnlich PICCARD online Nr. 42779–42780: Nördlingen und München 1455). Bayern oder Österreich.
Provenienz unbekannt. Die Handschrift ist im 18. Jahrhundert in Basel neu gebunden worden (Wasserzeichen der dabei ergänzten Vorsatzblätter 1–10 und 157–162: Baselstab).

Inhalt:
1. 11^r–127ra Ulrich von Pottenstein, Cyrillusfabeln, deutsch
Hs. Ba; 11^r–14^v Register, 15ra–127ra Prolog, Buch I–IV
2. 128ra–156vb Jacobus de Cessolis, ›Liber de moribus‹, deutsch (= Schachzabelbuch, Zweite Prosafassung)
Hs. BaselUB4 (PLESSOW); Schluß fehlt: Abbruch in Kap. IV,7

I. Papier, 162 Blätter (moderne Foliierung; 15^r–126^r haben eine alte Paginierung *I–CCXXXIII*; im Zuge der Neubindung im 18. Jahrhundert sind die Blätter des alten Buchblocks einzeln [!] eingeheftet worden, 93 ein Viertel des Blattes abgerissen, mit Textverlust), 270 × 180 mm, drei Schreiber; I: 11^r–14^v, Kanzleibastarda, einspaltig, 34–35 Zeilen, von I auch die römische Paginierung des Fabelteils; II: 15ra–74vb, Bastarda, zweispaltig, 39–41 Zeilen; III: 74vb–156vb, Bastarda, zweispaltig, 36–40 Zeilen; rote Überschriften, Strichel, Lombarden über zwei Zeilen, an den Buchanfängen Initialen über vier bis sechs Zeilen. Gelegentlich Benutzerkritzeleien in den Freiräumen und am Blattrand, z. B. 41^r *bolfyrhio* (?) ebenso 47^v.
Schreibsprache: bairisch-österreichisch.

II. Zu Text 1 ausgesparte Bildräume für 95 nicht ausgeführte Illustrationen (Blattangaben siehe S. 278–281). Zu Text 2 ausgesparte Bildräume für 15 nicht ausgeführte Illustrationen, siehe Stoffgruppe 114.

Die Illustrationen einspaltig zwischen Überschrift und Text jeder Fabel (aus Raumgründen gelegentlich zwischen dem Text) vorgesehen, 56^v (zu II,14) irrtümlich kein Bildraum.

Literatur: BODEMANN (1988) S. 57 u. ö.; PLESSOW (2007) S. 409.

37.2.2. Berlin, Staatsbibliothek zu Berlin – Preußischer Kulturbesitz, Ms. germ. fol. 459

1432 (Datierung 262^{r}). Bayern oder Österreich.
Vorbesitzer im 18. Jahrhundert *F.v.Z.* (Stempel 1^{v}), aus dessen Besitz auch der Wiener Cod. 2911 (Heinrich von Mügeln) stammt, der zwischen 1718 und 1795 in die Wiener Hofbibliothek gelangte. Aus der Sammlung J. G. G. Büsching (1782–1829).

Inhalt:
1^{r}–262^{r} Ulrich von Pottenstein, Cyrillusfabeln, deutsch
Hs. B2; Buch I–IV; Anfang (Prolog bis Beginn I,1) fehlt wegen Blattverlusts

I. Papier, 262 modern foliierte Blätter, dazu je ein unfoliiertes Vorsatzblatt vorn und hinten, 300×225 mm, Bastarda, ein Schreiber (Kolophon 262^{r}: *Iste lieber* [!] *est translatus de latino in theotunicum per honorandum virum dominum vlricum decanum Ecclesie laureacensis finitus Anno domini 1432 etc*), einspaltig, 23–25 Zeilen (115^{r} ausnahmeweise 31 Zeilen), rote Lombarden über vier Zeilen. Schreibsprache: bairisch-österreichisch.

II. 94 Deckfarbenminiaturen (Blattangaben siehe S. 278–281). Initialen zu Beginn eines neuen Buches über sieben Zeilen mit einfachem Dekor (64^{v} grün-weiß) oder mit Akanthusranke (145^{v} mit Phantasietieren, gelb; 226^{v} unvollendet oder korrigiert).

Format und Anordnung: halb- oder ganzspaltig (!), gerahmt (221^{r} ausnahmsweise ungerahmt), ca. 70–105 × ca. 168–223 mm, zwischen dem Text. Ausnahmsweise ganzseitiges Bild zu I,24 (54^{v}); 101^{r} mußte das Bild – wohl weil versehentlich kein Bildraum freigelassen wurde – an den unteren Randsteg gesetzt werden.

Bildaufbau und -ausführung: dreiseitiger, unten offener Rahmen, der auf dem Bodenstück aufsitzt (wie in der Londoner Handschrift, vgl. Nr. 37.2.7.): außen Deckfarbenrandung in blassem Rosaviolett, Rot, Knallgelb, ohne Außenabschluß. Ungewöhnliche Farbgebung, teils schreiend bunt (leuchtendes Blau, Rot, Knallgelb, milchiges Hellgrün, blasses Rosaviolett), teils blaß mit dann besonders herausstechenden Akzenten, z. B. des leuchtend zitronengelben Rahmens. Bodenstücke oft mit Blüten(-andeutungen). Hintergrund z. T. »naturalistisch« blau, z. T. mit Rautenmuster (9^{r} grün-gelb, 14^{v} grün-weiß mit Punktdekor), dabei werden Dekorelemente (wie das Dreipunktmuster oder die Doppelhäkchen für Grasbewuchs) schematisch und wenig sorgfältig eingearbeitet.

Bildfüllende Kompositionen, die Protagonisten sind stets in einen meist mit Bäumen und Gräsern ausgestatteten Raum eingebunden, charakteristisch die spiralförmig sich erhebenden Felsen. Der Zeichner wirkt ambitioniert (73ʳ, 75ᵛ mit Tendenz zu perspektivischer Verkürzung, ebenso 113ʳ), wenn auch gelegentlich überfordert: Figuren oft disproportioniert, Architekturen verzerrt. Tierzeichnung mit gelegentlicher Neigung zu Detailrealismus (26ʳ das Pferd durch übergroßes Geschlechtsteil eindeutig als Hengst gekennzeichnet), Fellstruktur der Tiere wird durch sorgfältige Strichelung gekennzeichnet. Manchmal Irrtümer in der Bildanlage: 101ʳ Fuchs und Hahn wie in der Überlieferung üblich kontinuierend dargestellt (Fuchs schaut schmeichelnd zum Hahn im Baum hinauf – Fuchs schnappt nach dem Hals des Hahns), doch beide Motive sind an den linken Bildrand plaziert, während die rechte Bildhälfte bis auf einen zweiten Baum leer bleibt.

In der Ausführung große Ähnlichkeit mit der Londoner Handschrift, die man stellenweise (40ʳ), doch längst nicht durchgängig, sogar als Vorlage vermuten könnte.

Bildthemen: auffallend eigenwillige Bildfindungen wie 58ʳ (I,25 Ohr und Auge): menschlicher Kopf im Profil auf einen Felsen plaziert, mit deutlich herausgearbeitetem Ohr und Auge, oder 125ᵛ (II,24 Saturn und Firmament): zwei Gestirne, links vor dem Stern (wie in mittelalterlichen Planetenbildern üblich) vermenschlichter Saturn als Mann mit Sense. Abstrakta als Protagonisten sind vermenschlicht: II,2 Seele als geflügelter Mensch; II,8 Wille als Mann, Vernunft als Frau; II,10 Begierde und Verständigkeit als zwei Frauen; III,4 Fortuna als Frau (mit Januskopf, wie in London, Egerton 1121; anders als dort jedoch nicht fliegend, sondern auf einer Kugel stehend). Tendenz zur Vermenschlichung nicht belebter Fabelprotagonisten auch 144ᵛ (I,30 Taube und Pfütze): die Pfütze mit menschlichem Gesicht (ebenso 149ʳ Natur, 210ᵛ Tag und Nacht).

Farben: Blau, Grün, Hellgrün, Rot, Rosaviolett, Gelb, Zitronengelb, Braun- und Grautöne, Deckweiß, Schwarz.

Literatur: Degering 1 (1925) S. 51. – Wegener (1928) S. 36; Scharf (1935a) S. 12–14; Einhorn (1975) S. 391 f. 399–407 u. ö., Abb. 21 (15ᵛ). 28 (58ʳ); Zimelien (1975) S. 157; Bodemann (1988) S. 56 u. ö.

Taf. XXVIIIb: 40ʳ.

37.2.3. Berlin, Staatsbibliothek zu Berlin – Preußischer Kulturbesitz, Ms. germ. fol. 641

1467. Bayern oder Österreich.
Aus dem Jesuitenkolleg Mindelheim (Eintrag 2r); Reste des alten Einbandrückens tragen die Signatur *M V 24* (alte Einbandmakulatur: Pergament, hebräisch beschriftet, nach Restaurierung in Umschlag der Handschrift beigefügt); aus dem Besitz des Freiherrn K. H. G. von Meusebach (1789–1847) 1850 in die Berliner Hofbibliothek gelangt: *Dono Friderici Wilhelmi IV Regis Augustissimi D. V. Nov. MDCCCL Ex bibliotheca B.M. Karoli Hartwici Gregorii de Meusebach.*

Inhalt:
2r–160v Ulrich von Pottenstein, Cyrillusfabeln, deutsch
Hs. B1; Prolog, Buch I–IV

I. Papier, 162 Blätter (foliiert 1–160, dazu zwei unfoliierte Blätter am Schluß), 307 × 214 mm, Bastarda, einspaltig, 30–32 Zeilen, ein Schreiber (Kolophon 260v: *Item das pŭch ist geendt vnd geschriben am achtenten*[!] *tag Sand Michaels tag Da man tzalt von cristi gepurd M cccc vnd hernach Jn dem lcvij Jar .W. P.*), rote Überschriften, Strichel, Lombarden über drei bis vier, Eingangsinitiale über acht Zeilen, nur ausnahmsweise (123r, 134v) mit einfachem Aussparmuster verziert. Schreibsprache: bairisch-österreichisch.

II. 97 kolorierte Federzeichnungen (Blattangaben siehe S. 278–281). Ein Zeichner.

Format und Anordnung: schriftspiegelbreite Bildräume, die ausgeführten Illustrationen nehmen die Breite jedoch meist nur zu zwei Dritteln ein, gerahmt ca. 75–80 × ca. 170–195 mm (37r: 152 × 160 mm); dem Fabeltext und dessen Überschrift vorausgehend eingefügt.

Bildaufbau und -ausführung: Federzeichnung mit bräunlicher Tinte, koloriert in wenigen Farben, Rot wird erst ab 11v verwendet. Eingefaßt in rotem Kastenrahmen (ca. 5 mm breit); nur gelegentlich überschreiten szenische Requisiten den Rahmen (22r der räderlose Kasten, den der Ochse zieht; 50r der Mastbaum des Floßes).

Flaches Bodenstück in braun schattiertem Grün, darüber Himmel durch am oberen Bildrand dichter werdende blaue Strichel angegeben; kein Hintergrund;

Landschaft wird lediglich durch beigefügte Einzelbäume angedeutet. Tierzeichnungen unsicher, gelegentlich korrigiert (19ʳ, 22ʳ); menschliche Figuren stehen sich statisch im Halbprofil gegenüber, kleine Köpfe, wenig ausgeprägte Physiognomien, kinnlange lockige Haartrachten, Kleidung mit hülsenförmigen Längsfalten.

Bildthemen: Lediglich aneinanderreihend stellen die Illustrationen die Fabelprotagonisten vor, Handlungsszenen sind bewußt auf eine stereotyp wiederkehrende Dialogformel oder nur auf ein Nebeneinander der Protagonisten reduziert, wobei die Konstellation der Akteure dem Text manchmal nicht oder ungenau gerecht wird: 8ᵛ (zu I,5: Rabe und Fuchs, der sich tot stellt) liegt der Fuchs nicht wie tot da, sondern schaut aus seinem Bau hinauf zum Raben; 26ʳ (zu I,17: Sonne und Merkur) steht der Sonne nicht ein einzelner Stern, sondern stehen ihr gleich vier in Größe kaum unterschiedene Gestirne gegenüber. Zur Vorrede statt der sonst üblichen bzw. vorgesehenen Darstellung der Laster das Bild einer gekrönten Fürstin mit Zepter und Halbmond in Händen, zu Füßen eine Kugel (Fortuna, vgl. EINHORN [1975] S. 408); nicht geklärt sind die weiteren Motive des Bildes: Fortuna sitzt auf einer Achse mit zwei Rädern, rechts und links hockt (entfernt Stifterdarstellungen ähnlich) ein Paar, der Mann mit Spindel (?, oder Brot?) in der Hand, die Frau mit betend erhobenen Händen (2ᵛ). Singulär ist auch das Eingangsbild 2ʳ: Einem Schreiber am Schreibpult tritt ein Jüngling mit einem dicken Folianten gegenüber; dem Muster »Jüngling und Gelehrter« folgen Darstellungen zu Fabeln, deren abstrakte Protagonisten personifiziert werden: Körper (II,2: 44ʳ), Wille (II,8: 52ᵛ), Begierde (II,10: 56ʳ) sind wie der besitzgierige Mann (III,4: 97ᵛ) als Jüngling in kurzem Wams dargestellt, dem jeweils ein durch langes Gewand und Hut als Gelehrter gekennzeichneter Mann (Vernunft [II,8], Verständigkeit [II,10], Glück [II,4]) bzw. ein unbekleideter Mann (Seele [II,2]) gegenübersteht.

Farben: Grün, Rosa/Violettrot, Blau, Gelb, Braun, Grau/Schwarz), ab 11ᵛ zusätzlich Rot.

Literatur: DEGERING 1 (1925) S. 69. – GRAESSE (1880) S. 286; WEGENER (1928) S. 100; LELIJ (1930) S. XXVIII; SCHARF (1935a) S. 10–12; EINHORN (1975) S. 393. 399–407 u. ö., Abb. 16 (2ᵛ). 25 (12ᵛ). 30 (39ʳ); BODEMANN (1988) S. 55 f. u. ö.; Glanz alter Buchkunst (1988) S. 194 f., Nr. 91, Abb. S. 195 (37ʳ).

Taf. XXV: 50ʳ. Abb. 102: 56ʳ.

37.2.4. Eger (Erlau), Föegyházmagyei Könyvtár (Erzdiözesanbibliothek), Cod. U². III.3

Um 1450. Bayern oder Österreich.
1783 aus der Auersperg'schen Bibliothek in Unterkrain, die nach dem Tod Heinrich Joseph Johanns Fürst von Auersperg (1783) in Wien versteigert wurde, für Fürstbischof Károly Esterházy (1725–1799) erworben und in die 1793 eröffnete Bibliothek eingegliedert; der Einband trägt alte Signaturen: *III–I* und *B V 6* (letztere ist in der Diözesanbibliothek heute für eine andere Handschrift vergeben; die Umsignierung erfolgte vor 1902 [VIZKELETY 2 (1973) S. 130]).

Inhalt:
1ʳ–138ᵛ Ulrich von Pottenstein, Cyrillusfabeln, deutsch
Hs. E; Prolog, Buch I–IV, unvollständig, bricht mitten im Text (IV,2) ab

I. Papier, I + 141 + I Blätter (modern foliiert; 139ʳ–141ᵛ unbeschrieben), 295 × 215 mm, Bastarda, einspaltig, 27–31 Zeilen, rote Überschriften bis 53ᵛ, vorgesehene Lombarden über zwei bis drei Zeilen fehlen von Anfang an.
Schreibsprache: bairisch-österreichisch

II. 86 Illustrationen vorgesehen, 49 (2ᵛ–70ʳ) sind als unkolorierte Federzeichnungen, ab 64ᵛ nur noch skizzenhaft ausgeführt (Blattangaben siehe S. 278–281).

Format und Anordnung: Die Bildräume sind linksbündig in den Schriftspiegel eingerückt, und zwar zwischen dem Text, entsprechen damit der Konzeption der Schwesterhandschrift London (Nr. 37.2.7.); nur das Format ist mit einer Breite von knapp der Hälfte der Schriftspiegelbreite viel kleiner, außerdem ist das Bemühen erkennbar, das Bild jeweils möglichst nah an den Textanfang zu setzen, was allerdings gelegentlich zu Fehlzuordnungen führt (22ᵛ steht das Bild vom Esel, Löwen und den Wölfen nicht am Anfang von I,16, sondern am Ende von I,15). 2ᵛ wie in der Londoner Schwesterhandschrift ein diptychonartiges Doppelbild (siehe unten: Bildthemen).

Bildaufbau und -ausführung: Die vorgesehene Bildausstattung entspricht in ihrer Anlage derjenigen der Londoner Handschrift (siehe Nr. 37.2.7.), nur ist hier der Bildrahmen meist geschlossen (Ausnahme z. B. 43ᵛ dreiseitiger Rahmen wie in der Schwesterhandschrift). Die Darstellung ist wegen des kleineren Formats auf die den Rahmen häufig überschneidenden Protagonisten konzentriert, für eine großzügige dekorative Hintergrundfüllung fehlt der Raum. Plazierung und Haltung der Figuren ahmen die Schwesterhandschrift nach, doch sind die Tiere häufiger disproportioniert, wegen der Raumnot rücken Figuren und Requisiten enger zusammen, Tiere werden in unnatürliche Körperhaltungen gezwängt und sind ohne Texthilfe kaum zu identifizieren (vgl. etwa 20ʳ zu I,14 Ochse und Wolf: Wolf mit extrem langem Körper, vom Räderpflug, den der Ochse zieht, sind nur die hinter den Körper des Ochsen geklemmten Räder zu erkennen, oder 15ᵛ zu I,11 Ochse und Schwein: das senkrecht aufsteigende Tier könnte nahezu jeden anderen Vierbeiner darstellen). – Ausgeführt ist nur die Federzeichnung, die aber bis 62ᵛ über eine reine Silhouettierung der Figuren sehr weit hinausgeht: Durch dichte Anstrichelung der Konturen wird die Körperlichkeit plastisch ausgearbeitet, auch unterschiedliche Fell-, Gefieder- oder Gewandstrukturen sind zeichnerisch schon angelegt, so daß es fraglich scheint, ob eine Kolorierung überhaupt vorgesehen war. Die letzten ausgeführten Zeichnungen (64ᵛ–70ʳ) nur noch skizzenhaft und ohne Binnenzeichnung.

31ᵛ am unteren Randsteg Nachzeichnung des Fuchses aus dem Bild darüber.

Bildthemen: wie in der Londoner Handschrift; zu Vorrede und Fabel I,1 (Fuchs und Rabe) ein gemeinsames Doppelbild: links Lasterdarstellung wie in München Cgm 254 (Nr. 37.2.10.): Liebespaar und drei Kriechtiere, rechts Fuchs und Rabe. Abweichungen zur Londoner Handschrift: 7ᵛ (zu I,5 Rabe und Fuchs, der sich totstellt) nicht mehrere Motive zu einer kontinuierenden Darstellung verbunden, sondern nur ein Motiv ausgewählt (der am Boden liegende Fuchs); 34ᵛ (zu I,25) statt Auge und Ohr irrtümlich (wie zu I,26) drei Edelsteine.

Literatur: Samuel Singer: Verzeichnis der in der erzbischöflichen Diöcesanbibliothek in Erlau vorhandenen altdeutschen Codices. Germania 32 (1887), S. 481–487, hier S. 485 (unter der Altsignatur B V 6); Vizkelety 2 (1973) S. 152 f., Nr. 60. – Joseph Niclas Kovachich von Senqvitz: Altdeutsches Fabelbuch. Beschreibung eines Altdeutschen Codex, welcher sich auf der Bibliothek des Erlauer Erz-Capituls befindet. Germania 4 (1884), S. 126–140; Scharf (1935a) S. 5–8; Scharf (1935b) S. 148 (beide unter der Altsignatur B V 6); Einhorn (1975) S. 392 f., Abb. 17 (2ᵛ). 24 (11ʳ); Bodemann (1988) S. 61 u. ö.

Abb. 104: 62ᵛ.

37.2.5. Klagenfurt, Bischöfliche Bibliothek, Cod. XXXI b 24

1445 (139r). Evtl. Raum Wien?
Im Vorderdeckel Notiz von 1457 über den Tod von Ladislaus Postumus; im Rückendeckel Aufzählung von Wiener Prozessionsstationen; 1r und 139r Eigentumsvermerke eines Franz Milleitner (1r datiert: *1562 Jar G.S.M.S. Franntz Milleittner primo …*); spätestens um 1700 in der Bischöflichen Bibliothek zu Gurk (um diese Zeit als Nr. 66 katalogisiert; vgl. MENHARDT [1927] S. 292); 1790 mit der Verlegung des Bischofssitzes nach Klagenfurt gelangt.

Inhalt:

3r–139r Ulrich von Pottenstein, Cyrillusfabeln, deutsch
Hs. K; Prolog, Buch I–IV

I. Papier, 142 Blätter (moderne Foliierung; 1r–2v bis auf Benutzernotizen unbeschrieben, 139v–142v unbeschrieben), 291 × 216 mm; einspaltig, 27–34 Zeilen, Bastarda, ein Schreiber (Kolophon mit Schreiberspruch 139r: *Iste liber est finitus feria tercia in vigilia Sancti Colmanni martiris Anno domini Millesimo quadringentesimo Quadragesimo quinto. Et Scriptus est per maerdn A Stainpüchler. Hie hat das puech ain ennd got all vnser laid wennd in ganncze frewd ewigclich dort in seinem himelreich da wir frölich mügen schawen Mariam die hosten Junkfrawn Amen*), rote Überschriften, Lombarden über vier Zeilen, 69v (II,28) und 71r (II,29) ausnahmsweise mit einfachem Fleuronné. In der ersten Zeile einer Seite oft kadellenartig ausgezierte Majuskeln (138v die stark verlängerte I-Majuskel wie eine Initiale zu einer dekorativen Federzeichnung ausgestaltet). Schreibsprache: bairisch-österreichisch.

II. 95 Illustrationen mitten im Text jeder Fabel und des Prologs vorgesehen (versehentlich nicht zu IV,9), nicht ausgeführt (Blattangaben siehe S. 278–281). 3r Raum für Eingangsinitiale ausgespart.

Die quer- bis hochrechteckigen Bildräume nehmen die Hälfte der Schriftspiegelbreite ein und sind linksbündig im Schriftspiegel ausgespart. 106r ausnahmsweise eine ganze Seite für ein Bild (zu III,19 Himmel und Erde) freigelassen (mit Schreiberhinweis 105v: *In dem nagsten halben plat sol ain veldung sein*).
In manchen Bildfeldern Schreibproben von späteren Benutzern (z. B. 117r).

Literatur: MENHARDT (1927) S. 73 f. – HERMANN MENHARDT: Funde zu Ulrich von Pottenstein (etwa 1360–1420). In: Festschrift für Wolfgang Stammler zu seinem 65. Geburtstag dargebracht von Freunden und Schülern. Berlin 1953, S. 146–171, hier S. 148; BODEMANN (1988) S. 63 u. ö.

37.2.6. ehem. Konstanz, Privatbesitz

1453. (Südwest-)Bayern?
Aus dem Besitz des Jean-Baptiste-Joseph Barrois (1784–1855): »Ms. Barrois 487«; dessen Handschriftensammlung wurde 1848 an Bertram Earl of Ashburnham verkauft (alte Signaturen auf dem vorderen Spiegelblatt *2258* und auf dem rückwärtigen Spiegelblatt *396*); 1901 bei Sotheby's (Ashburnham Sale, 10–14 June 1901, lot 20) an Bernard Quaritch verkauft, 1902 bei Bernard Quaritch (Catalogue 211: A Catalogue of Ancient, Illuminated, & Liturgical Manuscripts Ranging from the VIIth to the XVIIIth Century [...]. London 1902, S. 55, Nr. 118) angeboten; 1921 im Versteigerungskatalog der Sammlung Rudolf Busch, Mainz (II. Teil: Illuminierte Manuscripte, Buchminiaturen, Incunabeln, Einbände, illustrierte Bücher. Versteigerung zu Frankfurt a. M. im Hause Joseph Baer & Co. 4. Mai 1921, S. 19, Nr. 259 mit Abb.), von Bruno Leiner, Konstanz, erworben (Stange [1955] S. 53, Konrad [1997] S. 280). Bis 2008 in Konstanzer Privatbesitz (Sigrid von Blanckenhagen). Am 4. Juni 2008 in der Auktion ›Valuable manuscripts and printed books‹ bei Christies in London angeboten (Lot 45) und an unbekannten Besitzer verkauft.

Inhalt:
1ra–88vb Ulrich von Pottenstein, Cyrillusfabeln, deutsch
Hs. P; Prolog, Buch I–III, dazu Fabel IV,1 (vor III,27 eingeschoben)

I. Papier, I + 88 + I Blätter (moderne Foliierung 1–88, die Vorsatzblätter mit dem Einband im 18. Jahrhundert ergänzt; ein Blatt fehlt nach 10: Textverlust I,11–I,12), 262 × 194 mm, zweispaltig, 36–37 Zeilen, ein Schreiber *Johannes Mör de Constancia*, datiert 1453 (88^{v}), markante Bastarda mit gespaltenen Schäften und gestrichelten Zierausläufern der Oberlängen in der obersten Zeile einer Seite, rote Überschriften, diese gelegentlich in Textura (15^{v}–16^{v}), Lombarden über zwei Zeilen, Strichel.
Schreibsprache: bairisch mit geringem alemannischen Einschlag.

II. 84 von ehemals 85 (Blattverlust s. o.) kolorierten Federzeichnungen (Blattangaben siehe S. 278–281). 1ra Eingangsinitiale D über fünf Zeilen: Buchstabenkörper Silber auf Purpurgrund, grüner Rahmen, Rankenausläufer.

Format und Anordnung: spaltenbreit (ca. 66–68 mm), gerahmt, die äußere Rahmenlinie stimmt mit der Schriftspiegeleinfassung überein (Ausnahme: Blatt 31^{v} zu II,6 [Affe am Mastbaum] eineinhalb Spalten breit); die Höhe schwankend (ca. 40–90 mm). Zwischen Überschrift und Fabelbeginn eingefügt. Versehen des Schreibers beim Freilassen von Bildräumen wurden von ihm schnell bemerkt und korrigiert (3^{r} Schrift gelöscht; 37^{r} Zeichnung über roter Lombarde).

Bildaufbau und -ausführung: in doppelter, rot gefüllter Einfassungslinie (Kastenrahmen), die seltener Teile des Dargestellten abschneidet (3rb, 14vb) als daß sie selbst von Figuren(-teilen) überschnitten wird. Die Fabelprotagonisten agieren auf einem Bodenstück mit hochgezogenem Horizont, der Hintergrund ist flächig in Blau oder Rot ausgemalt, manchmal ist eine Figur auch einfach in die Farbfläche plaziert. Auf szenische Ausstattung durch Landschafts- oder andere Elemente wird gänzlich verzichtet. Der Zeichner wirkt bemüht, doch wenig geschult; er arbeitet bedachtsam und sehr umrißbetont in klaren, an- und abschwellenden Linien, die flächige Kolorierung ist ebenfalls sorgfältig ausgeführt. Das Personal wird in Nahsicht auf vorderster Bildebene präsentiert, sowohl bei Darstellungen einzelner Figuren (exemplarisch 64vb Drache) als auch bei Figurenansammlungen (3rb, 22vb) wird stets Höhe und Breite des Bildraums völlig ausgenutzt; räumlicher Eindruck entsteht auch bei gelegentlicher Schrägstellung oder durch Hintereinanderstaffeln der Figuren nicht. Die Proportionen sind sehr unstimmig, Körper werden kaum plastisch modelliert, Fell- und Gefiederstrukturen allenfalls in groben Stricheln angedeutet. Versuche, artentypische Spezifika naturgetreu wiederzugeben, scheitern häufig. Menschliche Figuren gedrungen, Physiognomien wenig ausgeprägt, weibliche Personen manchmal mit üppigen Hauben (58va, 36vb).

STANGES Vermutung, der Zeichner der Konstanzer Handschrift sei an den Zeichner I der Konstanzer ›Vita Sancti Augustini‹ (Konstanz, Rosgartenmuseum, Hs. 3) anzuschließen (STANGE [1955] S. 53) wird von BERND KONRAD (Rosgartenmuseum Konstanz. Die Kunstwerke des Mittelalters. Bestandskatalog. Konstanz 1993, S. 93) vor allem anhand der Gesichtszeichnung menschlicher Figuren zurückgewiesen; das vollrunde Kinn der Köpfe, die in einem Strich beschriebene Gesichtskontur, das parallel-horizontale Abstehen der Haare vom Gesichtsrund komme in der Augustinus-Handschrift nicht vor. Ungeachtet der Konstanzer Herkunft des Schreibers fehlen bislang Anhaltspunkte dafür, daß die Zeichnungen auch im Raum Konstanz entstanden sind.

Dem Schreiber lag offenbar eine bebilderte Vorlage vor, anhand derer er für den Maler z. T. sehr detaillierte Anweisungen in unmittelbarem Anschluß an die Überschriften notierte: z. B. *Item von will vnd von vernunfft was sind czway pild vnd schüllen gemalt werden ains mann und ainer frauen pild* (II,8); *Von der lufft vnd von der erden das schüllen czway angesicht sein vnd das ain schol oben gemalt werden mit plo und das annder vnden mit ainer andern varib* (II,19);

Von ainem Affenn vnd von aynem Spilman mit ainer lauten gemalt gegen einander (III,12).

Bildthemen: Die Zeichnungen fungieren als einleitende Vorstellung des Personals in der im Text beschriebenen Konstellation, zusätzliche textgliedernde Illustrationen kommen nicht vor. Simultandarstellungen zu den dafür prädestinierten Fabeltexten II,5, II,6, II,11 und II,15, jedoch nicht darüber hinaus. Die Verständlichkeit mehrszeniger Darstellungen wird dadurch beeinträchtigt, daß sich die Bezüge der dicht zusammengedrängten Figuren zueinander nicht ohne weiteres erschließen: 30va zeigt ein Streitroß, auf dem ein geharnischter Ritter sitzt, hinter ihm ein Mann, der mit einem Spieß auf einen Bären einsticht, im Vordergrund ein Maulesel mit gesenktem Kopf (zu II,5 Streitroß und Maulesel; siehe oben S. 272 und S. 274 f.); 31va zeigt am rechten und linken Bildrand einen Affen und einen König, sich jeweils auf einem Thron gegenüber sitzend, dazwischen in der Mitte den an einem Mastbaum hochkletternden Schiffsmann (auch als Affe deutbar), am unteren Bildrand Fuchs und Rabe gegenüber (zu II,6 Affe am Mastbaum; siehe oben S. 272).

Abstrakte Protagonisten werden vermenschlicht; 27vb (zu II,2): Körper und Seele als nackte jugendliche Figuren unbestimmten Geschlechts, eine liegend, die andere stehend; 33va (zu II,8): Wille und Vernunft als Mann und Frau; 35vb (zu II,10): Begierde und Verständigkeit ebenso; 60vb (zu III,4): Fortuna in Männergestalt, die ein auf den Boden abgestütztes Wagenrad hält. Die Natur (zu III,2 Maulwurf und Natur) ist in Frauengestalt personifiziert (58va). Auch nicht belebte Naturelemente als Protagonisten erhalten meist menschliches Antlitz: 15vb (zu I,17 Sonne und Merkur): zwei Gestirne mit Gesicht; 38va (zu II,12 Wolke und Erde): zwei menschliche Köpfe strecken sich aus Erde und Wolkenband heraus, ähnlich 79rb (zu III,19 Erde und Luft) und 82ra (zu III,22 Tag und Nacht), vgl. auch 77rb (zu III,17 Eule und Tageslicht): Tageslicht als menschliches Gesicht, das sich aus einem Strahlenkranz heraus der Eule zuwendet, und 81rb (zu III,21 Erde und Firmament): durch ein Wolkenband mittig geteilter Zirkel, in dem sich menschliche Gesichter gegenüberstehen. Dagegen 27ra (zu II,1 Luft und Erde): Planetenzirkel umgibt Rundbild eines Kirchengebäudes, ähnlich 50rb (zu II,24 Firmament und Saturn), hier die Rundscheibe in der Mitte nur farbig gefüllt.

Dafür, daß Schreiber (und Zeichner) der Handschrift Bildinhalte der Vorlage mißverstanden haben, spricht bereits das erste Bild des Zyklus, in dem – wie in London (37.2.7.) und Eger (37.2.4.) die Darstellung der vier Laster (Vorrede) mit der Illustration der ersten Fabel (Fuchs und Rabe) kombiniert ist. Der Zeichner setzt die Bildüberschrift mit der Anweisung *das merkch gar eben von aynem Raben vnd fuchs vnd von szwain nackhunden chindern etc* sehr schlicht um und stellt Fuchs, Rabe und zwei nackte Kinder (statt des gemeinten Liebespaars) nebeneinander: Zur Lasterthematik der Vorrede fehlt nun jeglicher Bezug (ähnlich 24rb zu I,25 [Ohr und Auge]: *Von ainer Junckfrawen mit czwaynn augenn praten* [...]: Dem Mißverständnis der Anweisung folgend zeichnet der Illustrator zwei Augen [statt Ohr und Auge], die rechts und links einer Frauengestalt in der Luft schweben).

Farben: Grün, Blaßrot, Himmelblau, Hellbraun, Schwarz.

Literatur: Priebsch I (1896) S. 4f., Nr. 3. – Scharf (1935a) S. 26f.; Müller (1955) S. 290; Stange (1955) S. 53; Einhorn (1975) S. 390; Bodemann (1988) S. 67–69 u.ö.; Konrad (1997) S. 280, Nr. KO 31 mit Abb. (22vb).

Taf. XXIXa: 41^v. Abb. 107: 46^v. Abb. 108: 47^r.

37.2.7. London, The British Library, Ms. Egerton 1121

Um 1430. Salzburg (stilhistorische Datierung und Lokalisierung Schmidt [1986/2005]).
Ein alter Besitzvermerk I^r ist bis zur Unkenntlichkeit gelöscht (*Gehørtt Eů* [...] *in* [...]). 1845 aus der Buchhandlung des Kaufmanns, Sammlers und Bibliographen Adolf Asher (1800–1853) durch das British Museum erworben, dem Eintrag auf dem Einbanddeckel zufolge (*Ex Legato Caroli Baronis Farnborough*) mit Mitteln aus dem von Charles Long, Baron Farnborough (1761–1838) gestifteten Fonds.

Inhalt:
1^r–127^v Ulrich von Pottenstein, Cyrillusfabeln, deutsch
Hs. Eg; Prolog, Buch I–IV; unvollständig wegen Blattverlusts (es fehlen folgende Textpassagen: III,12 Schluß bis III,14 Mitte; III,16 Schluß bis III,21 Mitte; III,22 Schluß bis III,26 Mitte; III,27 Schluß bis Ende)

I. Pergament, I + 127 Blätter (modern foliiert, am Ende modern ergänzt ist ein unbeschriebenes Nachstoßblatt aus Pergament), ab 120 fragmentarisch und verbunden, die verbleibenden Einzelblätter sind in falscher Reihenfolge eingebunden (korrekt wäre die Folge 119, 123, 120, 121, danach fehlt ein Blatt, 126, 127, 124, danach fehlen ca. sieben Blätter, 122, danach fehlen ca. zwölf Blätter, 125, danach fehlen etliche Blätter); 260–268 × 187 mm, einspaltig, 30–33 Zeilen; ein Schreiber, sehr saubere Bastarda, Buchüberschriften in Textura, rote Strichel, Kapitelüberschriften (fehlen ab 56r) und Caputzeichen, abwechselnd rote und blaue Lombarden mit Fleuronné in der Gegenfarbe über zwei oder drei Zeilen, 1r Deckfarbeninitiale über vier Zeilen mit Blattranken, am Beginn der Bücher II und III Fleuronné-Initialen über vier Zeilen (42r und 93r; Buch IV fehlt). Schreibsprache: bairisch-österreichisch.

II. 74 von ehemals 96 Deckfarbenminiaturen (Blattangaben siehe S. 278–281). Salzburger Werkstatt.

Format und Anordnung: mit dreiseitigem Rahmen durchschnittlich ca. 70–100 × 90–100 mm groß, die Hälfte bis 2/3 der Schriftspiegelbreite einnehmend, mitten im Text (über ca. 12–15 Zeilen) jeder Fabel. Trotz der unten nicht durch eine Rahmenleiste abgeschlossenen Bildanlage ist die Größe stets genau in den Schriftspiegelrahmen eingepaßt. – 2r und 122r sind zwei Bildszenen zu einem diptychonartigen Doppelbild zusammengestellt, 2r der eine Teil überklebt mit einer Federzeichnung aus fremdem Zusammenhang (siehe unten: Bildthemen).

Bildaufbau und -ausführung: 1r die Eingangsinitiale D auf quadratisch gerahmtem Grund in Rautenmuster mit Vierpaßfüllung, aus den mit gewelltem Blattmuster ornamentierten D-Schäften wachsen kurze Akanthusranken hervor. An den übrigen Buchanfängen haben die Initialen lediglich Fleuronné-Dekor, dessen markant gezahnte Besatzformen auch an den kapiteleinleitenden Lombarden auftauchen.

Die Miniaturen in profilierten, nach unten offenen Kastenrahmen in Rosaviolett oder Grün, deren Seitenbalken mit den unteren Enden auf dem meist leicht aufgewölbten Bodenstück aufsitzen, wobei das Bodenstück gelegentlich selbst zum Rahmenbestandteil wird (besonders 67r). Der Boden kontrastreich in vorne stark aufgehelltem, nach hinten sehr abgedunkeltem Grün, bewachsen mit vorne mit gelbem, hinten mit hellgrünem Pinsel gestrichelten Grashalmbüscheln und Blumen. In diese bühnenartige Konstellation sind die Fabelprotagonisten plaziert, die seitlich den Rahmen häufig überschneiden, so daß die Szene gleichsam aus dem Rahmen hervorzutreten scheint. Nur ausnahmsweise (79v Firmament und Saturn) auch unten geschlossener Rahmen. Auf Landschafts- oder Architekturrequisiten zur szenischen Ausgestaltung verzichtet der Maler nahezu völlig, nur wo es vom Text als Ortsangabe verlangt wird (wie z. B. 89r, zu II,29 Affe und Waldesel, *der lag mit grossen smertzen vnder ainen puchen*), sind Einzelbäume oder Baumgruppen eingefügt. Der Hintergrund in aufwendigem geometrischen oder vegetabilen Dekor. Menschen in schlanker, die Bildhöhe komplett ausnutzender Gestalt, kleine runde Köpfe, charakteristisch die plastisch abschattierte Kinnpartie und die seitlich abstehenden Haartrachten; höfisch-modische Kleidung: mi-parti-Beinlinge, stark taillierte, körperenge Wamse. Nach SCHMIDT (1986/2005) könnten allein an den insgesamt in weichen Konturen und fließenden Bewegungsmomenten gestalteten menschlichen Figuren der Miniaturen mindestens vier Hände (eines gemeinsamen Werkstattzusammenhangs) beteiligt gewesen sein. Die Haupthand ist in zahlreichen Darstellungen zu finden (38r, 51v, 54v, 99v etc.), von ihr weichen etwa 11r, 47r oder 119v deutlich ab; die Tierbilder hält SCHMIDT für ausschließlich von einer Hand gemalt, die sich um differenzierte Charakterisierung der einzelnen Tierarten bemühte: in ihren Körperformen nicht wirklich naturgetreu, sondern ästhetisierend (Vorliebe für gestreckte Körper und fließende Linien), im Detail jedoch sehr präzise gestaltet (feinmalerisch abstufende Gestaltung von Gefieder und Fell, dabei sorgfältiger Einsatz von aufhellendem Deckweiß). Für die Ornamentierung der Bildgründe und der Rasenflächen nimmt SCHMIDT weitere Hilfskräfte an. Eine Sonderstellung hat 114v, nach SCHMIDT (S. 43) das »Werk eines vorzüglichen Illuminators«: als einzige Miniatur ohne ornamentierten, vielmehr mit atmosphärischem Hintergrund, eingefaßt durch einen Rahmen, in dem eine Akanthusranke sich spiralförmig um einen grünen Stab windet – ein Rahmenmotiv, das SCHMIDT in zahlreichen Bildinitialen der Grillinger-Bibel (München, Bayerische Staatsbibliothek, Clm 15701; Salzburg um 1428/30) wiederfindet.

Die daraus resultierende Vermutung, daß die Handschrift in enger Berührung mit der in Salzburg ansässigen Werkstatt der Grillinger-Bibel entstanden sein könnte, wird durch eine Reihe weiterer Beobachtungen bestärkt; engstens verwandt sind z. B. die typischen Muster der Bildgrundornamentierung (Rauten aus diagonal verlaufenden Bändern; blattlose, oft dicht gebündelte Goldfäden, die in Spiralformen die Fläche füllen). Einen gemeinsamen Hintergrund vermutet SCHMIDT auch für die Tierdarstellungen, wobei als Vergleichsmaterial in der Grillinger-Bibel allerdings nur wenig zur Verfügung steht (v. a. Tiere als Bewohner des Rankenwerks).

Stilistische Details, wie sie ähnlich der Grillinger-Bibel auch in der Egerton-Handschrift anzutreffen sind, deuten auf Vertrautheit der Werkstatt mit Stilelementen des internationalen Stils; SCHMIDT sieht die Salzburger Werkstatt in engem Konnex mit böhmischen Vorbildern aus der Zeit um 1400, in der sich Einflüsse der Pariser wie der italienischen Buchmalerei verbinden und durch weitere Elemente angereichert werden; vor allem auf böhmische Herkunft verweist z. B. die üppige Rasenvegetation in den Miniaturen der Egerton-Handschrift. Für die szenischen Tierarrangements vermutet SCHMIDT die Kenntnisse anderer um 1420 sehr moderner Werke der westeuropäischen Buchmalerei – etwa den ›Livre de chasse‹ des Gaston Phébus in der Handschrift Paris, Bibliothèque nationale, ms. fr. 616.

MICHAELA SCHULLER-JUCKES (siehe unten: Literatur) übernimmt die Annahme Salzburger Herkunft für die Egerton-Handschrift und stellt die Werkstatt, aus der sie hervorgegangen ist, in den Kontext des Frühwerkes Ulrich Schreiers.

Bildthemen: Wie in den Handschriften Eger (Nr. 37.2.4.) und ehemals Konstanz (Nr. 37.2.6.) wurde die Illustration zur Vorrede mit dem Bild zu Fabel I,1 (Fuchs und Rabe) zusammengefügt, doch ist hier die Lasterdarstellung überklebt mit einer Schöpfungsdarstellung (kolorierte Federzeichnung aus fremdem Zusammenhang). – Bei den Fabelillustrationen zeigt sich die Neigung, über die hierfür prädestinierten Fabeln II,6, II,11, II,15 hinaus mehrere Szenen in einem Bild zu kombinieren (z. B. 4^v [I,4 Affe und Tiere], 11^r [I,8 Walfisch und Fischer], 34^v [I,23 Fuchs und Schlange], 46^r [II,4 Strauß und Henne], 69^r [II,18 Rabe und Einhorn], 97^v [III,3 Cocodrillus und Scrophilus], 114^v [III,10 Jüngling am Goldberg]). Abstrakte Protagonisten werden vermenschlicht (43^r [zu II,2] Seele als kleines nacktes Kind, das dem Körper entgegentritt, dieser stehend, in männlicher Gestalt, deren Bekleidung den Oberkörper frei läßt; 51^v [zu II,8] Wille und Vernunft als zwei nur in der Farbe ihrer Kleidung unterschiedene Jünglinge, die sich dem Betrachter in Frontalansicht darbieten; 54^v [zu II,10] Begierde und Verständigkeit als zwei sich gegenüberstehende Damen, die höhergewachsene scheint die andere zu unterweisen; 99^v [zu III,4] Fortuna in horizontal auf den nachdenklich sitzenden Mann zufliegender, janusköpfiger Frauengestalt [ohne Flügel]); nicht belebte Naturelemente als Protagonisten (I, 17 Sonne und Merkur, II,1 Luft und Erde, II,12 Wolke und Erde,. II,24 Firmament und Saturn, III,2 Maulwurf und Natur, III,22 Tag und Nacht) erhalten hingegen nur ansatzweise menschliche Attribute (Sonne mit Gesicht). Zu I,25 (Ohr und Auge) sind beide Körperteile separiert und auf eine Blumenwiese plaziert, hinzu tritt eine Dame, die sich in weniger weisender als greifender Geste leicht zu beiden herunterneigt (38^r; vgl. ehem. Konstanz [Nr. 37.2.6.], 24rb).

Farben: zarte duftige Palette, vorrangig Rosaviolett, Grün und Braun in differenzierten Helligkeitsstufen und Abtönungen mit Deckweiß; selten leuchtende Farben. Pinselgold für Ranken und Rahmendekor.

22 Bildseiten online im digitalen Catalogue of Illuminated Manuscripts http://www.lb.uk.catalogues/illuminatedmanuscripts/welcome.htm/

Literatur: HARRY L. D. WARD: Catalogue of Romances in the Department of Manuscripts in the British Museum. Bd. 2. London 1893, S. 357–367; PRIEBSCH II (1901) S. 70f; – SCHARF (1935a) S. 8–10; EINHORN (1975) S. 392. 399–407 u.ö., Abb. 23 (11r). 31 (38r); JANET BACKHOUSE: The Illuminated Manuscript. Oxford 1979, S. 16, Abb. 57 (7v); SCHMIDT (1986/2005), Abb. 1 (51v). 2 (54v). 4/3 (114v). 6/18 (121v). 10/13 (36r). 17/14 (7v). 21/15 (69r). 22/10 (11v); BODEMANN (1988) S. 61 u.ö.; JANET BACKHOUSE: The Illuminated Page: Ten Centuries of Manuscript Painting in the British Library. London 1997, S. 168, Nr. 147 mit Abb. (44v); MARGARET SCOTT: Medieval Dress & Fashion. London 2007 [deutsch: Kleidung und Mode im Mittelalter. Stuttgart 2007), Abb. 62 (51v). MICHAELA SCHULLER-JUCKES: Ulrich Schreier und seine Werkstatt. Buchmalerei und Einbandkunst in Salzburg, Wien und Bratislava im späten Mittelalter. Diss. Wien 2009 [online unter http://othes.univie.ac.at/3288/], S. 107, 111.

Taf. XXVIa: 97v. Taf. XXVIb: 122r.

37.2.8. Melk, Stiftsbibliothek, Cod. mell. 437 (88; alt: B 55)

Um 1460 (Wasserzeichen z.B. Waage im Vierpaß ähnlich PICCARD online Nr. 117466–68, 117475). Bayern oder Österreich.
Provenienz unbekannt, jedoch spätestens seit 1517 in Melk (der älteste Bibliotheksvermerk 2r: *Monasterij Mellicensis Z 121* dürfte auf die Katalogisierung von Stephan Burkardi 1517 zurückgehen, vgl. GLASSNER [2000] S. 8).

Inhalt:
2r–112r Ulrich von Pottenstein, Cyrillusfabeln, deutsch
Hs. Me2; Prolog, Buch I–IV, Schluß fehlt (Abbruch in Fabel IV,11)

I. Papier und Pergament (äußeres und inneres Doppelblatt jeder Lage, in der zweiten und siebten Lage nur äußeres Doppelblatt), 113 Blätter (modern foliiert, die Blätter 1 und 113 sind neuzeitliche Vorsatzblätter, nach 112 Reststreifen eines ausgerissenen Schlußblattes), 290×210 mm, einspaltig, 32–36 Zeilen, Bastarda, ein Schreiber, rote Lombarden über zwei Zeilen, rote Caput-Zeichen und Strichel; 2r Eingangsinitiale D über drei Zeilen in schlichter Banderolenornamentik mit Fadenausläufern.
Schreibsprache: bairisch-österreichisch.

II. Illustrationen vorgesehen, nicht ausgeführt (Blattangaben siehe S. 278–281); erhalten sind 95 von 96 Freiräumen mitten im Text jeder Fabel, acht bis zehn Zeilen hoch, die Hälfte der Schriftspiegelbreite einnehmend. Die Plazierung der Bildräume erfolgte offenbar mechanisch und primär nach formalen Gesichtspunkten: Bildräume sind stets am unteren Rand des Schriftspiegels eingefügt, in aller Regel zudem in dem nach außen weisenden Winkel (auf verso-Seiten links unten, auf recto-Seiten rechts unten). Nur 27ʳ (zu I,24) entsprechend der Überlieferung in anderen Handschriften (vgl. v.a. Nr. 37.2.2.) in Übergröße: die gesamte Schriftspiegelbreite und ca. 2/3 der Schriftspiegelhöhe einnehmend (die Verbreiterung des Bildraums 35ᵛ [zu II,6] geschah dagegen vermutlich versehentlich).

Literatur: [VINZENZ STAUFER:] Catalogus manuscriptorum qui in Bibliotheca Monasterii Mellicensis OSB servantur. Bd. 1, Wien 1889, S. 159. – EINHORN (1975) S. 393 f.; BODEMANN (1988) S. 63 u. ö.

37.2.9. Melk, Stiftsbibliothek, Cod. mell. 551 (961)

Um 1440–50 (Wasserzeichen Dreiberg im Kreis ähnlich PICCARD online Nr. 153206). Raum Wien?
Provenienz unbekannt. Da die Handschrift keine Barocksignatur trägt, ist sie wohl erst nach der ab 1713 erfolgten Katalogisierung der Melker Handschriften durch Bernhard Pez (1683–1735) in die Stiftsbibliothek gelangt (vgl. GLASSNER [2000] S. 9), Mitte des 19. Jahrhunderts neu gebunden.

Inhalt:
1ʳ–120ʳ Ulrich von Pottenstein, Cyrillusfabeln, deutsch
Hs. Me1; Prolog, Buch I–IV; unvollständig wegen Blattverlusts

I. Papier, 120 noch vorhandene Blätter (es fehlen zwei Blätter vor 1, je ein Blatt vor 4, 16, 35, 39, 114, 115, zwei Blätter vor 114, mindestens vier Blätter nach 120; Blatt 7 seitenverkehrt eingebunden, Blatt 120 seitenverkehrt und an falscher Position eingebunden, gehört vor 119; besonders im ersten Teil der Handschrift sind die Blätter abgegriffen, an den Rändern ausgefranst, mit zahlreichen Brüchen und Rissen, einige Löcher alt überklebt), 278 × 215 mm, einspaltig, 35–36 Zeilen, Bastarda, ein Schreiber, rote Lombarden über drei Zeilen, rote Strichel. An den Buchanfängen Initialen mit Goldauflage (Buch II, 30ᵛ) bzw. in Blau (Buch III, 71ᵛ) über fünf Zeilen mit rotem Fleuronné. Überschriften in Schwarz oder Rot (die kapitelzählende Überschrift in schwarzer Tinte ist oft um einen Moralsatz in Rot ergänzt).
Schreibsprache: bairisch-österreichisch.

II. 82 noch vorhandene Deckfarbenillustrationen von ursprünglich wohl 96 (Blattangaben siehe S. 278–281).

Format und Anordnung: querrechteckige, meist nicht ganz halbseitige Bilder, jeweils vor dem Fabeltext eingefügt, die gesamte Schriftspiegelbreite einnehmend. Eine rahmende Einfassung ist zwar nicht ausgeführt, doch bei der Konzeption der Bildanlage bedacht: Die lineare Schriftspiegeleinfassung fungiert exakt als seitliche Begrenzung, untere Begrenzung ist stets die Fabelüberschrift bzw. der Moralspruch (auch wenn dieser separat als letzte Zeile einer Seite eingefügt ist), so daß die Bilder unten nie unmittelbar mit der Schriftspiegeleinfassung abschließen; nach oben ist die Bildbegrenzung durch Text nicht zwingend, aber auch hier dient die Schriftspiegeleinfassung als Rahmenlinie, über die nur gelegentlich einige Requisiten hinausragen (der Turmhahn 18ʳ). Mehrfach gibt es Anweisungen des Schreibers an den Maler, die Bilder aus Platzmangel erst auf die folgende Seite zu plazieren (*Dy czehendist geleichnůs dy mall auff dem anderen tail wenn es ist do czu eng wenn es mues pildwerich seyn* [39ʳ]; ... *die mal auff das ander plat mit irem Capitel wenn die figur hat alhie zu eng* [84ᵛ]).

35ʳ und 36ᵛ sind in der Reihenfolge und Textzuordnung falsche Vorzeichnungen mit Deckweiß übermalt worden, bevor die richtige Zeichnung ausgeführt wurde: Die ursprüngliche Vorzeichnung auf Blatt 35ʳ betraf Fabel II,5 statt II,6, auf Blatt 36ᵛ II,6 statt II,7 (der Irrtum ist deshalb auffällig, weil das Blatt vor 35, auf dem Text und Bild zu Fabel II,5 hätten stehen müssen, fehlt); mit Deckweiß übermalte Vorzeichnung ebenfalls 83ʳ (zu III,7).

Bildaufbau und -ausführung: Standfläche der dargestellten Figuren ist ein hell- bis lehmbraun laviertes Terrain, meist bestückt mit oft seriell angeordneten, mit dem Pinsel in lichtem Grün gezeichneten Gräsern, im Bildvordergrund, wo das Terrain sehr transparent aufgehellt ist, auch in Braun (oder in umgekehrter Farbgebung: Boden grün, Gräser braun); über den oberen Rand des Bodenstücks ragen ebenfalls lehmbraune Gräser, gelegentlich mit ährenartigen Fruchtständen oder bunten Blüten. Statt eines solchen Bodenstücks oder als Kulisse rötlichgraue, sich fast spiralförmig oder in anderen, noch ornamentaler wirkenden Formen hochwindende Erd- und Felsformationen; dazu einzelne Laubbäume oder Zypressen, häufig auch Wehrburgen, Kirchtürme oder andere Gebäude (3ʳ, 11ʳ, 12ʳ, 18ʳ u.s.w.); 109ᵛ (ähnlich 1ʳ, hier von Hügeln verdeckt) und 104ᵛ die komplette Ansicht einer ummauerten Stadt mit vielen perspektivisch unstimmig ineinander geschachtelten Gebäuden und zahlreichen verschiedenartigen Türmen. Kein tiefenräumlicher Hintergrund, keine Angabe des Himmels, keine Innenraumdarstellungen.

Tiere sehr detailreich und naturgetreu, in natürlichen Haltungen und Bewegungen gezeichnet, dabei die Anatomie der Körper schärfer herausgearbeitet als im Cgm 254 (siehe unten), wo Formen geglättet, gerundet, weicher modelliert werden. Sehr differenziert feinmalerisch gepinselte Fell- und Gefiederstruktur; die Bauchpartien von Fuchs, Hirsch und anderen etwa mit Deckweißausmischungen aufgehellt; andere Tiere erhalten durch Deckweißhöhungen auffallend scheckige Färbungen (z.B. 10^{r}, 14^{r}). Tierfiguren haben nur in Ausnahmefällen und nicht unbedingt konform mit der übrigen Bildüberlieferung anthropomorphe Züge oder Attribute: So ist der Fuchs (I,24 Fuchs als Pilger und Tiere) nicht mit Pilgerzeichen versehen (25^{r}), hingegen trägt die Taube (II,30 Taube und Pfütze) einen Schal (70^{r}; vgl. 33^{v}, wo eine der beiden Tauben ein rotes Wams trägt). Menschliche Figuren in ausgewogenen Proportionen, die Körper werden durch weich fallende, überlange Gewänder modelliert, diese durchwegs höfisch-modisch gestaltet (z.B. 39^{v} die Dame in hochtaillierten Kleidern mit weiten Puffärmeln, der Herr mit Dusing; 37^{v} hochtaillierte Damengewänder mit langen Zaddelärmeln bzw. pelzgesäumten Armlöchern). Puppenhaft modellierte runde Gesichter, auffallend blaß (kein Lippenrot), mit leicht hervorstehenden, von einem markanten Oberlid meist halb verdeckten Augäpfeln. Der Buchmaler setzt seine ingesamt expressionistisch-bunte Farbpalette bewußt differenzierend ein, z.B. haben die Edelsteine 28^{r} nicht nur unterschiedliche Farben, sondern liegen auch auf verschiedenfarbigen Felsen (ähnlich 27^{r} und öfter).

Einhorn (1975, S. 395 und S. 422) meint anhand der Kolorierung neben der Haupthand, die auch für die Gesamtkonzeption (Vorzeichnung) verantwortlich war, eine schwächere zweite Hand identifizieren zu können (16^{v}, 60^{r}, 103^{r}, 105^{v}); tatsächlich unterscheiden sich aber diese Bilder schon aufgrund ihrer der Thematik (Gestirne, Atmosphärisches) geschuldeten lichteren Farbgebung und schlichteren Anordnung der Bildgegenstände vom Übrigen; sämtliche Darstellungen mit belebtem Personal sind jedenfalls ein und derselben Hand zuzuweisen. Der Maler könnte im Wiener Umfeld zur Zeit des frühen Lehrbüchermeisters zu suchen sein: Gerade die Gesichtszeichnung oder die vielleicht italienisch beeinflußte Gestaltung der Baumkronen (dunkelgrün hinterlegte, auseinanderfallende Einzelblätter in sehr lichtem Grün) zeigen Ähnlichkeiten. In den Wiener Raum deuten neben der von Ziegler (1983, S. 181) angemerkten Stilverwandtschaft mit Wien, Cod. 2774 (›Historienbibel IIIa‹, siehe KdiH Nr. 59.7.3.) auch die von Einhorn (1975, S. 422 f.) festgestellten Beziehungen zur Handschrift München, Cgm 254 (Nr. 37.2.10.).

Bildthemen: Jeder Fabel ist genau ein einleitendes Bild zugeordnet, abgesehen von einer mehrszenigen Darstellung zur Doppelfabel II,6 (Affe am Mast/Affe und Fuchs) nur sehr gelegentlich Simultandarstellungen (I,23 Fuchs und Schlange: 24v, II,5 Hahn und schmeichelnder Fuchs: 47r).

Abstrakte Protagonisten vermenschlicht: zu II,2 Seele als nackter Jüngling, der entlang eines am Boden liegenden, nur mit einem Lendentuch bedeckten, ausgemergelten männlichen Körpers den Hang hochklettert (31v); zu II,8 Wille und Vernunft als zwei Damen in modischer Hofkleidung, zwischen ihnen ein Rosenstock (37v); zu II,10 Begierde und Verständigkeit als Paar: einem sitzenden jungen Mann in langem Kleid mit Schellengürtel, einen Stab in der Rechten erhoben (39v; vgl. die entsprechende Darstellung in München Cgm 254: dort der Mann als geistlicher Würdenträger), wendet sich eine junge Frau mit offenem Haar, in langem roten Kleid in Zeigegestus zu; zu III,4 ähnliche Anordnung: der besitzgierige Mann in reich gezaddelter Schecke weist (ohne Stab) auf eine Frau (Fortuna/Glück), die mit verschränkten Armen auf einer Kugel vor ihm steht (76v). Auch nicht belebte Protagonisten (Erde, Wolke u. a.) werden oft mit einem menschlichen Antlitz versehen (42v [zu II,12 Wolke und Erde], 105v [zu III,21 Erde und Firmament], 106v [zu III,22 Tag und Nacht]). Die Natur (III,2 Maulwurf und Natur) wird als ein durch graue Pinselschraffen gebildeter Nebel dargestellt, in den das Antlitz Christi eingefügt ist (73r). Ohne menschliche Züge dagegen 103r (zu III,19 Erde und Luft): ein Wolkenband, aus dem es auf ein weißgrün laviertes, scholliges Terrain niederregnet; auch Gestirne sind nicht immer personifiziert (16v [zu I,17 Sonne und Merkur] nur die Sonne mit menschlichem Antlitz; keine menschlichen Züge dagegen 60r [zu II,24 Firmament und Saturn]). Auge und Ohr (27r zu I,25) als isolierte Körperteile, auf je einem Felspodest liegend, zwischen ihnen ein Baum. Gerade letztere Auslegung eines Bildthemas zeigt – wie auch oben II,10 (Begierde und Verständigkeit) – deutliche Nähe zu München, Cgm 254. Insgesamt könnten ganze Bildsequenzen beider Handschriften zumindest auf ein und dieselbe Vorlage zurückgehen (z. B. III,11–16), doch ist diese enge Verwandtschaft nicht durchgängig; etliche Themen, auch einige Protagonisten, sind völlig anders gedeutet (z. B. auch Scrophilus: in Cod. 551 als Krokodil [74v], in Cgm 254 als Schlange [50v]).

Farben: Blau, oft mit Weiß ausgemischt, mehrere Grün-, Braun- und Ockertöne, Schwarz, leuchtendes Mittelrot, Orangerot, Violett und Rosaviolett, blasses Gelb, Gold, Deckweiß.

Volldigitalisat online unter http://cdm.csbsju.edu/cdm/search/collection/HMMLClrMicr/searchterm/Mellicensis 551/

Literatur: [Vinzenz Staufer:] Catalogus manuscriptorum qui in Bibliotheca Monasterii Mellicensis OSB servantur. [Handschriftlicher Katalog um 1889], Bd. 3, S. 1305. – Einhorn (1975) S. 394. 399–407 und passim, Abb. 1–15, 22, 29 (25v. 28r. 29v. 31v. 32v. 35r. 37v.

39^{v}. 70^{r}. 76^{v}. 92^{r}. 96^{v}. 104^{v}. 109^{v}. 120^{r}. 6^{r}. 27^{r}); Musik im mittelalterlichen Wien. Historisches Museum der Stadt Wien 18. Dezember 1986 – 8. März 1987 [Ausstellungskatalog]. Wien 1986 (Historisches Museum der Stadt Wien, Sonderausstellung 103), S. 77f., Nr. 162 (Charlotte Ziegler), Abb. S. 158 (27^{r}); Bodemann (1988) S. 65 u. ö.; Einhorn (^{2}1998) S. 330f., Abb. 153 (51^{v}).

Taf. XXVIIIa: 24^{v}. Abb. 103: 73^{r}.

37.2.10. München, Bayerische Staatsbibliothek, Cgm 254

1430 (datiert 78^{r}). Wien.
Ein Wappen, vielleicht dasjenige des Auftraggebers oder Besitzers, wurde mit deckender Farbe (dunkles Rotviolett) nahezu unkenntlich gemacht (unter der Übermalung vielleicht senkrecht gewellter oder gezackter Stab, schwarz?), es scheint jedenfalls nicht identisch zu sein mit dem des Zisterzienserklosters Aldersbach bei Passau (vgl. Ziegler [1983] S. 188), wo sich die Handschrift später befand (radierter Bibliotheksvermerk aus dem 17. Jahrhundert 78^{v}) und dessen mittelalterliche Handschriften nach der Aufhebung des Klosters 1803 in die Münchener Hofbibliothek kamen.

Inhalt:
1^{r}–78^{r} Ulrich von Pottenstein, Cyrillusfabeln, deutsch
Hs. M2; Prolog, Buch I–IV

I. Papier, I + 78 Blätter (Blatt 4 untere Ecke mit Text- und Bildverlust abgerissen, ein Blatt fehlt nach 68), 305 × 215 mm, Bastarda, einspaltig, 42–43 Zeilen, ein Schreiber (datiert 78^{r} *Finitus etc Tricesimo in die Octaua Epyphanie domini*), rote Überschriften, Strichel und Kapitellombarden über zwei bis drei Zeilen, 1^{r}, 22^{v}, 48^{v}, 70^{r} Deckfarbeninitialen über sechs bis acht Zeilen.
Schreibsprache: bairisch-österreichisch.

II. 94 von ehemals 96 kolorierten Federzeichnungen, zwei fehlen wegen Blattverlusts (Blattangaben siehe S. 278–281).

Format und Anordnung: in farbig gefülltem Kastenrahmen, bei unterschiedlicher Höhe (meist über zwölf bis vierzehn Zeilen) jeweils recht genau die Hälfte der Schriftspiegelbreite einnehmend und linksbündig mitten in den neben dem Bild fortlaufenden Text jeder Fabel eingefügt.

Bildaufbau und -ausführung: 1^{r} D-Initiale: blauer Buchstabenkörper auf quadratischem, mit dunkelgrün-gelbem Blümchenmuster besetztem grünen Grund mit abgesetztem grünen Rahmen, im Binnenraum nicht identifizierter übermalter Wappenschild, davon ausgehend dreiseitige Akanthusranke in Deckfarbenmalerei (Violettrot, Blau, Hell- und Dunkelgrün), mit flachen Blüten und wenigen Spiralausläufern in Pinselzeichnung. Akanthusranken mit Blüten auch 2^{v} und 3^{r} (von dem Bildrahmen ausgehend). Die übrigen Deckfarbeninitialen insgesamt mit kurzen, einfarbig grünen Akanthusranken ohne Blütendekor deutlich schlichter als die Eingangsornamentik: 22^{v} wie 1^{r} auf Streublümchengrund, 48^{v} und 70^{r} auf Blumenrispengrund in Deckweißdekor.

Die Fabelillustrationen mit der Feder vorgezeichnet, danach mit teils deckend, meist aber laviert und sehr fein abstufend aufgetragenen Farben ausgemalt, dabei ist der Papiergrund zur fließenden Aufhellung der Farben sorgfältig mit einbezogen, Lichtakzente werden zudem mit Deckweiß gesetzt. Zum Schluß mit Schwarz nachgearbeitet. Die Figuren sind in eine oft nahezu symmetrisch aufgebaute Szenerie eingebettet: grünes oder braunes Terrain, gelegentlich mit wenigen olivgrünen Pinselstricheln für Grasbewuchs (vor allem 16^{v}, hier auch ausnahmsweise Blumenbewuchs), konvex gewölbt oder in spiralig sich erhebende Hügel- und Felsformationen aufwachsend, mit schlanken Einzelbäumen oder schematisch angeordneten Baumreihen als strukturierenden Elementen (vor allem in den Laubkronen starke Hell-Dunkel-Kontraste). Gebäude nur, wenn sie als Ortsangabe erforderlich sind, sehr selten als Kulisse (7^{v}); nur 37^{v} im Hintergrund eine geschlossene Stadtansicht. Der Hintergrund in von Weiß bis dunkel nach oben sich verdichtendem Himmelsblau oder in deckend violettroter Farbfüllung, selten auch deckend blau (34^{v}, 60^{v}) oder grün (39^{r}) gefüllt. Die Hintergrundfarben wurden vorab mit Buchstaben angegeben: *p* für Violettrot (z. B. 29^{v}, 48^{r}), *s* (stets spiegelbildlich) für Himmelsblau (z. B. 39^{v}, 45^{r}; 67^{v} *sw* und *pw*).

Die Figurenzeichnung nutzt den Bildraum geschickt aus, Tiere werden in variantenreichen Haltungen positioniert (Profil, frontal, Rückansicht, sitzend, zusammengekauert, sich windend u.s.w.), sehr häufig mit entgegen der eigenen Bewegungsrichtung zu ihren Antagonisten zurückgewandtem Kopf. Dabei kehren bestimmte Formen schablonenhaft wieder, insbesondere der meist schräg ins Bild fliegende Rabe (2^{r}, 2^{v}, 3^{r}, 5^{r}, 19^{v}, 27^{r}, 41^{v}, 44^{r}, 45^{r} und öfter, anderswo auch leicht variiert); Nadelstiche entlang der Figurenumrisse allerdings, die Suckale ab 44^{r} zu erkennen meint und als Anzeichen für die Anwendung eines Durchpausverfahrens deutet, sind für diese Schablone nicht auszumachen, ohnehin allenfalls 44^{v}, doch auch hier dürfte es sich eher um punktuell abblätternde Deckfarbe der schwarzen Konturierung handeln. Die Charakterisierung der Tiere gelingt durch exakte Zeichnung und feinfühlige Farbgestaltung anatomischer Details (z. B. die Füße des Hahns 46^{r}), kantiger Ausdruck wird dabei jedoch vermieden zugunsten einer weich harmonisierenden Körperbildung.

Menschliche Figuren ebenfalls in fließenden Konturen und bewegter Körpersprache, gelegentlich (z. B. die Körperdrehung 2[v] oder der weite Ausfallschritt 69[v]) manieriert wirkend. Meist überlange Gewänder schmiegen sich den Körpern in weichen Faltenbewegungen an, die Gesichter sind in sehr blassen grauweißen Schattierungen rund und puppenhaft modelliert, Haartrachten stehen in duftigen Locken ab.

Als Entstehungsort war früher Regensburg angenommen worden (Kautzsch [1894] S. 52; Brandt [1912] S. 135, noch Suckale [1987]); bereits Ziegler (1983) verwarf aufgrund stilistischer Argumente diese Zuordnung und lokalisierte den Bilderzyklus nach Wien in den unmittelbaren Kontext der Werkstatt der zerstörten ›Historienbibel IIIa‹ (Wien, Albertina, Inv. Nr. 31036 [Cim. II, Nr. 1a], u. a., siehe KdiH Nr. 59.7.1.; vgl. auch Ziegler [1988] S. 28). Einhorn (1975, S. 422 f.) hält Cgm 254 für die unmittelbare Vorlage des Buchmalers des Melker Cod. 551 (Nr. 37.2.9.).

Bildthemen: Über die dafür prädestinierten Fabeln II,6, II,11, II,15 hinaus nur selten mehrere Szenen in einem Bild (50[v] zu III,3). Zu den Darstellungen unbelebter Fabelprotagonisten zuweilen sehr individuelle Bildfindungen: zu I,17 (Sonne und Merkur) gegenüber sonst gängiger Motivwahl (Sonne gegen Stern über Landhorizont) hier ein hemisphärisch geteilter Himmelszirkel, ebenso zu II,24 (Himmel und Saturn), zu III,21 (Himmel und Erde) erweitert zu einem vollständigen Sphärenzirkel. 23[r] (zu II,1 Luft und Erde): In einem floralen Kreis stehen sich diagonal ein blasendes Luftgesicht und ein mit zwei Bäumen bewachsenes Erdgesicht gegenüber; ähnlich, doch ohne die florale Binnenrahmung 33[r] (zu II,12). 65[v] (zu III,19 trockene Erde und feuchte Luft) stellt geradezu einen Wasserkreislauf dar: Über einem überall aufplatzenden braunen Boden rechts ein blaues Wolkenband mit Binnengesicht, das die Feuchtigkeit, die wie eine sich nach oben windende Schlange aussieht, förmlich aus dem Boden zu saugen scheint, in der anderen Bildhälfte regnet es aus einer graublauen Wolke auf die Erde nieder. 67[v] (zu III,22 Tag und Nacht) unter der goldenen Sonnenscheibe mit menschlichem Gesicht und wattig getupftem, rotem Strahlenkranz (wie 68[v] zu III,24) ein Farbenspiel aus ineinander verlaufenden diagonal angeordneten Streifen von Weiß über Blau und Rotviolett zu Schwarz.

Abstrakta sind personifiziert: 23[v] (zu II,2) die Seele als nacktes, geflügeltes Kind, das von oben auf den tot am Boden liegenden, nur durch ein Lendentuch bedeckten Körper zufliegt; 28[v] (zu II,8) Wille als junger Mann in modischer Kleidung, der aus dem Bild strebt, doch von einer Frau, die mit der freien rechten Hand auf ein Kirchengebäude im Hintergrund weist, am Arm zurückgehalten wird (einzigartiger Versuch einer auf Glaubensfestigkeit abhebenden Deutung der Fabel im Bild, der von keiner anderen Handschrift wiederaufgenommen wird; vgl. EINHORN [1975] S. 421); 30^{v} (zu II,10) Begierde und Verständigkeit als Paar: Einem sitzenden jungen Mann in geistlichem Ornat (Mitra und Stab, der aber nicht in einer Krumme, sondern kreuzförmig endet) wendet sich eine Frau in höfischer Kleidung (Pelzkappe) mit ausgestreckter Hand zu (ein besonders markantes Indiz für die punktuelle Nähe zu Melk, Cod. 551 [Nr. 37.2.9.]; vgl. ebenfalls EINHORN [1975] S. 421); 51^{v} (III,4) Fortuna als Frau, ihre Standfläche ist kaum als Kugel zu erkennen, sie tritt gestikulierend auf den besitzgierigen Mann zu, der mit einem Geldbeutel in der Hand in einem Holzsessel sitzt. Ohr und Auge (21^{r}, zu I,25) als separierte, wie auf die Kulissenfelsen rechts und links eines Baumes geheftet wirkende Körperteile.

49^{v} (zu III,2 Maulwurf und Natur) fehlt (anders als in Melk, Cod. 551, vgl. auch München Cgm 340) eine Veranschaulichung der Natur als Protagonist; dargestellt ist lediglich der Maulwurf zwischen Erdhügeln.

Farben: gedeckte Palette fein mit Weißausmischungen abgestufter Töne, deckend und lavierend aufgetragen; v. a. Blau, Grün-, Braun- und Grautöne, Violettrosa, Schwarz, Weiß; selten Rot und blasses Gelb.

Volldigitalisat online unter http://daten.digitale-sammlungen.de/0004/bsb00048384/images/

Literatur: SCHNEIDER (1970) S. 148 f.; Schneider (1994) S. 12, Abb. 94 (77^{v}). 95 (78^{r}). – LELIJ (1930) S. XXCIII; SCHARF (1935a) S. 19 f.; EINHORN (1975) S. 391. 399–407 und passim, Abb. 18 (1^{v}). 20 (7^{r}). 27 (21^{r}); ZIEGLER (1983) S. 185–191, Abb. 3 (28^{v}). 5 (58^{r}); SCHMIDT (1986/2005) Abb. 5/19 (61^{v}). 23/11 (60^{v}); Regensburger Buchmalerei im Mittelalter (1987) S. 101, Nr. 84 [ROBERT SUCKALE], Taf. 60 (1^{v}). 61(22^{v}); ZIEGLER (1988) S. 28, Abb. 13 (7^{r}); BODEMANN (1988) S. 64 f., u. ö. ; NORBERT H. OTT: Texte und Bilder. In: HORST WENZEL (Hrsg.): Die Verschriftlichung der Welt. Wien 2000 (Schriften des Kunsthistorischen Museums Wien 5), S. 105–143, hier S. 110.112 (zu 21^{r}); OBERMAIER (2002) Abb. 11 (1^{v}).

Taf. XXVIIa: 18^{v}. Taf. XXVIIb: 32^{r}.

37.2.11. München, Bayerische Staatsbibliothek, Cgm 340

Mitte 15. Jahrhundert / 1457 (128va). Raum Wien?
Provenienz unbekannt. SCHNEIDER (1970) vermutet Herkunft aus der Fürstbischöflichen Bibliothek Passau, deren Bestände mit der Säkularisation nach München kamen.

Inhalt:

1. 1^{r-v} Mt 21,1 f.; Anfang einer Adventspredigt zu Lc 21,25 f., lateinisch
Fragment

2. 2ra–12vb Otto von Passau, ›Die vierundzwanzig Alten‹
   Fragmente; SCHMIDT (1938) Nr. 60
3. 13ra–128va Ulrich von Pottenstein, Cyrillusfabeln, deutsch
   Hs. M1; Prolog, Buch I–IV; Anfang fehlt
4. 129ra–147vb Jakob Engelin von Ulm, ›Aderlaßtraktat‹
   vgl. HEINZ BERGMANN, in: ^{2}VL 2 (1980), Sp. 561–563, hier Sp. 563
   148^{v} Aderlaßmann
5. 149ra–150va Aderlaßtraktat *Die ader mitten an der styren ist guet ze lassenn für die weetagen des haubts*
   vgl. KARL SUDHOFF: Studien zur Geschichte der Medizin 11. Leipzig 1914, S. 186–188 (nach München, Staatsbibliothek, Clm 18294), vgl. auch München, Universitätsbibliothek, 8° Cod. ms. 339, 131^{r}–132^{v}
6. 153ra–224vb Thomasin von Zerklaere, ›Der welsche Gast‹
   Hs. M; Schluß fehlt

I. Papier, noch 224 Blätter (modern foliiert; die Einzelblätter 1–12 nicht ursprünglich zum Buchblock gehörend, beigebunden; es fehlen vor Blatt 13 ca. 12 Blätter, vor Blatt 102 zwei Blätter, nach 224 mehrere Blätter; unbeschrieben: 14^{v}, 148^{r}, 151^{r}–152^{v}, 160^{v}–161^{v}), 290 × 210 mm. Die vorgebundenen Einzelblätter von zwei Schreibern, I: 1^{r-v}, zweispaltig, 33–35 Zeilen, 1ra C-Initiale in schlicht ornamentierter Federzeichnung über neun Zeilen in der ansonsten freigelassenen ersten Spalte, zwei weitere ornamentierte Initialen über fünf Zeilen 1rb; II: 2^{r}–12^{v}, zweispaltig, 33–35 Zeilen, Initialen über sechs Zeilen mit ausgesparten Ornamenten in den Schäften. Hauptteil 13^{r}–224^{v} zweispaltig, 33–34 Zeilen, von Schreiber III, datiert 128va: *Anno domini m^{o} cccc^{o} lvij^{mo} in vigilia Symonis et Jude apostolorum finitus est liber iste*; rubriziert, Text 3: rote in sich gemusterte Initialen mit blauem, oder blaue mit rotem Fleuronné-Dekor (ausnahmsweise auch Grün mit rotem oder Violett mit blauem Dekor), gelegentlich auch figürliche Accessoires (44rb A mit Mütze; 97ra D mit Gesicht im Binnenraum) über vier bis fünf, an den Buchanfängen über sechs bis sieben Zeilen, rote Überschriften. – Die Handschrift war sehr defekt; bei der letzten Restaurierung 1969 wurden die meisten Blätter mit Transparentpapier überklebt, so daß die Tinten und Tuschen farblich matt wirken. Schreibsprache: bairisch-österreichisch.

II. Text 3: 75 kolorierte Federzeichnungen (Blattangaben siehe S. 278–281). Text 4 und 5: vier Federzeichnungen, siehe Stoffgruppe 87. Medizin.

Format und Anordnung: mitten im Text jeder Fabel, Höhe über ca. 15 Zeilen, in der Breite über beide Spalten reichend, am oberen oder unteren Rand des Schriftspiegels plaziert, gelegentlich ohne erkennbare Ursache auch nur einspaltig; ungerahmt, doch sehr akkurat in das Schriftspiegelformat eingepaßt.

Bildaufbau und -ausführung: feine und zurückhaltende Federzeichnung, modelliert wird nicht mit der Feder, sondern mit dem Pinsel, vieles (Baumkronen u. a.) ist gar nicht mit der Feder vorgezeichnet. Charakteristika wie der mit Pinselstricheln markierte Gräserbewuchs der Bodenstücke, die spiralig sich erhebenden Hügelformationen und in der Figurenzeichnung z. B. die abstehenden Haarschöpfe ähneln sehr den beiden vermutlich in Wien entstandenen Handschriften München, Cgm 254 (37.2.10.) und Melk, Cod. 551 (37.2.9.), wobei im Detail der oft geradezu deckungsgleichen Bildanlagen die Bezüge zur Melker Handschrift bei weitem überwiegen (bis hin zur identischen perspektivischen Verkürzung von Figuren, wie z. B. beim Maultier 47^{r}). Der Melker Handschrift gegenüber gestaltet der Zeichner des Cgm 340 vor allem die menschlichen Figuren etwas gröber, verzichtet auch auf manche Kleidungsaccessoires wie auch auf Architekturdetails; zudem ist er etwas ungeschickter in der Nutzung des zur Verfügung stehenden Raumes, etwa wenn er die Größenverhältnisse falsch einschätzt (z. B. 25^{r}, 53^{r}). Das führt ihn auch dazu, gelegentlich mit weniger Akteuren oder schlichterer Landschaftsszenerie als die Parallelhandschrift auskommen zu müssen (z. B. 103^{v} ohne die großangelegte Stadtansicht des Melker Cod. 551, 109^{v}). Wo er gegenüber der Melker Handschrift allerdings einen deutlich eingeschränkten, nämlich nur viertelseitigen Bildraum vorfindet, sind die szenischen Abweichungen äußerst geschickt: z. B. 41rb (vgl. Cod. 551, 47^{r}), wo er die Felsen- und Burgkulisse wegläßt, die Simultaneität der dargestellten Handlungsszenen aber beibehält, indem er hierfür einen der beiden Füchse an den äußersten Rand des Bildfeldes plaziert, wo er auf der Eingangsinitiale zu sitzen scheint.

Kautzsch (1895, S. 52) lokalisierte die Zeichnungen des Cgm 340 wie diejenigen von Cgm 254 in den Regensburger Raum, vermutlich sind aber auch sie eher im Raum Wien anzusiedeln.

Bildthemen: sehr genau Melk, Cod. 551 (37.2.9.) entsprechend. Nur ausnahmsweise abweichende Figurencharakterisierungen, so z. B. 57^{v}, wo die Nachtigall in einen Vogelkäfig, nicht auf einen Baum plaziert wird.

Farben: durchscheinende Grün-, Grau- und Brauntöne, Violett, Rot, Blau, Gelb.

Volldigitalisat online unter http://daten.digitale-sammlungen.de/~db/0006/bsb00069125/images/

Literatur: Schneider (1970) S. 360 f. – Kautzsch (1895) S. 52 f.; Lelij (1930) S. XXVIII; Scharf (1935a) S. 18 f.; von Kries (1967) S. 59–61; Einhorn (1975) S. 392. 399–407 u. ö., Abb. 32 (19rb); Bodemann (1988) S. 63 f. u. ö.; Norbert H. Ott: Kurzbeschreibung der illustrierten Handschriften. In: Horst Wenzel / Christina Lechtermann (Hrsg.):

Beweglichkeit der Bilder. Text und Imagination in den illustrierten Handschriften des »Welschen Gastes« von Thomasin von Zerclaere. Köln/Weimar/Wien 2002 (Pictura et Poesis 15), S. 257–265, hier S. 262.

Taf. XXX: 16r. Abb. 106: 67r.

37.2.12. München, Bayerische Staatsbibliothek, Cgm 583

Zweites Viertel 15. Jahrhundert. Bayern/Ober- oder Niederösterreich (als Einbandmakulatur eine Urkunde aus der ersten Hälfte des 15. Jahrhunderts, das Benediktinerkloster Seitenstetten betreffend).
Aus dem Benediktinerkloster Frauenzell bei Regensburg (Besitzvermerk 17. Jahrhundert: 1r). Während der Säkularisierung 1803 in die Münchener Hofbibliothek gelangt.

Inhalt:

1.	1r–241v	Ulrich von Pottenstein, Cyrillusfabeln, deutsch Hs. N; Prolog, Buch I–IV
2.	242ar–276r	Jacobus de Cessolis, ›Liber de moribus‹, deutsch (= Schachzabelbuch, Zweite Prosafassung) Hs. München, BSB4 (Plessow)

I. Papier, 186 Blätter (modern foliiert 1–280; Foliierung springt von 126 auf 227, zählt nicht fünf leere Blätter zwischen 241 und 242, zählt 242 doppelt; vor 1r und 11r fehlt jeweils ein Blatt; 276v–280v unbeschrieben), 287 × 215 mm, einspaltig, 31–33 Zeilen, Bastarda, ein Schreiber: Martinus Thrumel (241r *per manus Martini etc*, 241v *Qui me scribebat Martinus nomen habebat de Nürmberga nacionis etc. Martine Thrumel*, ähnlich 276r); rote Strichel, Überschriften, Lombarden über drei bis vier, an den Buchanfängen bis zu fünf Zeilen.
Schreibsprache: bairisch-österreichisch.

II. Zu Text 1 93 (einschließlich der verlorenen Blätter 95) Illustrationen geplant, nur die beiden ersten ausgeführt, die dritte vorskizziert (Blattangaben siehe S. 278–281).

Format und Anordnung: Vorgesehen waren Bilder jeweils vor Fabelbeginn; Freiräume nehmen die gesamte Schriftspiegelbreite ein und schwanken in der Höhe (der zur Verfügung stehende Raum ist, wenn er sich am unteren Seitenrand befindet, zuweilen sehr knapp bemessen, z. B. 7v, 76r; 22v fehlt der

Bildraum völlig). Überschriften wurden dem Fabeltext unmittelbar vorangestellt oder zweigeteilt: Moralsatz als Bildüberschrift, Buch- und Kapitelzählung als Textüberschrift.

Bildaufbau und -ausführung, Bildthemen: Die beiden ausgeführten Fabelbilder (zu I,1 und I,2) sowie die Vorzeichnung zu I,3 sind Produkte eines kompetenten Buchmalers; vorgezeichnet wurden nur die Umrisse der Protagonisten (1ʳ Fuchs und Rabe, 2ʳ Adler, 3ʳ eine ganze Ansammlung verschiedener Tiere, in sicheren Proportionen und charakteristischer Körperhaltung); in den beiden fertiggestellten Bildern ist alles andere feinmalerisch mit dem Pinsel in matten Wasserfarben ausgeführt. Rahmen und Hintergrundfüllung waren offenbar nicht vorgesehen, das Bodenterrain ist allerdings sehr genau in den vorgezeichneten Schriftspiegel eingepaßt, der somit als Einfassung fungiert.

Die Umrisse 1ʳ von einem späteren Benutzer mit einer Nadel (zum Abpausen?) nachgestochen.

Farben: Ocker, Grün, Grau, Schwarz, Rot.

Literatur: Schneider (1978) S. 179f.; Schneider (1994) S. 34, Abb. 244–245 (Kolophonseiten). – Lelij (1930) S. XXVIII; Scharf (1935a) S. 21 f.; Schmidt (1961) S. 15; Einhorn (1975) S. 392 u. ö.; Bodemann (1988) S. 66 u. ö.; Plessow (2007) S. 429.

Taf. XXIX: 1ʳ.

37.2.13. München, Bayerische Staatsbibliothek, Cgm 584

1478 (140ᵛᵃ). Österreich?

Der älteste Besitzvermerk des Jahres 1568 verweist auf das Ehepaar *Veronica Trüentin. Veyt Trüennt zw Oberweyß* (141ʳ); gemeint ist Oberweis bei Gmunden/Oberösterreich. 1620 als Geschenk des Schuhmachers *Andrea*[s]] *Bärtal sutor*[*e*] *in Münster* (Altmünster bei Gmunden) an Vitus Spannay gelangt; Spannay, Benediktiner des Klosters Thierhaupten, war viele Jahre lang Priester in Traunkirchen und hielt Predigten in (Alt-)Münster (Nikolaus Debler: Geschichte des Klosters Thierhaupten. Donauwörth 1908–1912, S. 241–244. 256f.); durch ihn wurde die Handschrift in die Bibliothek des Klosters Thierhaupten (zwischen Augsburg und Donauwörth) eingegliedert (Exlibris des Abts Corbinianus von 1667). Altsignatur *III N 367* (Iʳ). Mit der Säkularisation (1803) in die Münchener Hofbibliothek gelangt.

Inhalt:

1ra–140va Ulrich von Pottenstein, Cyrillusfabeln, deutsch
Hs. O; Prolog, Buch I–IV

Ursprünglich beigebunden: Belial (deutsch oder lateinisch?), vgl. Aufschrift am unteren Buchschnitt: *Welial. 15. W. P. 12.*

I. Papier, I + 143 Blätter (modern foliiert, unbeschrieben bis auf die späteren Benutzereinträge: I^{r-v}, 141^{r}–143^{v}), 277×205 mm, zweispaltig, 36–37 Zeilen, Bastarda, ein Schreiber: *C.M.* (Eintrag mit Datierung *1478* und Schreiberspruch (*gniwrs hcird wzr rimr shculgr rtar / Schwung dich zw mir glukhs radt* und Hausmarke [?, ein um 180° sowie ein um 90° nach links gedrehtes *V*] 140^{v}), rote Überschriften (nur bis 8ra), Strichel, Lombarden über zwei bis drei Zeilen, gelegentlich (insbesondere beim Buchstaben A: 51vb, 130vb u. ö.) mit Federwerkausläufern, 1ra Initiale über sechs Zeilen mit ornamentalen Aussparungen im Buchstabenkörper.
Schreibsprache: bairisch-österreichisch.

II. 99 Illustrationen vorgesehen, nicht ausgeführt (Blattangaben siehe S. 278–281).

Format und Anordnung: Bildfreiräume mitten im Text jeder Fabel, einspaltig, über fünf bis neun Zeilen.

Daß zu einigen Fabeln (I,1, II,1, II,7, II,10, II,30, III,10, IV,10) im Text kein Bildraum freigelassen wurde, könnte sowohl auf Schreiberversehen zurückzuführen sein wie auch auf vorsätzlichen Bildverzicht. Bewußt wurde dagegen in einigen Fabeln die Aufsplittung einer in anderen Überlieferungsträgern komplexen, ggf. kontinuierenden Darstellung in eine Sequenz von mehreren Bildern eingeplant (zu I,24 [Fuchs als Pilger] waren insgesamt acht Einzelbilder vorgesehen: 27vb oben, 27vb unten, 28ra, 28rb, 28va, 28vb, 29ra, 29va; zu II,6 [Affe am Mastbaum] zwei: 38va, 38vb; zu II,11 [Bär, der Hörner haben wollte] drei: 45rb, 45vb, 46va; zu II,15 [Hahn und Fuchs] zwei: 52ra, 52vb).

Volldigitalisat (schwarzweiß) online unter http://daten/digitale-sammlungen.de/~db/bsb00036876/images/

Literatur: Schneider (1978) S. 180f. – Lelij (1930) S. XXVIII; Scharf (1935a) S. 15–17; Einhorn (1975) S. 393; Bodemann (1988) S. 66f. u. ö.

37.2.14. New Haven, Yale University, Beinecke Rare Book and Manuscript Library, MS 653

Drittes Viertel des 15. Jahrhunderts (unterschiedliche Wasserzeichendatierungen nach FAGIN DAVIS [2000] S. 16 und MUELLER [2000] S. 19) / 1466 (147ᵛ). Österreich.
1bʳ ist überschrieben mit *Burchardi Hb Hittinga* (durchgestrichen; laut FAGIN DAVIS möglicherweise zu lesen als »Burchard of Hilbingen«). – Aus der Bibliothek des Grafen Wolfgang Engelbert von Auersperg (1610–1673), Landeshauptmann von Krain, vgl. 1bʳ unten den Eintrag Johann Ludwig Schönlebens (1618–1681): *Wolfg. Engelb. S. R. J. Con. ab Auersperg*(?)/ *Sup. Cap. Cas*[..] *Cat. Int*[..]*ptus*/ *Anno 1655* (vgl. FAGIN DAVIS [2000]). Im Vorderdeckel Inhaltsvermerk Schönlebens *Hic continetur Germano idiomate / Moralia quaedam et Concionatoria Anthonij Incertj/ Auicennae opusculis de sectione venae/ Apologi morales cum figuris etc.* mit ergänzenden Bemerkungen von etwas jüngerer Hand, dazu mehrere Signaturnummern: *186* (Schönlebens Katalog-Nr.) und *[15260]*, links oben *HV*[?]. Danach in der Fürstlich Auersperg'schen Bibliothek zu Laibach, mit einem Teil der Sammlung von Adolf Karl Gobertus, Erbprinz von Auersperg, im Zuge seiner Auswanderung nach Paysandu/Uruguay verbracht (dort in den 60er Jahren von Prof. Frank G. Banta, Indiana University, eingesehen; vgl. RICHTER, wie unten); aus dessen Sammlung wurden in den frühen 80er Jahren einige Stücke veräußert. MS 653 gelangte in die Sammlung A. R. A. Hobson, London; 1984 von der Yale University über den Antiquariatshandel (Laurence Witten) erworben.

Inhalt:

1. 1a^{ra}–76vb Anonyme Sammlung deutscher Predigten und Lehren (mit Pfaffenkritik)
   Anfang fehlt; darin:
   18vb–22vb Paternosterauslegung *Von dem paternoster ein gut ler. O du gottes weishaitt das ist der war gottes sonn vnser herr ihesus kristus* ...
   Ähnlich BERND ADAM: Katechetische Vaterunserauslegungen. Texte und Untersuchungen zu deutschsprachigen Auslegungen des 14. und 15. Jahrhunderts. München 1976 (MTU 55), S. 159, Text S. 165–177
   72va–76vb Zwei Predigten Bertholds von Regensburg
   Parallelüberlieferung: Berlin, Staatsbibliothek, Ms. germ. quart. 1976, und Klosterneuburg, Stiftsbibliothek, Cod. 902. DIETER RICHTER: Die deutsche Überlieferung der Predigten Bertholds von Regensburg. Untersuchungen zur geistlichen Literatur des Spätmittelalters. München 1969 (MTU 21), S. 187f. und S. 247–251, S. 253–257 (Textabdrucke)

2. 77ra–91va Jakob Engelin von Ulm, ›Aderlaßtraktat‹
vgl. Heinz Bergmann, in: ^{2}VL 2 (1980), Sp. 561–563, ohne diese Handschrift

3. 91va–97rb Roßarznei nach Meister Albrant [W]*er ross erczney well haben vnd lerenn der findet gut vnd gerecht …*
vgl. Rainer Rudolf, in: ^{2}VL 1 (1978), Sp. 157f. (Nachtrag ^{2}VL 11 [2004] Sp. 57), ohne diese Handschrift

4. 97va–99va Rezepte [ ] *Ettlichenn menschenn tuenn dy czend wee der stell ain chlains heffel vnd grab wolgemüt …*

5. 99^{va-b} Kalmustraktat *Nota dye chrafft vnd tugent vonn dem Calamus. Item es schreybennt dy grossenn mayster in denn hochenn schuln zu assia ze mumpelier pesunder der gross mayster marsilius zw paris …*

6. 99vb Rezept *Item wildw das dy wolff erplintten …*

7. 100ra–102va Jakob Engelin von Ulm, ›Pesttraktat‹
vgl. Heinz J. Bergmann: Also das ein mensch zeichen gewun. Diss Bonn 1972 (Untersuchungen zur mittelalterlichen Pestliteratur 2); ders., in: ^{2}VL 2 (1980), Sp. 561–563, ohne diese Handschrift

8. 102va–103rb Farbrezept *hye von den varbn. Wann ir welt gut rat verben vonn prisilius So nempt gestossenn presill …*

9. 103va–104ra Von Salbei *von der tugent vnd krafft des chrawtz Saluay etc.* [D]*as ist dy chrafft vnd tugent des edlen chrawttes Saluar vonn erst schol dw wissen wie dw in beraitten solt …*
vgl. Salzburg, St. Peter, Cod. b IX 17, 172^{v}

10. 104ra–125ra Gottfried von Franken, ›Pelzbuch‹
Martina Giese: Das ›Pelzbuch‹ Gottfrieds von Franken. Stand und Perspektiven der Forschung. ZfdA 134 (2005), S. 294–335, hier S. 323f.

11. 125^{rb-vb} Eichenmisteltraktat, Meister Peter zugeschrieben
vgl. Solothurn, Zentralbibliothek, Cod. 386, 177^{r}

12. 126ra–145vb Thomas Peuntner, ›Kunst des heilsamen Sterbens‹ (126ra–134va), mit Zusatz *Nu merkt hernach mer ezwas guts vonn dem heilsamen sterbenn …* (134va–145vb)

13. 145vb–157vb Thomas Peuntner, ›Liebhabung Gottes an Feiertagen‹, Lang- (145vb–147ra) und Kurzfassung (147^{ra-vb}), mit Zusätzen
147vb–150ra Bearbeiternachtrag [ ]*A ist hy mit fleyß czu merkchen wye wol das ist das vns das pot gots nicht pindet …*
150ra–151rb *Vonn anschawunge gottes. Es ist zumerkchen das da ist zwayerlay sehen gotes …*
151rb–157va *Vonn denn zehen poten unsers lieben herrin. Unser lieber herr ihesus christus der vermant uns offt gar treulichen das wir sein heylige gepott schullen halten …*

157$^{va–vb}$ *Oracio de sancta Anna. Dye heylig frew sanndt Anna hat gehabt drey man …*
Zu 12 und 13 (ohne Zusätze) vgl. BERNHARD SCHNELL, in: ^{2}VL 7 (1989), Sp. 537–543, ohne diese Handschrift

14. 162ra–237rb Ulrich von Pottenstein, Cyrillusfabeln, deutsch
Hs. Nh; Prolog, Buch I–III, unvollständig, Textabbruch in Fabel III,2

15. 238ra–259vb Otto der Rasp, ›Dye ansprach des Teuffels gegen unseren Herren‹
Unvollständig. – WILHELM BAUM, in: ^{2}VL 7 (1989), Sp. 234f., ebd. 11 (2004) Sp. 1153 (einziger Textzeuge)

16. 260ra–261vb Berthold von Regensburg, ›Von den Zeichen der Messe‹
Fragment; RICHTER (wie oben) S. 171, Nr. 24

I. Papier, noch 262 im 17. Jahrhundert foliierte Blätter (vor Blatt 1 fehlt eine Lage, von Blatt 1 nur noch eine Ecke vorhanden, nach 190 und 216 fehlt je ein Blatt, nach 259 fehlen Blätter, 260–261 ist ein Fragment aus zwei zusammengehörigen Blättern, die Blätter 259–262 sind ggf. Reste einer Lage; etliche Blätter, z. B. 77, 78, 162, sind defekt. Die Foliierung zählt das verlorene erste Blatt mit 1a, das nun an die Stelle des ersten getretene zweite Blatt mit 1b. Dazu eine neue Seitenzählung [1]–523 [=261^{r}], die das verlorene Blatt einbezieht), ca. 295–300 × 215 mm. Ursprünglich drei separate Faszikel unterschiedlicher Schreiber; I: 1–76, zweispaltig, bis 28^{v} 38, danach 40–45 Zeilen, Bastarda (mit deutlichen Duktuswechseln, z. B. 25^{v}/26^{r}, 42rb u. ö.), rote Überschriften (fehlen häufig), Lombarden über drei bis vier Zeilen, 18vb und 19ra mit schlichtem schwarzen Federwerk, rote Strichel; II: 77–160, zweispaltig, 41 Zeilen, Bastarda (Bearbeiter- oder Schreiberdatierung im Anschluß an Thomas Peuntners ›Liebhabung Gottes an Feiertagen‹ 147^{v}: … *dy materi hab ich yeczund noch meyner aynualt verschribenn vncz das sy vonn ettwann anderm ordennleicher liebleicher vnd weyssleicher verschriben werde Anno Domini M CCCC LX6.*), rote Überschriften, Freiräume für Lombarden über drei Zeilen (80^{r} nachgetragen), nicht rubriziert, Blatt 158^{r}–160^{v} unbeschrieben; III: 161–262, zweispaltig, 38–39 Zeilen, Bastarda mehrerer Schreiber, auch in Text 14 mehrfacher Schreiberwechsel, rote Überschriften, Lombarden über drei Zeilen, in Text 15 Versanfänge gestrichelt, 162ra Initiale mit schlichtem Fleuronné über vier Zeilen; unbeschrieben: 161$^{r–v}$, 188$^{r–b}$ und 204^{v} mitten im Text ohne Textauslassung(!), 237^{v}; auf dem Spiegelblatt 262 einige italienische Sätze (ca. 17. Jahrhundert).
Schreibsprache: bairisch-österreichisch.

II. 64 kolorierte Federzeichnungen zu Text 14 (Blattangaben siehe S. 278–281). Ein Zeichner.

Format und Anordnung: Vorgesehen sind bis 180^{r} viertelseitige Darstellungen, für die in den Schriftspalten ca. 14–18 Zeilen zwischen dem Text freigelassen wurden. Bei der Ausführung wurde die Spaltenbreite jedoch nie eingehalten, die rahmenlosen Darstellungen (nur ausnahmsweise mit linearer Rahmung: 168^{r} [Fliege und Spinne] die vier Winde in den Ecken einer doppellinigen Einfassung, ein angedeuteter Rahmen auch noch 196^{v} [Luft und Erde]) ragen stets in die Randstege und Spaltenzwischenräume hinein, 177^{v} greift die Zeichnung auf das nächste Blatt über. Ab 181^{r} Formatwechsel: Zeichnung nun meist über beide Spalten, d. h. die gesamte Blattbreite nutzend; 192rb Spaltenbild.

Bildaufbau und -ausführung: Am äußersten Blattrand scheinen die Namen der Akteure notiert gewesen zu sein (durch Beschnitt entfallen), erkennbar z. B. noch 169^{r}: [sneg] – *maws* – *twer*[?], 172^{r}: *fuchs* – *ameys*, 236^{r}: *scher*, u. a. (189^{r} dagegen im Bild ein eher nachträglich die Figur identifizierender Schreibereintrag *dy taub*).

Die Federzeichnungen wurden in brauner Tinte angelegt. In der Regel geht die Zeichnung von einer Grundlinie oberhalb der dem Bild folgenden Textzeile aus, darüber wölbt sich ein Bodenstück, oft baumstumpfartig erhaben, darüber den Bildraum füllend die Fabelfiguren (bei der Darstellung von Himmelskörpern fehlt das Bodenstück, ebenso 103^{r} [Ohr und Auge] und 205^{r} [Wille und Vernunft]). Ohne Hintergrund, auch der Himmel ist nicht angegeben. Die Darstellung konzentriert sich auf die Protagonisten, Kulissen sind äußerst sparsam eingesetzt (gelegentlich Einzelbäume, Ausnahme: die Burganlage 208^{r}). Nur selten wird versucht, räumliche Wirkungen herzustellen (Schachtelung 209^{r}, Schrägstellung 210^{r}), es überwiegt die versatzstückhafte Plazierung einzelner Figuren in die Fläche. Weiche Konturzeichnung in durchgezogenen Linien, Fell- und Gefiederstrukturen werden mit Federhäkchen und -stricheln sehr detailliert wiedergegeben, ansonsten kaum Binnenzeichnung zur Modellierung. Das Bemühen um die Kennzeichnung von Charakteristika der Tierfiguren sticht hervor, ebenso die Tendenz zur Vermenschlichung tierischer Gesichtszüge: geöffnete Mäuler, vorgeschobene Zungen. Der Fuchs neigt besonders zur Anthropomorphisierung: zu I, 13 [Rabe, Fuchs und Hühner] erscheint er im zweiten Bild aufrecht an einem Lesepult stehend, bekleidet mit einem Chorkleid (176vb), zu I,24 [Fuchs als Pilger und Tiere] aufrecht den anderen Tieren gegenüberstehend, mit Pilgerhut, -tasche und -stab (191^{r}). Die Zeichnung menschlicher Figuren wirkt ebenfalls sehr bemüht (z. B. 208^{r} die beiden Damen in modisch hochtaillierten Kleidern, deren Säume sich faltig am Boden verteilen, in leicht geschwungener Körperhaltung), jedoch nicht sehr souverän (disproportionierter Körperbau, flächige Physiognomien).

Mit blassen Wasserfarben flächig laviert, nur ausnahmsweise (225^r zur Kennzeichnung der Feigenblüten) wird Deckweiß eingesetzt. Wohl unvollständig geblieben ist 226^r (II,24 Firmament und Saturn).

Bildthemen: Die Prologillustration wurde sorgfältig herausgeschnitten; an dieser Stelle dürfte das (ähnlich wie in der Londoner Handschrift [Nr. 37.2.7.] von Benutzern als unpassend empfundene) Lasterbild gestanden haben. Die Personifizierung abstrakter Protagonisten nähert sich zum Teil der Figurendeutung im Cgm 254 (Nr. 37.2.10.) an: Wille und Vernunft (zu II,8) als junger Mann und Frau (205ra); anderswo stehen die Auslegungen in der Londoner Handschrift näher: Begierde und Verständigkeit (zu II,10) als zwei Damen (208ra–b). Auch in der Darstellung von Auge und Ohr (I,25) klingt eher die Egerton-Handschrift an: Eine gekrönte Frau hält die freischwebenden Körperteile (193ra–b). Insgesamt überwiegt der Eindruck relativ großer Eigenständigkeit: Fast singulär in der Überlieferung ist die Tendenz, statt Figuren in einem Bild zu versammeln oder Szenen kontinuierend miteinander zu verknüpfen, die Protagonisten bzw. die Handlungsszenen auf zwei oder noch mehr Bilder zu ein und derselben Fabel zu verteilen (ähnlich, aber in anderen Fabeln, nur in München, Cgm 584 [siehe Nr. 37.2.13.] geplant): zu I,13 (Rabe, Fuchs und Hühner) zwei Bilder: 176ra der Rabe beugt sich zu drei Hennen nieder, die sich von ihm abwenden / 176vb der Fuchs in Chorkleid, hinter ihm der Hahn; zu I,24 (Fuchs als Pilger) drei Bilder: 191ra–b der Fuchs als Pilger, gegenüber Hund, Bär, Esel und Löwe / 191va–b Pfau, Wolf und Schwein / 192rb Adler, Einhorn, Affe, Panther, Lamm, Hase, Ochse, Igel; zu II,3 (Ziegenbock und Igel am Brunnen) zwei Bilder: 198rb Bock an rechteckigem Wasserbecken / 198va Igel; zu II,11 (Bär, der Hörner haben wollte) zwei Bilder: 209ra–b Bär in seiner Höhle, davor Fuchs, Wolf und Hirsch / 210ra–b Wolf und Hirsch.

Manche Darstellungen könnten auf Mißverstehen von Maleranweisungen zurückzuführen sein. 215^r (zu II,15 Hahn und Fuchs) springt der Fuchs an einem Baum hoch, abseits davon sitzt der Hahn auf einem anderen Baum; 201^r (zu II,5 Streitroß und Maulesel) wird das Pferd durch flammenartige Mähne und luntenartiges Horn auf der Stirn charakterisiert (wohl als feuriges Streitroß), es wird attackiert von einem geharnischten Ritter mit gezogenem Riesenschwert; hinter diesem ohne Bezug zur Handlung das Maultier.

Farben: Grün, Ocker, Braun, Grau, Rot, Beige, Schwarz, Deckweiß.

Volldigitalisat online unter http://beinecke.library.yale.edu/dl_crosscollex/SearchExecXC.asp/

Literatur: ANTON E. SCHÖNBACH: Miscellen aus Grazer Handschriften I. Mittheilungen des Historischen Vereines für Steiermark 46 (1898), S. 3–70, hier S. 32–35; BODEMANN

(1988) Nachtrag; Barbara A. Shailor: The Medieval Book. Catalogue of an Exhibition at the Beinecke Rare Book and Manuscript Library, Yale University. New Haven 1998, S. 17; Lisa Fagin Davis: An Austrian Bibliophile of the Seventeenth Century: Wolfgang Engelbert von Auersperg, Count of the Holy Roman Empire. Codices manuscripti 30 (2000), S. 3–17, Fig. 3 (176ᵛ). 4 (217ʳ); Iris Mueller: The Illustrations of Cyrill's Fables in Yale MS 653. Codices manuscripti 30 (2000), S. 19–26; vgl. auch die Beschreibung (Stand 4.6.2008), online unter http://brbl-net.library-yale.edu/pre1600ms/.

Taf. XXXI: 190ᵛ. Taf. XXXIIa: 191ʳ. Abb. 109: 201ᵛ.

37.2.15. Princeton, Princeton University, Firestone-Library, Cotsen Children's Library (CTSN) 40765

Um 1430. (Nieder-?)Österreich.
Die Handschrift hat einen Augsburger Renaissance-Einband von 1577 (vgl. die Einbandstempel EBDB r003563 und r003557). Auf dem 1577 eingefügten Vorsatzblatt Iʳ ein radierter Eintrag mit Signatur *Va* oder *Vu 15*. Ende des 19. Jahrhunderts in die Sammlung des Grafen Johann Nepomuk von Wilczek (1837–1922) auf Burg Kreuzenstein (Korneuburg/Niederösterreich) gelangt (Provenienz aufgrund der Iʳ eingetragenen Inv.Nr. 28091 ermittelt durch Regina Cermann; zu Kreuzensteiner Handschriften vgl. Franz Lackner: Handschriften aus der Burg Kreuzenstein in der Österreichischen Nationalbibliothek. Codices manuscripti 27/28 [1999], S. 9–36). Verkauft über Nicolas Rauch, Genf, Auktion 5 (24. November 1953); später über das Antiquariat Reiss & Sohn, Königstein im Taunus, in das Antiquariaat FORUM (Sebastiaan S. Hesselink) gelangt (Les Enluminures. Catalogue 209 [1998] Nr. 19). Danach im Besitz von Lloyd E. Cotsen, Los Angeles, amerikanischer Kunstsammler und Gründer mehrerer Stiftungen, der 1997 seine Sammlung illustrierter Kinderbücher der Firestone-Library der Princeton University vermachte und die Handschrift nachträglich in den Sammlungskontext einfügte.

Inhalt (für grundlegende Hilfe zur Bestimmung der Texte 2 bis 6 danke ich Gisela Kornrumpf und Regina Cermann):

1. 1ʳᵃ–70ᵛᵇ Ulrich von Pottenstein, Cyrillusfabeln, deutsch
Hs. Pr; Prolog, Buch I–IV
2. 71ʳᵃ–137ᵛᵃ Österreichischer Bibelübersetzer, Auszüge aus Proverbia, Ecclesiastes, Sapientia und Jesus Sirach, deutsch, mit Glosse; darin u. a. der Traktat ›Von der juden jrrsal‹
genannt bei Gisela Kornrumpf, in: ²VL 11 (2004) Sp. 1097–1110, insb. Sp. 1107 f.; dies.: Österreichischer Bibelübersetzer. In: Killy Lite-

raturlexikon. Autoren und Werke des deutschsprachigen Kulturraumes. Zweite, vollständig überarbeitete Auflage. Bd. 8 (2010), S. 682–684, hier S. 683 f.

3. 137va–139va ›Lehre vom Haushaben‹ (Ps.-Bernhard von Clairvaux, ›Epistola ad Raymundum‹, deutsch)
Übersetzung A, vgl. VOLKER ZIMMERMANN: ›Lehre vom Haushaben‹. In: ^{2}VL 5 (1985) Sp. 662–667; die Übersetzung ist möglicherweise dem Österreichischen Bibelübersetzer zuzuschreiben; dazu GISELA KORNRUMPF, in: ^{2}VL 11 (2004), Sp. 1104

4. 139va–172rb Österreichischer Bibelübersetzer, ›Von unsers herren marter‹ (Auszug aus dem ›Klosterneuburger Evangelienwerk‹, Erstfassung)
siehe oben zu Text 2

5. 172rb–175va Österreichischer Bibelübersetzer, ›Ein besonder urkund von unsers herren urstend‹, nach dem ›Nikodemus-Evangelium‹ (Auszug aus dem ›Klosterneuburger Evangelienwerk‹, Erstfassung)
siehe oben zu Text 2

6. 177ra–305ra Bruder Berthold, ›Rechtssumme‹
Überlieferung bei: HELMUT WECK: Die ›Rechtssumme‹ Bruder Bertholds. Eine deutsche abecedarische Bearbeitung der ›Summa Confessorum‹ des Johannes von Freiburg. Die handschriftliche Überlieferung. Tübingen 1982 (Texte und Textgeschichte 6), ohne diese Handschrift; weitere Textzeugen siehe Handschriftencensus

I. Papier, I + 306 Blätter (moderne Zählung, Blatt 306 ist ein neuzeitliches Nachstoßblatt; unbeschrieben ferner 176^{r-v}, 186^{r-v}), ca. 380 × 270 mm, zweispaltig, drei Schreiber, I: 1^{r}–166^{v}, Bastarda, 38–55 Zeilen, Text 1 mit roten Überschriften und Stricheln, Initialen meist über zwei bis drei Zeilen in wechselnden Farben, gelegentlich figural ornamentiert (29vb Tiergroteske und Rankenstab, 40va Bogenschütze, 44ra Gesichtsprofil), Initialen und Ranken sind gelegentlich nicht ausgeführt bzw. nur umzeichnet; Text 2–4 rubriziert bis 155^{v}, danach ohne Rubrizierung, Platz für Initialen ausgespart; II: 167^{r}–175^{v}, Bastarda, 49–57 Zeilen, rubriziert, Platz für Initialen ausgespart; III (der Namenseintrag [?] *Achacius* 185^{v} am Ende des Registers dürfte sich kaum auf den Schreiber beziehen): 177^{r}–305^{r}, Bastarda, 48–55 Zeilen, rubriziert, Initialen über zwei bis neun Zeilen, gelegentlich (z. B. 187ra, 227^{ra-b}) mit mehrfarbigem Fleuronné und anderer Ornamentik.
Schreibsprache: bairisch-österreichisch.

II. Zu Text 1 96 kolorierte Federzeichnungen (Blattangaben siehe S. 278–281). Zwei Hände. Die Illustration zur Vorrede 1rb wurde eingeklebt: eine Deckfarbenminiatur von dritter Hand.

Format und Anordnung: viertelseitig in unterschiedlichen Größen zwischen dem Text. Ungerahmt (1ra mit Pinselstricheinfassung), die lineare Einfassung der Textspalte gibt zwar eine gedachte Bildrandung vor, doch greift die Bildanlage häufig auf die Randstege aus. 19rb versehentlich vom Schreiber kein Bildraum freigehalten, der Zeichner fügt die Illustration zu I,26 (Drei Edelsteine) am oberen Blattrand ein.

Bildaufbau und -ausführung: weiche Vorzeichnung mit brauner Feder (die zweite Hand mit schwarzer Feder), flächige, nicht sehr sorgfältige Kolorierung in lavierten, oft unterschiedlich dick nebeneinander aufgetragenen oder tonig neben- und ineinander gesetzten Farben, unter Einbeziehung des weißen Papiergrunds zur plastischen Modellierung. Die Figuren agieren auf einem flächig grün kolorierten, mit gelegentlichen kurzen und langen, gebogten Federstrichen für Grasbewuchs besetzten Bodenstück, das manchmal mit der Feder lappig umzeichnet ist, oft auch ohne durchgehende Umrisse bleibt. Kulissen bilden Bäume mit kräftigen, kurvig umzeichneten, gelb (oder grün) kolorierten Stämmen und bauschigen Kronen, der Himmel ist nur manchmal in blau-gelben Pinselstreifen angegeben.

Die Figuren sind unperspektivisch nebeneinander plaziert, eine räumliche Hintereinanderstaffelung gelingt nur selten, in der figurenreichen Darstellung zu I,16 (Esel, Löwe und Wölfe) etwa verteilt der Zeichner die Akteure völlig frei im Raum, so daß man das Bild drehen müßte, um das jeweilige Fabeltier in der richtigen Position betrachten zu können. Ein zweiter Zeichner scheint gelegentlich Tierfiguren zugefügt zu haben, ohne dabei stets mit dem Fabelthema vertraut gewesen zu sein (3rb der heraldische Adler, vgl. auch 9rb, 17vb, 28vb, 31vb, 48vb, 58vb). Tiere wie Menschen sind in der Regel naiv, fast kindlich gezeichnet, bei den menschlichen Figuren fällt die Wahl sehr modischer Kleidung mit ausladenden und weit schwingenden Zaddelärmeln auf. Unter den Tieren werden dem Fuchs einmal (36ra, zu II,20 Fuchs und Affe) nicht dem Fabeltext entlehnte, offenbar spontan durch andere Fuchs-Motivik inspirierte Attribute beigegeben: Aus seinem umgebundenen Schultertuch schaut mindestens ein Gänsekopf heraus. Der Adler ist an beiden Stellen seines Vorkommens (2rb, 63vb) bekrönt.

Fast modern wirkt die Lösung, in unbelebte Objekte Gesichter nicht einfach einzuzeichnen, sondern die Konturlinie eines Bodenstücks in ein menschliches Gesichtsprofil zu transformieren (29va, 59vb, 61rb). Singulär in der Überlieferung: Einzelnen Szenen wird ein (unbeschriftetes) Spruchband beigegeben, wohl um auf die mündliche Unterweisungssituation hinzuweisen (3rb, 4rb, 14vb, 18vb).

Bildthemen: In der Deutung der Bildthemen ist die Handschrift dem Münchener Cgm 254 sehr verwandt, verzichtet aber auf Simultandarstellungen (Ausnahme: 17ra [zu I,23 Fuchs und Schlange], hier auch abweichend vom Cgm 254) und auf die anspruchsvollen Sphärenzirkel zur Darstellung von Himmelsphänomenen. Auch die eingeklebte Vorredenillustration 1rb entspricht Cgm 254 (ein in Umarmung stehendes Paar, dazu Wurm, Heuschrecke und Käfer). Insbesondere bei der Darstellung der abstrakten Protagonisten zeigt sich die Nähe sehr deutlich, allerdings auch hier mit individuellen Varianten; z. B. 23va (zu II,1) die Seele in Gestalt eines Kindes, das dem Mund des am Boden liegenden Mannes entweicht; 25vb (zu II,8) Wille anders als Cgm 254 als junger Mann in modischer Kleidung, der einem (durch seinen Kinnbart als der ältere markierten) anderen Mann gegenübertritt (vgl. London, 51^{v} [Nr. 37.2.7.]); 27rb (zu II,10) Begierde und Verständigkeit als Paar: Nebeneinander auf einer Bank sitzen und debattieren ein junger Mann in geistlichem Ornat (Mitra und Stab, der hier nicht in einem Kreuz, sondern in einer Flamme[?] endet) und eine Frau mit markanter Pelzkappe wie im Cgm 254; 47vb (zu III,4) Fortuna nicht als Frau, sondern als Jüngling (ohne Kugel als Standfläche), er tritt gestikulierend auf den besitzgierigen Mann zu, der mit Geldbeutel in der Hand auf einem Podesthocker sitzt. – 18vb (zu I,25) Ohr und Auge als separierte Körperteile, jedoch nicht in einen Landschaftsraum, sondern auf eine dunkelrosa getünchte Fläche plaziert.

Farben: kräftige Grün-, Ocker- und Brauntöne, dazu Gelb, Grau, Schwarz, Blau, Rosa, wenig Rot.

Literatur: Manuscrits enluminés [...] Vente aux enchères à Genève 2, Place du Port. Mardi 24 et mercredi 25 Novembre 1953. Nicolas Rauch S.A. Catalogue 5, S. 8. Nr. 11, Taf. 4 (27rb. 8vb. 34rb. 17vb. 25vb); A Newly Discovered Illustrated Manuscript of the Cyrillus-Fables in Ulrich von Pottenstein's Middle High German Translation from the Collection of a Continental Nobleman. Antiquariaat FORUM & Les Enluminures.'t Goy-Houton 1998 (Studies on Illuminated Manuscripts of the Middle Ages and the Renaissance, First Series 1), zahlreiche Abb. (8rb. 1ra. 43vb. 27rb. 33vb. 23vb. 18vb. 13rb. 23^{v}–24^{r}. 58vb. 17vb. 29va. 52vb. 64rb. Einband. 61^{r}. 25vb).

Taf. XXXIIb: 24^{r}. Abb. 110: 63^{r}.

37.2.16. Schlägl, Stiftsbibliothek, Cpl 93 (452 b)

Mitte/Drittes Viertel 15. Jahrhundert (Wasserzeichen Stern [vgl. Piccard online Nr. 41556: 1452], Dreiberg ohne Beizeichen nicht eindeutig zuzuordnen, Dreiberg im Kreis [vgl. Piccard online Nr. 153191: 1470). Oberösterreich?
79^{v} und 80^{r} Benutzernotizen des 16. Jahrhunderts (... *Mein got hilff mir zu lër vnd gib mir gnad Vdalricus Herlafsperger* [= Herleinsperger?]). – Die Herleins-

perger waren ab 1403 Pfleger des Bischofs von Passau auf der Burg Tannberg bei Altenfelden/Mühlviertel, ein Ulrich Herleinsperger ist als Burgherr 1474 belegt, derselbe(?) Ulrich auch in Urkunden des Stifts Schlägl (1448. 1451. 1465; vgl. ISFRIED H. PICHLER: Urkundenbuch des Stiftes Schlägl. Aigen 2003, S. 364–365. 760). 1529 ist Wolf Herleinsperger als letzter Pfleger auf Tannberg bezeugt. Wann der Codex in das Prämonstratenserkloster Schlägl kam, ist unbekannt.

Inhalt:
1ʳ–143ᵛ Ulrich von Pottenstein, Cyrillusfabeln, deutsch
Hs. Schl; Prolog, Buch I–IV

I. Papier, noch 143 Blätter (neue Foliierung, ursprünglich 156 Blätter, nach der fünften Lage [S. 51] verbunden; richtige Blattfolge: vor 1 zwei fehlende Blätter, 1–18, nach 18 fünf Blätter herausgeschnitten, 19–20, nach 20 ein Blatt herausgeschnitten, 21–51, nach 51 ein Blatt entfernt, 128–143, nach 143 zwei Blätter entfernt, 116–127, 80–91, 52–59, vor 52 und nach 59 je ein Blatt entfernt, 68–79, 104–115, 92–103, 60–67; die Fehlbindungen entsprechen dem Originalzustand der Handschrift, auf die korrekte Blattfolge wird von einem noch zeitgenössischen Schreiber jeweils am unteren Randsteg verwiesen (z. B. 127ᵛ *súch das G pey dem viij sextern*), ca. 290 × 190 mm, einspaltig, mehrere (vier?) Schreiber im Wechsel. Rubrizierung nicht durchgängig: rote Überschriften und Strichel, rote, z. T. auch grüne Initialen über zwei Zeilen. Die Spiegelblätter stammen aus einem Druck des ›Esopus‹ Heinrich Steinhöwels.
Schreibsprache: bairisch-österreichisch.

II. Noch 56 kolorierte Federzeichnungen (Blattangaben siehe S. 278–281). Ein Zeichner.

Format und Anordnung: Bildräume nahezu quadratisch, zu Beginn jeder Fabel (gelegentlich aus Platzgründen etwas verschoben), unter der Überschrift (die oft nicht ausgeführt ist: 26ʳ–58ᵛ, 73ᵛ, 76ʳ, 78ʳ–79ᵛ, 85ᵛ–91ᵛ, 100ʳ–101ᵛ, 113ʳ–125ʳ, 129ᵛ–134ᵛ, 139ʳ–142ᵛ) rechtsbündig, ca. die Hälfte der Spaltenbreite einnehmend in den Schriftspiegel eingefügt. Die Zeichnungen ungerahmt, durchschnittlich 40–70 × 60 mm, manchmal auf den Randsteg ausgreifend (134ᵛ u. ö.).

Bildaufbau und -ausführung: Die Protagonisten agieren auf einem meist nur angedeuteten, selten mit Gräser- oder Baumbewuchs versehenen Bodenstück; oft ist nur dessen obere Begrenzung linear angegeben, die Fläche ist durchscheinend olivgrün laviert. Gelegentlich erscheint eine andere Variante: Die Standfläche ist in Draufsicht als Rechteck umrissen; ab und zu stehen die Figuren auch völlig frei. Kein Hintergrund, keine Angabe des Himmels; auch auf szenische Ausgestaltung wird abgesehen von rudimentären Ortsangaben (Häuser ohne Fenster oder Türen) weitgehend verzichtet,

Zeichnung mit wechselnd feiner und kräftigerer Feder, oft unruhig strichelnd, dann wieder in ruhiger, weicher Linienführung. Die Figurenzeichnung ist trotz nahezu skizzenhafter Ausführung nicht ungeschickt, Tiere in der Regel in sicheren Proportionen, die Zeichnung der menschlichen Akteure entspricht einem älteren Figurenstil (gedrungene Körper, runde Köpfe mit kleinen Gesichtern und abstehenden Haarschöpfen).

Sehr häufig sind einzelne Figurenumrisse zum Durchpausen in kräftigen Blindlinien nachgezeichnet z. B. 18^r, 19^v, 20^v, 38^v, 43^v, 95^v, 108^r und öfter.

In wenigen Farben äußerst sparsam laviert, neben blassen Erdtönen sticht das Rosa im Wams Blatt 54^r und im Gefieder des Pfaus Blatt 118^r fast effektsuchend hervor.

Bildthemen: Ungewöhnlich und einzigartig ist die selektive Bebilderung; bei weitem nicht jede Fabel ist mit einer Illustration versehen. Ungeachtet der wegen Blattverlusts fehlenden Passagen sind zu folgenden Fabeln – vornehmlich, aber keineswegs ausschließlich mit nicht tierischem Personal – keine Bilder vorgesehen: I,23 Fuchs und Schlange, II,3 Bock und Igel am Brunnen, II,8 Wille und Vernunft, II,10 Begierde und Verstand, II,12 Wolke und Erde, II,13 Fliegende Ameise und Nachtigall, II,24 Saturn und Firmament, III,3 Cocodrillus und Scrophilus, III,4 Mann und Fortuna, III,10 Jüngling am Goldberg, III,13 Kürbis und Palme, III,14 Mann und Egel, III,15 Biene und Spinne, III,16 Ochse und Wolf, III,18 Spinne und Seidenwurm, III,19 Luft und Erde, III,21 Erde und Firmament, III,22 Tag und Nacht, III,23 Donau und Meer, III,24 Sonne und Finsternis, III,26 Viper und ihre Kinder, IV,5 Mücke und Biene, IV,6 Wasser und Öl, IV,8 Viper und Phönix, IV,9 Rose und Lilie, IV,10 Viper und Elefant.

Äußerst selten kommt es zu einer signifikanten Deutung eines Fabelthemas: Die Illustration zu Fabel II,1 (Luft und Erde) besteht in einem Zirkel mit Wolkenband um eine Weltkarte in T-Form herum (am nächsten hier die ehemals Konstanzer Handschrift [Nr. 37.2.6.]).

Farben: blasse Naturtöne, v.a. Brauntöne: Oliv, Rotbraun, Umbra. Nur selten Akzente in anderen Farben (Rosa, Hellblau).

Literatur: Gottfried Vielhaber / Gerlach Indra: Catalogus Codicum Plangensium (Cpl.) manuscriptorum. Linz 1918, S. 298, Nr. 185. – Gottfried Vielhaber: Zur Textkritik des Speculum Sapientiae Cyrilli. Germania. Vierteljahrschrift für Altertumskunde 29 (1884), S. 841 f. (Abdruck von IV,1 nach dieser Handschrift).

Abb. 105: 108^r.

37.2.17. Stockholm, Kungliga Biblioteket, Cod. X 537

1425 (155^{v}) / erste Hälfte 15. Jahrhundert. Bayern oder Österreich.
Vorbesitzer 1609 Peter Wok von Rosenberg-Ursini (1539–1611) in Wittingau (Třeboň), Exlibris 1^{v} *Ex Bibliotheca Illustrissimi Principis, Domini Domini Petri Vok Ursini, Domini Domus a Rosenberg* [...] *ANNO CHRISTI M.DC.IX.* Nach der Schlacht am Weißen Berg (1620) mit der Rosenberg'schen Sammlung in kaiserlichen Besitz übergegangen und auf die Prager Burg überführt. 1648 mit einigen weiteren Rosenberg'schen Handschriften als Kriegbeute nach Schweden verbracht (Christian Callmer: Königin Christina, ihre Bibliothekare und ihre Handschriften. Beiträge zur europäischen Bibliotheksgeschichte. Stockholm 1977, S. 124–128. 145 f. Anm.). Alte Rückensignatur *N° 108*.

Inhalt:

1. 3^{r}–155^{v} Ulrich von Pottenstein, Cyrillusfabeln, deutsch
   Hs. St; Prolog, Buch I–IV
2. 158^{r}–325vb Konrad von Megenberg, ›Buch der Natur‹
   Hs. So1 (Hayer); 158^{r}–321^{v} Prologfassung, 322ra–325vb Kapitelregister
3. 326^{r} lateinischer Spruch (Walther, Proverbia 33679)

I. Papier, 328 Blätter (modern foliiert 1–327; 181 doppelt gezählt; Blatt 1 abgelöstes Spiegelblatt, unbeschrieben: 2^{r-v}, 155^{v}–157^{v}, 326^{v}–327^{v}), 296 × 211 mm; die Handschrift aus zwei ursprünglich separaten Teilen zusammengesetzt.
Teil I: 1–157, einspaltig, Bastarda, zwei Schreiber, I: 3^{r}–85^{v}, 32–38 Zeilen, II: 86^{r}–155^{v} (datiert 155^{v}: *Anno domini millesimo in dem ffünf vnd czwainczigsten jare des nachsten eritags nach natiuitatis Marie wart das puech valendet*), 32–34 Zeilen. Rote, blaue und grüne, gelegentlich mit Fleuronné oder einfachen Gesichtern verzierte Lombarden über drei Zeilen, an den Buchanfängen über fünf Zeilen mit Blüten- und Groteskenaussparungen im Buchstabenkörper, 3^{r} figurale Initiale über neun Zeilen; zahlreiche Korrekturen (Wortergänzungen und -ersetzungen) besonders im Bereich des Schreibers II. – Teil II: 158–327 (mit alter alphanumerischer Zählung in Dreißigerblöcken *Ai–Axxx*, *Bi–Bxxx* etc. bis *Fi–Fxiiij*), einspaltig (322–325 zweispaltig), Bastarda, vier Schreiber im Wechsel, I: 158^{r}–169^{v}, II: 170^{r}–216^{v}, 298^{r}–325vb, III: 217^{r}–235^{r}, 262^{r}–268^{v}, 270^{v}–271^{r}, 279^{v}–298^{v}, IV: 235^{r}–262^{r}, 269^{r}–270^{r}, 271^{r}–279^{v}, rote Strichel, Überschriften, Lombarden meist über zwei Zeilen.
Schreibsprache: bairisch-österreichisch.

II. Zu Text 1 3r figurale Eingangsinitiale, 94 Illustrationen vorgesehen, nicht ausgeführt (Blattangaben siehe S. 278–281).

Format und Anordnung: Die meist nahezu quadratischen Bildräume (über ca. neun bis fünfzehn Zeilen) nehmen gut die Hälfte der Schriftspiegelbreite ein. Sie sind linksbündig (4r nur ausnahmeweise rechtsbündig), vorzugsweise am oberen oder unteren Schriftspiegelrand, mitten im Text jeder Fabel ausgespart worden. – Bildräume fehlen zu I,20 und III,11.

Bildaufbau und -ausführung, Bildthemen: Die einzige ausgeführte Illustration ist die historisierte Initiale zur Vorrede 3r: blaues D auf grünem Grund, im Buchstabeninnern Kranich über Löwe, dazwischen Dreiblatt. Ob das Motiv einen intendierten Bezug zum Text hat, bleibt unklar.

Literatur: Christian Callmer (Hrsg.): Catalogus Manuscriptorum Bibliothecae Regiae Holmensiensis C. Annum MDCL. Ductu et Auspicio Isaac Vossii Conscriptus. Suecici et Britannice praefatus. Stockholm 1971, S. 47; Lotte Kurras: Deutsche und niederländische Handschriften der Königlichen Bibliothek Stockholm. Handschriftenkatalog. Stockholm 2001, S. 107f., Abb. 68 (3r). – Bodemann (1988) S. 69–71 u. ö.; Hayer (1998) S. 203–205.

37.2.18. Wien, Österreichische Nationalbibliothek, Cod. 12645

Zweite Hälfte 15. Jahrhundert. Österreich.
Die Handschrift hat offenbar innerhalb des Jahres 1565 mehrfach den Eigentümer gewechselt: Aus der Sammlung des Pfarrers Johannes Oettinger und seiner religiösen Gemeinschaft kam sie unter Urban Sagstetter in die Bischöfliche Bibliothek zu Gurk, dann in den Besitz des Vorstehers der Kaiserlichen Sammlungen in Wien, Wolfgang Lazius, mit dessen Nachlaß sie in die Kaiserliche Hofbibliothek gelangte (siehe auch Nr. 26A.14.23.).

Inhalt:

1. 1ra–110ra Ulrich von Pottenstein, Cyrillusfabeln, deutsch
   Hs. W; Prolog, Buch I–IV
2. 111ra–235rb Leopold von Wien, ›Österreichische Chronik von den 95 Herrschaften‹

Zur kodikologischen Beschreibung und zur Beschreibung der vorgesehenen Bildausstattung für Text 2 siehe Nr. 26A.14.23.

Zu Text 1 waren Illustrationen vorgesehen, die nicht ausgeführt wurden: Vorhanden sind 99 Bildräume (Blattangaben siehe S. 278–281) und vier Initialräume zu Beginn jedes Buches. Die Bildräume einspaltig über ca. 10–15 Zeilen, mitten im Text jeder Fabel.

Literatur: siehe Nr. 26A.14.23.

DRUCK

Das Bůch der Natürlichen Weiszheit

37.2.a. Augsburg: Anton Sorg, 25. Mai 1490

2°, 138 Blätter (gezählt I–Cxxxiii, Register ungezählt), zweispaltig, 36 Zeilen. Knospen-Initialen über fünf Zeilen, an den Buchanfängen über zehn Zeilen.

Inhalt:

	1^{r}	Titel
	1^{v}	Titelbild
1.	2ra–112vb	Ulrich von Pottenstein, Cyrillusfabeln, deutsch
2.	113ra–133rb	›Lehre und Unterweisung‹, deutsch nach Albertanus de Brescia, ›De arte dicendi et tacendi‹, ›Liber consolationis et consilii‹, ›De amore dei et proximi‹
	135ra–138rb	Register des gesamten Bandes

Titelholzschnitt (acht Gelehrte mit Spruchbändern der vier Kardinaltugenden und -laster) und 67 viertelseitige Holzschnittillustrationen jeweils vor dem Fabeltext, eingefügt zwischen Überschrift mit Kapitelzählung und Text. In Buch I wird noch jeder Fabel ein Holzschnitt beigegeben, in Buch II wird zunehmend auf die Bebilderung von Fabeln mit unbelebten Protagonisten, aber auch mit Pflanzen als Akteuren (II,14 Schilfrohr und Zuckerrohr) verzichtet und zu Fabeln mit bereits aufgetretenen Protagonisten ebenfalls zunehmend auf Wiederholungen von Druckstöcken zurückgegriffen (I,6 = III,15; I,9 = II,20 = III,5; I,15 = II,27 = III,1; I,20 = II,26; II,25 = III,6; III,8 = IV,4). Gegen Ende des dritten Buches wird die Bebilderung insgesamt sparsamer (siehe Bildthemenübersicht mit Blattangaben S. 278–281). Kaum engere motivische Berührungen mit der handschriftlichen Tradition.

Volldigitalisate online unter http://daten.digitale-sammlugnen.de/0002/bsb00025657/images/ (München, Bayerische Staatsbibliothek, 2 Inc. c.a. 2397) und http://digilib.hab.de/inkunabeln/153-4-quod-2f-3/start.htm (Wolfenbüttel, Herzog August Bibliothek, 153.4 Quod. 2° [3])

Literatur: HAIN 4047; GW 7896; ISTC ic00123000; BSB-Ink B-745. – SCHRAMM 4 (1921) Abb. 2785–2846; SCHARF (1935a) S. 24–26; EINHORN (1975) S. 396. 399–407 u.ö., mit Abb.; Fabula docet (1983) S. 112, Nr. 30; BODEMANN (1988) S. 72 f. u.ö.

Abb. 111: München, Bayerische Staatsbibliothek, 2 Inc. c.a. 2397, 7va. Abb. 112: ebd., 23ra.

37.3. Cyrillusfabeln, anonyme Übersetzung

Die einzige bekannte Handschrift der thüringischen Übersetzung des ›Speculum sapientiae‹ (siehe oben S. 271–277, hier S. 276) knüpft in ihrer Ausstattung eher an die lateinische Tradierung der Fabeln in Studienhandschriften an: In ihr geht es nicht um visuelle Veranschaulichung der Protagonisten in ihrer natürlichen Eigenart, sondern um die Vermittlung von Schriftwissen, das zwecks besserer Nachschlagbarkeit auch noch mit Registern (jedem der vier Bücher geht ein Kapitelverzeichnis voran) erschlossen wird. Die historisierte Eingangsinitiale hat keinen thematischen Bezug zur Fabelsammlung und ihren Motiven.

Nicht ediert.

Literatur:
ULRIKE BODEMANN: Cyrillus in Thüringen. Zu einer weiteren Übersetzung des ›Speculum sapientiae‹ ins Deutsche. ZfdA 124 (1995), S. 171–183.

37.3.1. Leipzig, Universitätsbibliothek, Cod. Rep. IV. fol. 6

Nach 1481 (Teil I) / 1461 und um 1500 (Teil II). Thüringen.
Aus dem Besitz von Christoph Zobel (1499–1560), Rechtsordinarius an der Universität Leipzig (Exlibris im Vorderdeckel). Über Franz Romanus, ebenfalls Leipziger Rechtsordinarius, in die Leipziger Ratsbibliothek gelangt.

Die Handschrift besteht aus zwei Teilen; vorgebunden: Dietrich von Bocksdorf: ›Remissorium‹ zum Sachsenspiegel und sächsisches Weichbild. Basel: Bernhard Richel [um 1475, spätestens vor 1482] (GW 9265). Kodikologische und inhaltliche Beschreibung sowie Literatur siehe KdiH Nr. 26A.4.1.

Teil II, Inhalt:

29r–84v Cyrillusfabeln, deutsch: *Vyer spelde von den togunden vnnd lastern*

85r–108r Nachtrag: Kapitelreihe zum Alten Testament
unvollständig: Epistola Hieronymi bis Iob

29r C-Initiale über fünf Zeilen, Buchstabenkörper mit ausgespartem Flechtbandmuster, im Binnenraum Zeichnung des Schweißtuchs der heiligen Veronika mit dem Bildnis des Herrn und der Inschrift *ihus xpus*.

Abb. 111: 29r.

ANHANG

Verzeichnis der abgekürzt zitierten Literatur

Aderlaß und Seelentrost (2003)
Aderlaß und Seelentrost. Die Überlieferung deutscher Texte im Spiegel Berliner Handschriften und Inkunabeln. Hrsg. von Peter Jörg Becker und Eef Overgaauw [Ausstellungskatalog Staatsbibliothek zu Berlin – Preußischer Kulturbesitz / Germanisches Nationalmuseum Nürnberg]. Mainz 2003.

van Aelst (2000)
van Aelst, José: Het gebruik van beelden bij Suso's lijdensmeditatie. In: Geen povere schoonheid. Laat-middeleeuwse kunst in verband met de Moderne Devotie. Hrsg. von Kees Veelenturf. Nijmegen 2000, S. 86–100.

Altrock (2002)
Altrock, Stephanie: »*... got wil, daz du nu riter siest.*« Geistliche und weltliche Ritterschaft in Text und Bild der ›Vita‹ Heinrich Seuses. In: Höfische Literatur und Klerikerkultur. Wissen – Bildung – Gesellschaft. X^{th} Triennal Conference der Internationalen Gesellschaft für höfische Literatur (ICLS) vom 28. Juli bis 3. August 2001. Hrsg. von Andrea Sieber. Berlin 2002, S. 107–122.

Altrock/Ziegeler (2001)
Altrock, Stephanie / Ziegeler, Hans-Joachim: Vom *diener der ewigen wisheit* zum Autor Heinrich Seuse. Autorschaft und Medienwandel in den illustrierten Handschriften und Drucken von Heinrich Seuses ›Exemplar‹. In: Text und Kultur. Mittelalterliche Literatur 1150–1450. Hrsg. von Ursula Peters. Stuttgart/Weimar 2001 (Germanistische Symposien. Berichtsbände 22), S. 150–181.

Amelung (1979)
Amelung, Peter: Der Frühdruck im deutschen Südwesten. 1473–1500. Eine Ausstellung der Württembergischen Landesbibliothek Stuttgart. Stuttgart 1979 (Der Frühdruck im deutschen Südwesten. Bd. I: Ulm).

Ars sacra (1950)
Ars sacra. Kunst des frühen Mittelalters. München, Prinz-Carl-Palais [Ausstellungskatalog]. München 1950.

Von der Augsburger Bibelhandschrift zu Bertolt Brecht (1991)
Von der Augsburger Bibelhandschrift zu Bertolt Brecht. Zeugnisse der deutschen Literatur aus der Staats- und Stadtbibliothek und der Universitätsbibliothek Augsburg [Ausstellungskatalog]. Hrsg. von Helmut Gier und Johannes Janota. Weißenhorn 1991.

Augustyn (2005)
Augustyn, Wolfgang: Fingierte Wappen in Mittelalter und früher Neuzeit. Bemerkungen zur Heraldik in den Bildkünsten. Münchner Jahrbuch der bildenden Kunst. 3. Folge 56 (2005), S. 41–82.

Ausstellung Karlsruhe (2003)
»Uns ist in alten Mären...«. Das Nibelungenlied und seine Welt. Hrsg. von der Badischen Landesbibliothek Karlsruhe und dem Badischen Landesmuseum Karlsruhe [Ausstellungskatalog]. Darmstadt 2003.

Autenrieth/Fiala/Irtenkauf (1968) Die Handschriften der ehemaligen Hofbibliothek Stuttgart 1. Codices ascetici 1 (HB I 1–150). Beschrieben von Johanne Autenrieth und Virgil Fiala unter Mitarbeit von Wolfgang Irtenkauf. Wiesbaden 1968 (Die Handschriften der Württembergischen Landesbibliothek Stuttgart 2/1,1).

Avril/Gousset/Rabel (1984) Avril, François / Gousset, Marie Thérèse / Rabel, Claudia: Manuscrits enluminés d'origine italienne 2: XIIIe siècle. Paris 1984.

Avril/Rabel/Delaunay (1995) Avril, François / Rabel, Claudia, avec collaboration d'Isabelle Delaunay: Bibliothèque nationale de France. Manuscrits enluminés d'origine germanique. Tome I: X^{e} – XIVe siècle. Paris 1995.

Backes (1992) Backes, Martina: Das literarische Leben am kurpfälzischen Hof zu Heidelberg im 15. Jahrhundert. Ein Beitrag zur Gönnerforschung des Spätmittelalters. Tübingen 1992 (Hermaea. Germanistische Forschungen, N.F. 68).

Baer (1903) Baer, Leo: Die illustrierten Historienbücher des 15. Jahrhunderts. Ein Beitrag zur Geschichte des Formschnittes. Straßburg 1903. Nachdruck Osnabrück 1973.

Banz (1908) Banz, Romuald: Christus und die Minnende Seele. Zwei spätmittelalterliche mystische Gedichte. Im Anhang ein Prosadisput verwandten Inhaltes. Untersuchungen und Texte. Breslau 1908 (Germanistische Abhandlungen 29). Nachdruck 1977.

Barack (1895) Elsass-lothringische Handschriften und Handzeichnungen. Bearb. von Karl August Barack. Straßburg 1895 (Katalog der Kaiserlichen Universitäts- und Landesbibliothek in Straßburg).

Bartsch (1858) Bartsch, Karl: Die Erlösung. Mit einer Auswahl geistlicher Dichtungen. Quedlinburg/Leipzig 1858 (Bibliothek der gesammten deutschen National-Litteratur von der ältesten bis auf die neuere Zeit 37).

Bartsch (1887) Die altdeutschen Handschriften der Universitäts-Bibliothek in Heidelberg. Verzeichnet und beschr. von Karl Bartsch. Heidelberg 1887 (Katalog der Handschriften der Universitäts-Bibliothek in Heidelberg I).

Becker (1914) Becker, Adolf: Die deutschen Handschriften der kaiserlichen Universitäts- und Landesbibliothek zu Straßburg. Straßburg 1914 (Katalog der kaiserlichen Universitäts- und Landesbibliothek in Straßburg).

Becker (1977) Becker, Peter Jörg: Handschriften und Frühdrucke mittelhochdeutscher Epen. Eneide, Tristrant, Tristan, Erec, Iwein, Parzival, Willehalm, Jüngerer Titurel, Nibelungenlied und ihre Reproduktion und Rezeption im späteren Mittelalter und in der frühen Neuzeit. Wiesbaden 1977.

Beckmann/Schroth (1960) Deutsche Bilderbibel aus dem späten Mittelalter. Handschrift 334 der Universitätsbibliothek Freiburg i. Br. und M. 719–720 der Pierpont Morgan Library New York. Hrsg. von Josef Hermann Beckmann und Ingeborg Schroth. Konstanz 1960.

BEER (1965) — BEER, ELLEN J.: Gotische Buchmalerei. Literatur von 1945 bis 1961. Fortsetzung und Schluß. Zeitschrift für Kunstgeschichte 28 (1965) S. 134–158.

BEHAGHEL (1882) — Heinrich von Veldeke, Eneide. Mit Einleitung und Anmerkungen hrsg. von OTTO BEHAGHEL. Heilbronn 1882. Nachdruck 1970.

BENZING (1964) — BENZING, JOSEF: Eine unbekannte Ausgabe des Sigenot vom Ende des 15. Jahrhunderts. Gutenberg-Jahrbuch 39 (1964), S. 132–134.

BERINGER (2006) — BERINGER, ALISON L.P.: Word and Image in the *Klosterneuburger Evangelienwerk*. Manuscript and Cultural Context for the Vernacular. Diss. [masch.] Princeton/NJ 2006.

BERNHART (1922) — BERNHART, JOSEPH: Die philosophische Mystik des Mittelalters von ihren antiken Ursprüngen bis zur Renaissance. München 1922.

BEZZENBERGER (1872) — Fridankes Bescheidenheit. Hrsg. von HEINRICH ERNST BEZZENBERGER. Halle 1872.

BIHLMEYER (1907) — Heinrich Seuse, Deutsche Schriften. Im Auftrag der Württembergischen Kommission für Landesgeschichte hrsg. von KARL BIHLMEYER. Stuttgart 1907.

BLASER (1949) — BLASER, ROBERT-HENRI: Ulrich Boner, Un Fabuliste Suisse du XIVe Siècle. Thèse pour le doctorat d'Université présentée à la Faculté des Lettres de l'Université de Paris. Mulhouse 1949.

BLUMRICH (1994) — BLUMRICH, RÜDIGER: Die Überlieferung der deutschen Schriften Seuses. Ein Forschungsbericht. In: Heinrich Seuses Philosophia spiritualis. Quellen, Konzept, Formen und Rezeption. Tagung Eichstätt 2.–4. Oktober 1991. Hrsg. von RÜDIGER BLUMRICH und PHILIPP KAISER. Wiesbaden 1994 (Wissensliteratur im Mittelalter XVII), S. 189–201.

BODEMANN (1988) — BODEMANN, ULRIKE: Die Cyrillusfabeln und ihre deutsche Übersetzung durch Ulrich von Pottenstein. Untersuchungen und Editionsprobe. München 1988 (MTU 93).

BODEMANN/DICKE (1988) — BODEMANN, ULRIKE / DICKE, GERD: Grundzüge einer Überlieferungs- und Textgeschichte von Boners ›Edelstein‹. In: Deutsche Handschriften 1100–1400. Oxforder Kolloquium 1985. Hrsg. von VOLKER HONEMANN und NIGEL F. PALMER. Tübingen 1988, S. 424–468.

BOECKLER (1922) — BOECKLER, ALBERT: Zur Heimat der Berliner Eneit-Handschrift. Monatshefte für Kunstwissenschaft 15 (1922), S. 249–257.

BOECKLER (1924) — BOECKLER, ALBERT: Die Regensburg-Prüfeninger Buchmalerei des XII. und XIII. Jahrhunderts. München 1924.

BOECKLER (1939) — BOECKLER, ALBERT: Heinrich von Veldeke, Eneide. Die Bilder der Berliner Handschrift. Leipzig 1939.

BRANDIS (1968) — BRANDIS, TILO: Mittelhochdeutsche, mittelniederdeutsche und mittelniederländische Minnereden. Verzeichnis der Handschriften und Drucke. München 1968 (MTU 25).

Brandt (1912) Brandt, Hermann: Die Anfänge der deutschen Landschaftsmalerei im XIV. und XV. Jahrhundert. Straßburg 1912 (Studien zur deutschen Kunstgeschichte 154).

Bredt (1900) Bredt, Ernst Wilhelm: Der Handschriftenschmuck Augsburgs im 15. Jahrhundert. Straßburg 1900 (Studien zur deutschen Kunstgeschichte 25).

Brévart (1999) Das Eckenlied. Sämtliche Fassungen hrsg. von Francis B. Brévart. Teil 1: Einleitung. Die altbezeugten Versionen E_1, E_2 und Strophe 8–13 von E_4. Anhang: Die Ecca-Episode aus der Thidrekssaga. Teil 2: Das Dresdener Heldenbuch und das Ansbacher Fragment E_7 und E_3. Teil 3: Die Druckversionen und verwandte Textzeugen e_1, E_4, E_5, E_6. 3 Bde. Tübingen 1999 (ATB 111).

Bruck (1906) Bruck, Robert (Hrsg.): Die Malereien in den Handschriften des Königreichs Sachsen. Dresden 1906 (Aus den Schriften der Sächsischen Kommission für Geschichte 11).

BSB-Ink Bayerische Staatsbibliothek: Inkunabelkatalog (BSB-Ink). 5 Bände. Wiesbaden 1988–2000. – Online-Version unter der URL: http://inkunabeln.digitale-sammlungen/de/.

Buchkunst (1972) Alte und moderne Buchkunst. Handschriften und bibliophile Drucke in der Universitätsbibliothek Heidelberg. Hrsg. von Wilfried Werner [Ausstellungskatalog]. Heidelberg 1972.

Buchmalerei im Bodenseeraum (1997) Buchmalerei im Bodenseeraum. 13. bis 16. Jahrhundert. Hrsg. im Auftrag des Bodenseekreises von Eva Moser. Friedrichshafen 1997.

Bühlmann (1942) Bühlmann, Joseph: Christuslehre und Christusmystik des Heinrich Seuse. Mit einem Holzschnitt, einer Handschrift- und Miniaturreproduktion. Luzern 1942.

Cames (1989) Cames, Gerard: Dix siècles d'enluminure en Alsace. Strasbourg 1989.

Colledge/Marler (1984) Colledge, Edmund / Marler, J. C.: »Mystical« Pictures in the Suso *Exemplar* Ms. Strasbourg 2929. Archivum Fratrum Praedicatorum 54 (1984), S. 293–354.

Copinger (1895–1902) Copinger, W[alter] A[rthur]: Supplement to Hain's Repertorium bibliographicum [...]. P. I–II. London 1895–1902. Nachdruck Mailand 1950.

Courcelle (1984) Courcelle, Pierre et Jeanne: Lecteurs païens et lecteurs chrétiens de l'Enéide. Paris 1984.

Curschmann (1995) Curschmann, Michael: Ein Zyklus profaner Wandmalerei auf Burg Wildenstein an der Donau: Dietrich und Sigenot. Kunstchronik 48 (1995), S. 41–46.

Curschmann (1997) Curschmann, Michael: Vom Wandel im bildlichen Umgang mit literarischen Gegenständen. Rodenegg, Wildenstein und das Flaarsche Haus im Stein am Rhein. Freiburg im Üechtland 1997 (Wolfgang Stammler Gastprofessur für Germanische Philologie. Vorträge 6).

Curschmann (1999) Curschmann, Michael: Wort – Schrift – Bild. Zum Verhältnis von volkssprachigem Schrifttum und bildender Kunst vom 12. bis zum 16. Jahrhundert. In: Mittelalter und frühe Neuzeit. Übergänge, Umbrüche und Neuansätze. Hrsg. von WALTER HAUG. Tübingen 1999 (Fortuna Vitrea 16), S. 378–470.

CURSCHMANN/WACHINGER (1994) — CURSCHMANN, MICHAEL und WACHINGER, BURGHART: Der Berner und der Riese Sigenot auf Wildenstein. PBB 116 (1994), S. 360–389.

DEGERING 1.2.3 (1925.1926.1932) — DEGERING, HERMANN: Kurzes Verzeichnis der germanischen Handschriften der Preußischen Staatsbibliothek. Bd. 1–3. Leipzig 1925. 1926. 1932 (Mitteilungen aus der Preußischen Staatsbibliothek 7.8.9).

DICKE (2008) — Dicke, Gerd: *... ist ein hochberümt Buch gewesen bey den allergelertesten auff Erden.* Die Fabeln Äsops in Mittelalter und Früher Neuzeit. In: Von listigen Schakalen und törichten Kamelen. Die Fabel in Orient und Okzident. Wissenschaftliches Kolloquium im Landesmuseum Natur und Mensch Oldenburg [...] am 22. und 23. November 2007. Hrsg. von MAMOUN FANSA und ECKHARD GRUNEWALD. Wiesbaden 2008 (Schriftenreihe des Landesmuseums Natur und Mensch 62), S. 23–26.

DIEMER/DIEMER (1992) — DIEMER, DOROTHEA und PETER: Die Bilder der Berliner Veldeke-Handschrift. In: Heinrich von Veldeke, Eneasroman. Die Berliner Bilderhandschrift mit Übersetzung und Kommentar. Hrsg. von HANS FROMM. Mit den Miniaturen der Handschrift und einem Aufsatz von DOROTHEA und PETER DIEMER. Frankfurt a. M. 1992 (Bibliothek des Mittelalters 4), S. 911–970.

DIETHELM (1988) — DIETHELM, ANNA MARIA: *Durch sin selbs unerstorben vichlichkeit hin zuo grosser loblichen heilikeit.* Körperlichkeit in der Vita Heinrich Seuses. Bern / New York 1988.

DINZELBACHER (1994) — DINZELBACHER, PETER: Christliche Mystik im Abendland. Ihre Geschichte von den Anfängen bis zum Ende des Mittelalters. Paderborn 1994.

DINZELBACHER (1996) — DINZELBACHER, PETER: Angst im Mittelalter. Teufels-, Todes- und Gotteserfahrung. Mentalitätsgeschichte und Ikonographie. Paderborn 1996.

DINZELBACHER (2002) — DINZELBACHER, PETER: Himmel, Hölle, Heilige. Visionen und Kunst im Mittelalter. Darmstadt 2002.

EBDB — Einbanddatenbank. URL: http://www.hist-einband.de/

EINHORN (1975) — EINHORN, JÜRGEN WERINHARD: Der Bilderschmuck der Handschriften und Drucke zu Ulrichs von Pottenstein ›Buch der natürlichen Weisheit‹. In: Verbum et Signum. Beiträge zur mediävistischen Bedeutungsforschung. Studien zu Semantik und Sinntradition im Mittelalter. Festschrift für Friedrich Ohly. Hrsg. von HANS FROMM, WOLFGANG HARMS und UWE RUBERG. 2 Bde. München 1975, Bd. 1, S. 389–424.

EINHORN (1976/²1998) — EINHORN, JÜRGEN WERINHARD: Spiritalis Unicornis. Das Einhorn in Literatur und Kunst des Mittelalters. München 1976, 2., rev. und erw. Auflage 1998.

Eis (1941) — Eis, Gerhard: Zur Überlieferung des Jüngeren Sigenot. ZfdA 78 (1941), S. 268–276.

Ettmüller (1852) — Heinrich von Veldeke. Hrsg. von Ludwig Ettmüller. Leipzig 1852 (Dichtungen des deutschen Mittelalters 8).

Euling (1908) — Euling, Karl (Hrsg.): Kleinere mittelhochdeutsche Erzählungen, Fabeln und Lehrgedichte. II. Die sogenannte Wolfenbütteler Primelhandschrift 2.4. Aug. 2°. Berlin 1908 (DTM 14).

Fabula docet (1983) — Fabula docet. Illustrierte Fabelbücher aus sechs Jahrhunderten. Ausstellung aus Beständen der Herzog August Bibliothek Wolfenbüttel und der Sammlung Dr. Ulrich von Kritter. Wolfenbüttel 1983 (Ausstellungskataloge der Herzog August Bibliothek 41).

Fechter (1935) — Fechter, Werner: Das Publikum der mittelhochdeutschen Dichtung. Frankfurt a.M. 1935 (Deutsche Forschungen 28). Neudruck Darmstadt 1966.

Fechter (1938) — Fechter, Werner: Der Kundenkreis des Diebold Lauber. ZfB 1938, S. 121–146.

Fischel (1963) — Fischel, Lilli: Bilderfolgen im frühen Buchdruck. Studien zur Inkunabel-Illustration in Ulm und Straßburg. Konstanz / Stuttgart 1963.

Fischer (1965) — Fischer, Hanns: Eine Schweizer Kleinepiksammlung des 15. Jahrhunderts. Tübingen 1965 (Altdeutsche Textbibliothek 65).

Flood (1964) — Flood, John L.: Unbekannte Bruchstücke zweier Drucke des Jüngeren Sigenot. ZfdA 93 (1964), S. 67–72.

Flood (1966) — Flood, John L.: Studien zur Überlieferung des Jüngeren Sigenot. ZfdA 95 (1966), S. 42–72.

Flood (1972) — Flood, John L.: Das gedruckte Heldenbuch und die jüngere Überlieferung des Laurin D. ZfdPh 91 (1972), S. 29–48.

Fouquet (1972) — Der Edelstein. Faksimile der ersten Druckausgabe Bamberg 1461. 16.1 Eth. 2 der Herzog August Bibliothek Wolfenbüttel. 2 Bde. [Kommentarband von Doris Fouquet]. Stuttgart 1972.

Frings/Schieb (1964–1970) — Heinrich von Veldeke, Eneide. Hrsg. von Gabriele Schieb und Theodor Frings. 3 Bde. Berlin 1964–1970 (Deutsche Texte des Mittelalters 58. 59. 62).

Frühmorgen-Voss (1969/1975) — Frühmorgen-Voss, Hella: Mittelhochdeutsche weltliche Literatur und ihre Illustration. In: Dies., Text und Illustration im Mittelalter. Aufsätze zu den Wechselbeziehungen zwischen Literatur und bildender Kunst. Hrsg. und eingel. von Norbert H. Ott. München 1975 (MTU 50), S. 1–56.

Fuchs (1935) — The Wolfdietrich Epic in the Dresdener Heldenbuch (Wolfdietrich K). Ed. by Edward A. H. Fuchs. Louisville (Kentucky) 1935.

Gärtner/Schnell (1987/88) — Gärtner, Kurt und Schnell, Bernhard: Die Neisser Handschrift des ›Klosterneuburger Evangelienwerks‹. In: Beiträge eines Kolloquiums im Deutschen Bibel-Archiv, unter Mitarbeit von Nikolaus Henkel hrsg. von Heimo Reinitzer. Bern etc. 1991 (Vestigia Bibliae 9/10 [1987/88]), S. 155–167.

GAMPER/MARTI (1998) GAMPER, RUDOLF unter Mitwirkung von MARTI, SUSAN: Katalog der mittelalterlichen Handschriften der Stadtbibliothek Schaffhausen. Im Anhang Beschreibung von mittelalterlichen Handschriften des Staatsarchivs Schaffhausen, des Gemeindearchivs Neunkirch und der Eisenbibliothek, Klostergut Paradies. Dietikon-Zürich 1998.

GEISBERG (1939) GEISBERG, MAX: Geschichte der deutschen Graphik vor Dürer. Berlin 1939.

GELDNER (1968) GELDNER, FERDINAND: Die deutschen Inkunabeldrucker. Ein Handbuch der deutschen Buchdrucker des XV. Jahrhunderts nach Druckorten. 2 Bde. Stuttgart 1968.

GERHARDT (1999) GERHARDT, CHRISTOPH: Eine unbemerkt gebliebene Bilderhandschrift des ›Rosengarten zu Worms‹ und der Funktionswandel von Überschriften im Überlieferungsprozess. Wirkendes Wort 49 (1999), S. 27–45.

Glanz alter Buchkunst (1988) Glanz alter Buchkunst. Mittelalterliche Handschriften der Staatsbibliothek Preußischer Kulturbesitz Berlin. Hrsg. von TILO BRANDIS und PETER JÖRG BECKER. Wiesbaden 1988 (Staatsbibliothek Preußischer Kulturbesitz. Ausstellungskataloge 33).

GLASSNER (2000) GLASSNER, CHRISTINE: Inventar der Handschriften des Benediktinerstiftes Melk. Teil 1: Von den Anfängen bis ca. 1400. Unter Mitarbeit von ALOIS HAIDINGER. Katalog- und Registerband. Wien 2000 (Veröffentlichungen der Kommission für Schrift- und Buchwesen des Mittelalters 2,8,1 = Denkschriften der phil.-hist. Klasse der Österreichischen Akademie der Wissenschaften 285).

GOLDSCHMIDT (1947) GOLDSCHMIDT, ADOLPH: An Early Manuscript of the Aesop Fables of Avianus and Related Manuscripts. Princeton 1947 (Studies in Manuscript Illumination 1).

Gotik in Österreich (1967) Ausstellung Gotik in Österreich. Veranstaltet von der Stadt Krems an der Donau [Ausstellungskatalog]. Krems 1967.

GOTZKOWSKY (1991. 1994) GOTZKOWSKY, BODO: »Volksbücher«. Prosaromane, Renaissancenovellen, Versdichtungen und Schwankbücher. Bibliographie der deutschen Drucke. Teil 1: Drucke des 15. und 16. Jahrhunderts. Baden-Baden 1991. Teil 2: Drucke des 17. Jahrhunderts. Mit Ergänzungen zu Band 1. Baden-Baden 1994.

GOTZKOWSKY (1999) GOTZKOWSKY, BODO: Zur Herkunft der Illustrationen in der Frankfurter ›Heldenbuch‹-Ausgabe von 1560. ZfdA 128 (1999), S. 198–203.

GRAESSE (1880) Die beiden ältesten lateinischen Fabelbücher des Mittelalters. Des Bischofs Cyrillus Speculum Sapientiae und des Nikolaus Pergamenus Dialogus Creaturarum. Hrsg. von JOHANN G. Th. GRAESSE. Tübingen 1880 (StLV 148). Nachdruck 1965.

GRUBMÜLLER (1975) GRUBMÜLLER, KLAUS: Elemente einer literarischen Gebrauchssituation. Zur Rezeption der aesopischen Fabel im 15. Jahrhundert. In: Würzburger Prosastudien II. Kurt Ruh zum 60.

Geburtstag hrsg. von Peter Kesting. München 1975 (Medium Aevum 31), S. 139–159.

Grubmüller (1983) Grubmüller, Klaus: Zur Geschichte der Fabel in Antike und Mitttelalter. In: Fabula docet (1983), S. 20–33.

GW/GW online Gesamtkatalog der Wiegendrucke. Bd. 1–8,1 hrsg. von der Kommission für den Gesamtkatalog der Wiegendrucke. Leipzig 1925–1940 (Neudruck Stuttgart / New York 1968). Bd. 8,2 ff. hrsg. von der Staatsbibliothek zu Berlin. Stuttgart / Berlin / New York 1972 ff. – Datenbankversion online unter der URL http://gesamtkatalogderwiegendrucke.de/

Händl (1999) Händl, Claudia: Überlegungen zur Text-Bild-Relation in der ›Sigenot‹-Überlieferung. In: *helle döne schöne*. Versammelte Arbeiten zur älteren und neueren deutschen Literatur. Festschrift für Wolfgang Walliczek. Hrsg. von Horst Brunner u. a. Göppingen 1999 (GAG 668), S. 87–129.

Häussermann (2003) Häussermann, Sabine: Wissensvermittlung im Bild. Anmerkung zu Boners ›Edelstein‹. In: Wissenswelten. Perspektiven der neuzeitlichen Informationskultur. Hrsg. von Wolfgang E. J. Weber. Augsburg 2003 (Mitteilungen des Instituts für Europäische Kulturgeschichte der Universität Augsburg, Sonderheft), S. 94–113.

Häusssermann (2008) Häussermann, Sabine: Die Bamberger Pfisterdrucke. Frühe Inkunabelillustration und Medienwandel. Berlin 2008 (Neue Forschungen zur deutschen Kunst 9).

von der Hagen (1855) Heldenbuch. Hrsg. von Friedrich Heinrich von der Hagen. 2 Bde. Leipzig 1855. Nachdruck Darmstadt 1977.

von der Hagen/ Büsching (1812) von der Hagen, Friedrich Heinrich und Büsching, Johann Gustav: Literarischer Grundriß zur Geschichte der Deutschen Poesie von den ältesten Zeiten bis in das sechzehnte Jahrhundert. Berlin 1812.

Haidinger (1983) Haidinger, Alois: Katalog der Handschriften des Augustiner Chorherrenstiftes Klosterneuburg. Teil 1: Cod. 1–100. Wien 1983 (Veröffentlichungen der Kommission für Schrift- und Buchwesen II/2/1).

Hain (1826–1838) Hain, Ludwig: Repertorium bibliographicum, in quo omnes libri ab arte typographica inventa usque ad annum MD. Typis expressi ... recensentur. Stuttgart / Tübingen 1826–1838. Nachdruck Milano 1948.

Hamburger (1989) Hamburger, Jeffrey F.: The Visual and the Visionary. The Changing Role of the Image in Late Medieval Monastic Devotions. Viator 20 (1989), S. 61–182.

Hamburger (1989a) Hamburger, Jeffrey F.: The Use of Images in the Pastoral Care of Nuns. The Case of Heinrich Suso and the Dominicans. Art Bulletin 71 (1989), S. 20–46.

Hamburger (1992) Hamburger, Jeffrey F.: Biography, Hagiography and Legend in the Interpretation of Medieval Art. In: L'Art et les Révolutions. Section 7: Recherches en cours. Hrsg. von Sixten Ring-

BOM. Strasbourg 1992 (XXVIIth International Congress of the History of Art Strasbourg. 1989. Bd. 7), S. 4–23.

HAMBURGER (1997) — HAMBURGER, JEFFREY F.: Nuns as Artists. The Visual Culture of a Medieval Convent. Berkeley / Los Angeles 1997.

HAMBURGER (1998) — HAMBURGER, JEFFREY F.: The Visual and the Visionary. Art and Female Spirituality in Late Medieval Germany. New York 1998.

HAMBURGER (1998a) — HAMBURGER, JEFFREY F.: Medieval Self-Fashioning. Authorship, Authority, and Autobiography in Seuse's *Exemplar*. In: Christ among the Medieval Dominicans. Representations of Christ in the Texts and Images of the Order of Preachers. Hrsg. von KENT EMERY JR. and JOSEPH WAWRYKOW. Notre Dame 1998 (Notre Dame Conferences in Medieval Studies VIII), S. 430–461.

HAMBURGER (2000) — HAMBURGER, JEFFREY F.: Speculations on Speculation. Vision and Perception in the Theory and Practice of Mystical Devotions. In: Deutsche Mystik im abendländischen Zusammenhang: neu erschlossene Texte, neue methodische Ansätze, neue theoretische Konzepte. Kolloquium Kloster Fischingen. Hrsg. von WALTER HAUG und WOLFRAM SCHNEIDER-LASTIN. Tübingen 2000, S. 353–408.

HAMBURGER (2000–2001) — HAMBURGER, JEFFREY F.: La Bibliothèque d'Unterlinden et l'art de la formation spirituelle. In: Les dominicaines d'Unterlinden. 9.12.2000–6.1.2001 Musée d'Unterlinden [Ausstellungskatalog]. 2 Bde. Colmar / Paris 2000–2001, Bd. I, S. 110–159, Bd. II, S.107–108.

HAMBURGER (2002) — HAMBURGER, JEFFREY F.: St. John the Divine. The Deified Evangelist in Medieval Art and Theology. Berkeley / Los Angeles 2002.

HAMBURGER (2007) — HAMBURGER, JEFFREY F.: Visible, yet Secret. Images as Signs of Friendship in Seuse. In: *Amicitia weltlich und geistlich.* Festschrift for Nigel Palmer on the Occasion of his 60th Birthday. Hrsg. von ANNETTE VOLFING und HANS-JOCHEN SCHIEWER. Oxford 2007 (Oxford German Studies 36/2), S. 141–162.

Handschriftencensus — Handschriftencensus. Eine Bestandsaufnahme der handschriftlichen Überlieferung deutschsprachiger Texte des Mittelalters. – Datenbank online unter der URL http://www.handschriftencensus.de/

HAUSSHERR (1974) [recte: (1975)] — HAUSSHERR, REINER: Über die Christus-Johannes-Gruppen. Zum Problem ›Andachtsbilder‹ und deutsche Mystik im Mittelalter. In: Beiträge zur Kunst des Mittelalters. Festschrift für Hans Wentzel zum 60. Geburtstag. Hrsg. von RÜDIGER BECKSMANN u. a. Berlin 1975, S. 79–103.

HAYER (1998) — GEROLD HAYER: Konrad von Megenberg, ›Das Buch der Natur‹. Untersuchungen zu seiner Text- und Überlieferungsgeschichte. Tübingen 1998 (MTU 110), S. 203–205.

HECK (1997) — HECK, CHRISTIAN: L'échelle céleste dans l'art du Moyen âge. Une image de la quête du ciel. Paris 1997.

Der Heiligen Leben (1996. 2004) — Der Heiligen Leben. Bd. I. Der Sommerteil. Hrsg. von MARGIT BRAND, KRISTINA FREIENHAGEN-BAUMGARDT, RUTH MEYER und WERNER WILLIAMS-KRAPP. Tübingen 1996. – Bd. II. Der Winterteil. Hrsg. von MARGIT BRAND, BETTINA JUNG und WERNER WILLIAMS-KRAPP. Tübingen 2004 (Texte und Textgeschichte 44. 51).

HEINEMANN 1–5 (1890–1903/1965–66) — Die Handschriften der Herzoglichen Bibliothek zu Wolfenbüttel. Zweite Abtheilung: Die Augusteischen Handschriften. Beschrieben von OTTO VON HEINEMANN. Bd. 1–5. Wolfenbüttel 1890–1903. Nachdruck Frankfurt am Main 1965–66 (Kataloge der Herzog August Bibliothek Wolfenbüttel. Die alte Reihe 1–5).

HEINZLE (1978) — HEINZLE, JOACHIM: Mittelhochdeutsche Dietrichepik. Untersuchungen zur Tradierungsweise, Überlieferungskritik und Gattungsgeschichte später Heldendichtung. Zürich / München 1978 (MTU 62).

HEINZLE (1981) — Heldenbuch. Nach dem ältesten Druck in Abbildung hrsg. von JOACHIM HEINZLE. I. Abbildungsband. Göppingen 1981 (Litterae 75/I).

HEINZLE (1999) — HEINZLE, JOACHIM: Einführung in die mittelhochdeutsche Dietrichepik. Berlin / New York 1999 (De Gruyter Studienbuch).

HEINZLE/KLEIN/OBHOF (2003) — Die Nibelungen. Sage – Epos – Mythos. Hrsg. von JOACHIM HEINZLE, KLAUS KLEIN und UTE OBHOF. Wiesbaden 2003.

HEINZLE/OTT (1987) — HEINZLE, JOACHIM: Inhaltsresumees. NORBERT H. OTT: Beschreibender Katalog der Holzschnitte. In: Heldenbuch. Nach dem ältesten Druck in Abbildung hrsg. von JOACHIM HEINZLE. II. Kommentarband. Göppingen 1987 (Litterae 75/II), S. 9–144.

HEITZ/RITTER (1924) — Versuch einer Zusammenstellung der deutschen Volksbücher des 15. und 16. Jahrhunderts nebst deren späteren Ausgaben und Literatur. Hrsg. von PAUL HEITZ und FRANÇOIS RITTER. Straßburg 1924.

HEITZMANN (2002) — HEITZMANN, CHRISTIAN: Die mittelalterlichen Handschriften der Leopold-Sophien-Bibliothek in Überlingen. Friedrichshafen 2002 (Schriften des Vereins für Geschichte des Bodensees und seiner Umgebung), S. 41–103.

HENKEL (1988) — NIKOLAUS HENKEL: Deutsche Übersetzungen lateinischer Schultexte. Ihre Verbreitung und Funktion im Mittelalter und in der frühen Neuzeit. Mit einem Verzeichnis der Texte. München 1988 (MTU 90).

HENKEL (1989) — HENKEL, NIKOLAUS: Bildtexte. Die Spruchbänder in der Berliner Handschrift von Heinrichs von Veldeke Eneasroman. In: Poesis et Pictura. Studien zum Verhältnis von Text und Bild in Handschriften und alten Drucken. Festschrift für Dieter Wuttke zum 60. Geburtstag. Hrsg. von STEPHAN FÜSSEL und JOACHIM KNAPE. Baden-Baden 1989 (Saecula spiritalia. Sonderband), S. 1–47.

HENKEL/FINGERNAGEL (1992) Heinrich von Veldeke, Eneas-Roman. Vollfaksimile des Ms. germ. fol. 282 der Staatsbibliothek zu Berlin Preußischer Kulturbesitz. Einführung und kodikologische Beschreibung von NIKOLAUS HENKEL. Kunsthistorischer Kommentar von ANDREAS FINGERNAGEL. Wiesbaden 1992.

HERNAD (2000) HERNAD, BÉATRICE: Die gotischen Handschriften deutscher Herkunft in der Bayerischen Staatsbibliothek. Teil 1: Vom späten 13. bis zur Mitte des 14. Jahrhunderts. Mit Beiträgen von ANDREAS WEINER. Wiesbaden 2000 (Katalog der illuminierten Handschriften der Bayerischen Staatsbibliothek in München 5/1).

VON HEUSINGER (1953) VON HEUSINGER, CHRISTIAN: Studien zur oberrheinischen Buchmalerei und Graphik im Spätmittelalter. Diss. Freiburg i. Br. 1953.

HOFMANN (1969) HOFMANN, GEORG: Seuses Werke in deutschsprachigen Handschriften des späten Mittelalters. Fuldaer Geschichtsblätter 45 (1969), S. 113–206.

HOLENSTEIN-HASLER (1968) HOLENSTEIN-HASLER, ANNE-MARIE: Studien zur Vita Heinrich Seuses. Zeitschrift für Schweizerische Kirchengeschichte 62 (1968), S. 185–332.

HONÉE (1994) HONÉE, EUGEN: Images and Imagination in the Medieval Culture of Prayer. A Historical Perspective. In: HENK VAN OS u. a.: The Art of Devotion in the Late Middle Ages in Europe, 1300–1500. Amsterdam 1994, S. 157–174.

HUCKLENBROICH (1985) HUCKLENBROICH, JÖRG: Text und Illustration in der Berliner Handschrift der »Eneide« des Heinrich von Veldeke. Berlin, Staatsbibliothek Preußischer Kulturbesitz Ms. Germ. Fol. 282. Würzburg 1985.

HUDIG-FREY (1921) HUDIG-FREY, MARGARETA: Die älteste Illustration der Eneide des Heinrich von Veldeke. Straßburg 1921 (Studien zur deutschen Kunstgeschichte 219).

HUET (1895) HUET, GÉDEON: Catalogue des manuscrits allemands de la Bibliothèque nationale. Paris 1895.

ISTC ISTC. The Incunabula Short Title Catalogue. Datenbank der British Library, London, online unter der URL http://www.bk.uk/catalogues/istc/

JÄNECKE (1964) JÄNECKE, KARIN: ›Der spiegel des lidens cristi‹. Eine oberrheinische Handschrift aus dem Beginn des XV. Jahrhunderts in der Stadtbibliothek zu Colmar (Ms. 306). Hannover 1964 (Diss. Freiburg 1963).

JANOTA/WILLIAMS-KRAPP (1995) Literarisches Leben in Augsburg während des 15. Jahrhunderts. Hrsg. von JOHANNES JANOTA und WERNER WILLIAMS-KRAPP. Tübingen 1995.

JERCHEL (1932) JERCHEL, HEINRICH: Spätmittelalterliche Buchmalereien am Oberlauf des Rheins. Oberrheinische Kunst 5 (1932), S. 17–82.

JERCHEL (1935) JERCHEL, HEINRICH: Beiträge zur österreichischen Handschriftenillustration. Zeitschrift des deutschen Vereins für Kunstwissenschaft 2 (1935), S. 308–321.

JOSTES (1895/1972)	JOSTES, FRANZ: Meister Eckhart und seine Jünger. Ungedruckte Texte zur Geschichte der deutschen Mystik. Freiburg i. Üe. 1895 (Collectanea Friburgensia 4). Nachdruck mit einem Wörterverzeichnis von PETER SCHMITT und einem Nachwort von KURT RUH. Berlin 1972.
JUNGREITHMAYR (1988)	Die deutschen Handschriften des Mittelalters der Universitätsbibliothek Salzburg. Unter Mitarbeit von JOSEF FELDNER und PETER H. PASCHER bearb. von ANNA JUNGREITHMAYR. Wien 1988 (Verzeichnisse der Deutschen Handschriften Österreichischer Bibliotheken 2).
KAUTZSCH (1894)	KAUTZSCH, RUDOLF: Einleitende Erörterungen zu einer Geschichte der deutschen Handschriftenillustration im späten Mittelalter. Straßburg 1894 (Studien zur deutschen Kunstgeschichte 3).
KAUTZSCH (1895)	KAUTZSCH, RUDOLF: Diebolt Lauber und seine Werkstatt in Hagenau. ZfB 11 (1895), S. 1–32 und S. 57–113.
KAUTZSCH (1896)	KAUTZSCH, RUDOLF: Notiz über einige elsässische Bilderhandschriften aus dem ersten Viertel des 15. Jahrhunderts. In: Philologische Studien und Quellen. Festgabe für Eduard Sievers. Halle 1896, S. 287–293.
KELLER (2000)	KELLER, HILDEGARD: My Secret is Mine. Studies on Religion and Eros in the German Middle Ages. Leuven 2000 (Studies in Spirituality: Supplement 4).
KELLER (2003)	KELLER, HILDEGARD: Kolophon im Herzen. Von beschrifteten Mönchen an den Rändern der Paläographie. In: Das Mittelalter. Perspektiven mediävistischer Forschung. Zeitschrift des Mediävistenverbandes 7/2 (2002). Sonderheft: Der mittelalterliche Schreiber. Hrsg. von MARTIN J. SCHUBERT, S. 165–193.
KELLER (2003a)	KELLER, HILDEGARD: Rosen-Metamorphosen. Von unfesten Zeichen in den spätmittelalterlichen Texten: Heinrich Seuses ›Exemplar‹ und das Mirakel ›Marien Rosenkranz‹. In: Der Rosenkranz. Andacht – Geschichte – Kunst. Hrsg. von URS BEAT FREI und FREDY BÜHLER. Bern/Sachseln, S. 48–67.
KERSTING (1987)	KERSTING, MARTIN: Text und Bild im Werk Heinrich Seuses. Untersuchungen zu den illustrierten Handschriften des Exemplars. Diss. Universität Mainz 1987.
KIEPE (1984)	KIEPE, HANSJÜRGEN: Die Nürnberger Priameldichtung. Untersuchung zu Hans Rosenplüt und zum Schreib- und Druckwesen im 15. Jahrhundert. München 1984 (MTU 74).
KLEIN (2003)	KLEIN, KLAUS: Beschreibendes Verzeichnis der Handschriften des *Nibelungenliedes*. In: HEINZLE/KLEIN/OBHOF (2003), S. 213–238.
KOFLER (2006)	Das Dresdener Heldenbuch und die Bruchstücke des Berlin-Wolfenbütteler Heldenbuchs. Edition und Digitalfaksimile. Hrsg. von WALTER KOFLER. Stuttgart 2006.
KOLL (2000)	Katalog der Handschriften des Benediktinerstiftes Michaelbeuern bis 1600. Bearbeitet von BEATRIX KOLL. Wien 2000

(Veröffentlichungen der Kommission für Schrift- und Buchwesen des Mittelalters 2,6 = Österreichische Akademie der Wissenschaften, Phil.-hist. Klasse, Denkschriften 278).

KONRAD (1997) — KONRAD, BERND: Die Buchmalerei in Konstanz, am westlichen und am nördlichen Bodensee von 1400 bis zum Ende des 16. Jahrhunderts. In: Buchmalerei im Bodenseeraum (1997), S. 109–154. Katalog der Handschriften S. 259–331.

KORNRUMPF (1987/88) — KORNRUMPF, GISELA: Das ›Klosterneuburger Evangelienwerk‹ des österreichischen Anonymus. Datierung, neue Überlieferung, Originalfassung. In: Deutsche Bibelübersetzungen des Mittelalters. Beiträge eines Kolloquiums im Deutschen Bibel-Archiv, unter Mitarbeit von NIKOLAUS HENKEL hrsg. von HEIMO REINITZER. Bern etc. 1991 (Vestigia Bibliae 9/10 [1987/88]), S. 115–31.

KORNRUMPF (1999) — KORNRUMPF, GISELA: Wolfhart. In: [2]VL 10 (1999), Sp. 1361–1363.

Kostbarkeiten (1999) — Kostbarkeiten gesammelter Geschichte. Heidelberg und die Pfalz in Zeugnissen der Universitätsbibliothek [Ausstellungskatalog]. Hrsg. von ARMIN SCHLECHTER. Heidelberg 1999 (Schriften der Universitätsbibliothek Heidelberg 1).

VON KRIES (1967) — VON KRIES, FRIEDRICH WILHELM: Textkritische Studien zum Welschen Gast Thomasins von Zerclaere. Berlin 1967 (Quellen und Forschungen zur Sprach- und Kulturgeschichte der germanischen Völker N.F. 23 [147]).

KRISTELLER (1888) — KRISTELLER, PAUL O.: Die Strassburger Bücher-Illustration im XV. und im Anfange des XVI. Jahrhunderts. Leipzig 1888 (Beiträge zur Kunstgeschichte NF 7). Nachdruck Nieuwkoop 1966.

Krone und Schleier (2005) — Krone und Schleier. Kunst aus mittelalterlichen Frauenklöstern. Hrsg. von der Kunst- und Ausstellungshalle der Bundesrepublik Deutschland, Bonn und dem Ruhrlandmuseum Essen [Ausstellungskatalog]. München 2005.

KRÜGER (2001) — KRÜGER, KLAUS: Das Bild als Schleier des Unsichtbaren. Ästhetische Illusion in der Kunst der frühen Neuzeit in Italien. München 2001.

KRUSENBAUM/SEEBALD (2006) — KRUSENBAUM, CHRISTIANE / SEEBALD, CHRISTIAN: Maximilian im Rosengarten. Materialität und Funktionaliät der ›Berliner Fragmente eines Rosengartenspiels‹ (Ms. germ. fol. 800). PBB 128 (2006), S. 92–132.

KÜSTERS (1999) — KÜSTERS, URBAN: Narbenschriften. Zur religiösen Literatur des Spätmittelalters. In: Mittelalter. Neue Wege durch einen alten Kontinent. Hrsg. von JAN-DIRK MÜLLER und HORST WENZEL. Stuttgart / Leipzig 1999, S. 81–109.

KUHLMANN (1987) — KUHLMANN, DANIELA: Heinrich Seuses *Buch der Wahrheit*. Studien zur Textgeschichte. Diss. Würzburg 1987.

KUNZE (1975) — KUNZE, HORST: Geschichte der Buchillustration in Deutschland. Bd. 1. Das 15. Jahrhundert [Text- und Bildband]. Leipzig 1975.

LÄNGIN (1894/1974)	LÄNGIN, THEODOR: Deutsche Handschriften. Karlsruhe 1894. Neudruck mit bibliographischen Nachträgen Wiesbaden 1974 (Die Handschriften der Badischen Landesbibliothek in Karlsruhe. Beilage II,2).
LARGIER (1999)	LARGIER, NIKLAUS: Der Körper der Schrift. Bild und Text am Beispiel einer Seuse-Handschrift des 15. Jahrhunderts. In: Mittelalter. Neue Wege durch einen alten Kontinent. Hrsg. von JAN-DIRK MÜLLER und HORST WENZEL. Stuttgart / Leipzig 1999.
LARGIER (2001)	LARGIER, NIKLAUS: Lob der Peitsche. Eine Kulturgeschichte der Erregung. München 2001.
LEHMANN-HAUPT (1929)	LEHMANN-HAUPT, HELLMUT: Schwäbische Federzeichnungen. Studien zur Buchillustration Augsburgs im XV. Jahrhundert. Berlin / Leipzig 1929.
LELIJ (1930)	De Parabelen van Cyrillus. Hrsg. von CLARA M. LELIJ. Acad. Proefschr. Amsterdam 1930.
LENTES (2004)	LENTES, THOMAS: Der mediale Status des Bildes. Bildlichkeit bei Heinrich Seuse – statt einer Einleitung. In: Ästhetik des Unsichtbaren: Bildtheorie und Bildgebrauch in der Vormoderne. Hrsg. von DAVID GANZ und THOMAS LENTES unter redaktioneller Mitarbeit von GEORG HENKEL. Berlin 2004 (KultBild. Visualität und Religion in der Vormoderne 1), S. 13–73.
MASSER/SILLER (1987)	Das Evangelium Nicodemi in spätmittelalterlicher deutscher Prosa. Texte. Hrsg. von ACHIM MASSER und MAX SILLER. Heidelberg 1987 (Germanische Bibliothek 4).
MATTHEY (1959)	MATTHEY, WALTHER: Der älteste Wiegendruck des Sigenot. Anzeiger des Germanischen National-Museums 1954–1959, S. 68–90.
MAURER (1934/1964)	Die Erlösung. Eine geistliche Dichtung des 14. Jahrhunderts. Auf Grund der sämtlichen Handschriften zum ersten Mal kritisch hrsg. von FRIEDRICH MAURER. Leipzig 1934. Nachdruck Darmstadt 1964 (Deutsche Literatur. Reihe Geistliche Dichtung des Mittelalters 6).
MBK	Mittelalterliche Bibliothekskataloge Deutschlands und der Schweiz. Bd. I-III,3 bearbeitet von PAUL LEHMANN und PAUL RUF. München 1918–1939. Nachdruck 1969. Bd. III,4–4,3 bearbeitet von SIGRID KRÄMER u. a. Hrsg. von der Bayerischen Akademie der Wissenschaften, Kommission für die Herausgabe der mittelalterlichen Bibliothekskataloge Deutschlands und der Schweiz. München 1962–2009.
MCGINN (2005) [recte: (2006)]	MCGINN, BERNARD: Theologians as Iconographers. In: The Mind's Eye. Art and Theological Argument in the Middle Ages. Hrsg. von JEFFREY F. HAMBURGER und ANNE-MARIE BOUCHÉ. Princeton 2006, S. 186–207.
MCGINN (2005a)	MCGINN, BERNARD: The Presence of God. A History of Medieval Mysticism. Bd. 4. The Harvest of Mysticism in Medieval Germany (1300–1500). New York 2005, S. 195–239.
MEIER I/1 (1935)	Deutsche Volkslieder. Balladen. Unter Mithilfe von HARRY

SCHEWE und ERICH SEEMANN gemeinsam mit WILHELM HEISKE und FRED QUELLMALZ hrsg. von JOHN MEIER. Erster Teil. Berlin / Leipzig 1935 (Deutsche Volkslieder mit ihren Melodien. Hrsg. vom deutschen Volksliedarchiv. Bd. 1).

MENHARDT (1927) — MENHARDT, HERMANN: Handschriftenverzeichnis der Kärntner Bibliotheken. Bd. 1: Klagenfurt, Maria Saal, Friesach. Wien 1927.

MENHARDT (1954) — MENHARDT, HERMANN: Die Bilder der Millstätter Genesis und ihre Verwandten. In: Festschrift für Rudolf Egger. Klagenfurt 1954 (Beiträge zur älteren europäischen Kulturgeschichte 3), S. 248–371.

MENHARDT 1.2.3 (1960. 1961) — MENHARDT, HERMANN: Verzeichnis der altdeutschen literarischen Handschriften der Österreichischen Nationalbibliothek. Bd. 1–3. Berlin 1960–1961 (Deutsche Akademie der Wissenschaften zu Berlin. Veröffentlichungen des Instituts für deutsche Sprache und Literatur 13).

MILDE (1976) — MILDE, WOLFGANG: Zu den beiden Bonerdrucken Albrecht Pfisters (GW 4839 und 4940). Gutenberg-Jahrbuch 1976, S. 109–116.

MILLER/ZIMMERMANN (2007) — Die Codices Palatini germanici in der Universitätsbibliothek Heidelberg (Cod. Pal. germ. 304–495). Bearb. von MATTHIAS MILLER und KARIN ZIMMERMANN. Wiesbaden 2007 (Kataloge der Universitätsbibliothek Heidelberg 8).

MITTLER/WERNER (1986) — MITTLER, ELMAR / WERNER, WILFRIED: Mit der Zeit. Die Kurfürsten von der Pfalz und die Heidelberger Handschriften der Bibliotheca Palatina. Wiesbaden 1986.

MODERN (1899) — MODERN, HEINRICH: Die Zimmernschen Handschriften der k. k. Hofbibliothek. Ein Beitrag zur Geschichte der Ambraser Sammlung und der k. k. Hofbibliothek. Jahrbuch der kunsthistorischen Sammlungen des Allerhöchsten Kaiserhauses 20 (1899), S. 113–180.

MÜLLER (1955) — MÜLLER, ROLF: Die Cyrillischen Fabeln und ihre Verbreitung in der deutschen Literatur. Diss. [masch.] Mainz 1955.

MUTHER (1884) — MUTHER, RICHARD: Die deutsche Bücherillustration der Gothik und Frührenaissance (1460–1530). München / Leipzig 1884.

NEWMAN (2003) — NEWMAN, BARBARA: God and the Goddesses. Vision, Poetry, and Belief in the Middle Ages. Philadelphia 2003.

NEWMAN (2005) [recte: (2006)] — NEWMAN, BARBARA: Love's Arrows: Christ as Cupid in Late Medieval Art and Devotion. In: The Mind's Eye. Art and Theological Argument in the Middle Ages. Hrsg. von JEFFREY F. HAMBURGER und ANNE-MARIE BOUCHÉ. Princeton 2006, S. 263–286.

OBERLIN (1782) — OBERLIN, JEREMIAS JACOBUS: Bonerii Gemma sive Boners Edelstein. Supplementum ad Joh. Gerogii Scherzii Philosophiae moralis […]. Straßburg 1782

OBERMAIER (2002) — OBERMAIER, SABINE: Zum Verhältnis von Titelbild und Textprogramm in deutschsprachigen Fabelbüchern des späten Mittelalters und der frühen Neuzeit. Gutenberg-Jahrbuch 77 (2002) S. 63–75.

Ott (1982/1983)	Ott, Norbert H.: Geglückte Minne-Aventiure. Zur Szenenauswahl literarischer Bildzeugnisse im Mittelalter. Die Beispiele des Rodenecker *Iwein*, des Runkelsteiner *Tristan*, des Braunschweiger *Gawan-* und des Frankfurter *Wilhelm-von-Orlens*-Teppichs. Jahrbuch der Oswald von Wolkenstein-Gesellschaft 2 (1982/1983), S. 1–32.
Ott (1984)	Ott, Norbert H.: Überlieferung, Ikonographie – Anspruchsniveau, Gebrauchssituation. Methodisches zum Problem der Beziehungen zwischen Stoffen, Texten und Illustrationen in Handschriften des Spätmittelalters. In: Literatur und Laienbildung im Spätmittelalter und in der Reformationszeit. Symposion Wolfenbüttel 1981. Hrsg. von Ludger Grenzmann und Karl Stackmann. Stuttgart 1984 (Germanistische Symposien. Berichtsbände 5), S. 356–386.
Ott (1987a)	Ott, Norbert H.: Die Heldenbuch-Holzschnitte und die Ikonographie des heldenepischen Stoffkreises. In: Heinzle/Ott (1987), S. 245–296.
Ott (1988)	Ott, Norbert H.: Heinrich Seuse. Bildkapitel. In: Literaturlexikon. Autoren und Werke deutscher Sprache. Hrsg. von Walther Killy. Bd. 11. Gütersloh 1988, S. 33–40.
Ott (1995)	Ott, Norbert H.: Die Handschriften-Tradition im 15. Jahrhundert. In: Die Buchkultur im 15. und 16. Jahrhundert. Hrsg. vom Vorstand der Maximilian-Gesellschaft und Barbara Tiemann. Erster Halbband. Hamburg 1995, S. 47–124.
Ott (1997a)	Ott, Norbert H.: Mündlichkeit, Schriftlichkeit, Illustration. Einiges Grundsätzliche zur Handschriftenillustration, insbesondere in der Volkssprache. In: Buchmalerei im Bodenseeraum (1997), S. 37–51.
Ott (1999 [auch: 1999a])	Ott, Norbert H.: Leitmedium Holzschnitt. Tendenzen und Entwicklungslinien der Druckillustration in Mittelalter und früher Neuzeit. In: Die Buchkultur in 15. und 16. Jahrhundert. Hrsg. vom Vorstand der Maximilian-Gesellschaft und Barbara Tiemann. Zweiter Halbband. Hamburg 1999, S. 163–252.
Ott (2000)	Ott, Norbert H.: Texte und Bilder. Beziehungen zwischen den Medien Kunst und Literatur in Mittelalter und Früher Neuzeit. In: Die Verschriftlichung der Welt. Bild, Text und Zahl in der Kultur des Mittelalters und der Frühen Neuzeit. Hrsg. von Horst Wenzel, Wilfried Seipel und Gotthart Wunberg. Wien 2000 (Schriften des Kunsthistorischen Museums 5), S. 105–143.
Ott (2002)	Ott, Norbert H.: Literatur in Bildern. Eine Vorbemerkung und sieben Stichworte. In: Literatur und Wandmalerei I. Erscheinungsformen höfischer Kultur und ihre Träger im Mittelalter. Hrsg. von Eckart Conrad Lutz, Johanna Thali und René Wetzel. Tübingen 2002, S. 153–197.
Ott (2002a)	Ott, Norbert H.: Mise en page. Zur ikonischen Struktur der Illustrationen von Thomasins ›Welschem Gast‹. In: Beweglich-

keit der Bilder. Text und Imagination in den illustrierten Handschriften des »Welschen Gastes« von Thomasin von Zerclaere. Hrsg. von Horst Wenzel und Christina Lechtermann. Köln / Weimar / Wien 2002 (Poesis et Pictura 15), S. 33–64.

Ott (2003) — Ott, Norbert H.: Nonverbale Kommentare. Zur Kommentarfunktion von Illustrationen in mittelalterlichen Handschriften. In: Schrift – Text – Edition. Hans Walter Gabler zum 65. Geburtstag. Hrsg. von Chistiane Henkes u. a. Tübingen 2003 (Beihefte zu editio 19), S. 113–126.

Panzer (1788) — Panzer, Georg Wolfgang: Annalen der ältern deutschen Litteratur oder Anzeige und Beschreibung derjenigen Bücher welche von Erfindung der Buchdruckerkunst bis MDXX in deutscher Sprache gedruckt worden sind. Nürnberg 1788. Zusätze [...]. Nürnberg 1802. Nachdruck Hildesheim 1961.

Peil (1985) — Peil, Dietmar: Der Streit der Glieder mit dem Magen. Studien zur Überlieferungsgeschichte der Fabel des Menenius Agrippa von der Antike bis ins 20. Jahrhundert. Frankfurt a.M. etc. 1985 (Mikrokosmos 16).

Peil (1990) — Peil, Dietmar: Beobachtungen zum Verhältnis von Text und Bild in der Fabelillustration des Mittelalters und der frühen Neuzeit. In: Wolfgang Harms (Hrsg.): Text und Bild, Bild und Text. DFG Symposion 1988. Stuttgart 1990 (Germanistische Symposion-Berichtsbände 11), S. 150–167.

Pfeiffer (1844) — Pfeiffer, Franz (Hrsg.): Der Edelstein von Ulrich Boner. Leipzig 1844 (Dichtungen des deutschen Mittelalters 4).

Pfeiffer (1845. 1857) — Pfeiffer, Franz (Hrsg.): Deutsche Mystiker des 14. Jahrhunderts. 2 Bde. Leipzig 1845–1857.

Piccard-online — Hauptstaatsarchiv Stuttgart. Bestand J 340, Wasserzeichensammlung Piccard. Online-Datenbank unter der URL http://www.piccard-online.de/

Plessow (2007) — Plessow, Oliver: Mittelalterliche Schachzabelbücher zwischen Spielsymbolik und Wertevermittlung. Der Schachtraktat des Jacobus de Cessolis im Kontext seiner spätmittelalterlichen Rezeption. Münster 2007.

Preisendanz (1932/1973) — Preisendanz, Karl: Die Handschriften des Klosters Ettenheim-Münster. Karlsruhe 1932. Neudruck mit bibliographischen Nachträgen Wiesbaden 1973 (Die Handschriften der Badischen Landesbibliothek in Karlsruhe 9).

Priebsch (1896. 1901) — Deutsche Handschriften in England. Beschr. von Robert Priebsch. Bd. 1: Ashburnham-Place, Cambridge, Cheltenham, Oxford, Wigan. Erlangen 1896. Bd. 2: Das British Museum. Erlangen 1901.

Proctor (1898. 1903) — Proctor, Robert: An Index to the Early Printed Books in the British Museum. Part I: From the Invention of Printing to the Year MD. Section I. Germany. London 1898. Part II: MDI–MDXX. Section I. Germany. London 1903. Nachdruck London 1960.

QUINT (1958) Meister Eckharts Predigten. Hrsg. und übersetzt von JOSEF QUINT. Erster Band. Stuttgart 1958.

RAPP (1998) RAPP, ANDREA: *bücher gar húbsch gemolt*. Studien zur Werkstatt Diebold Laubers am Beispiel der Prosabearbeitung von Bruder Philipps »Marienleben« in den Historienbibeln IIa und Ib. Bern u. a. 1998 (Vestigia Bibliae 18).

RECHT (1980) RECHT, ROLAND: Strasbourg et Prague. In: Die Parler und der schöne Stil 1350–1400. Europäische Kunst unter den Luxemburgern [Ausstellungskatalog], 5 Bde. Köln 1980, Bd. IV, S. 106–117.

Regensburger Buchmalerei (1987) Regensburger Buchmalerei. Von frühkarolingischer Zeit bis zum Ausgang des Mittelalters. Ausstellung der Bayerischen Staatsbibliothek München und der Museen der Stadt Regensburg [Ausstellungskatalog]. München 1987.

Rhein und Maas (1972/1973) Rhein und Maas. Kunst und Kultur 800–1400 [Ausstellungskatalog], 2 Bde. Köln 1972/1973.

RÖTTINGER (1933) RÖTTINGER, HEINRICH: Der Frankfurter Buchholzschnitt 1530–1550. Straßburg 1933 (Studien zur deutschen Kunstgeschichte 293).

ROLAND (1991) ROLAND, MARTIN: Illustrierte Weltchroniken bis in die zweite Hälfte des 14. Jahrhunderts. Diss. Wien (masch.) 1991. Online unter der URL http://www.univie.ac.at/paecht-archiv-wien/DissertationRoland/dissertationroland.html/

RSM (1994) Repertorium der Sangsprüche und Meisterlieder des 12. bis 18. Jahrhunderts. Hrsg. von HORST BRUNNER, BURGHART WACHINGER u. a. Bd. 1. Einleitung, Überlieferung. Tübingen 1994.

RÜTHER/SCHIEWER (1992) RÜTHER, ANDREAS / SCHIEWER, HANS-JOCHEN: Die Predigthandschriften des Straßburger Dominikanerinnenklosters St. Nikolaus in undis. Historischer Bestand, Geschichte, Vergleich. In: Die Deutsche Predigt im Mittelalter. Internationales Symposium am Fachbereich Germanistik der Freien Universität Berlin vom 3.–6. Oktober 1989. Hrsg. von VOLKER MERTENS und HANS-JOCHEN SCHIEWER. Tübingen 1992, S. 169–193.

RUH (1956) RUH, KURT: Bonaventura deutsch. Ein Beitrag zur deutschen Franziskaner-Mystik und -Scholastik. Bern 1956 (Bibliotheca Germanica 7).

SAURMA-JELTSCH (2001) SAURMA-JELTSCH, LIESELOTTE E.: Spätformen mittelalterlicher Buchherstellung. Bilderhandschriften aus der Werkstatt Diebold Laubers in Hagenau. 2 Bde. Wiesbaden 2001.

VON SCARPATETTI (2003) VON SCARPATETTI, BEAT MATTHIAS: Die Handschriften der Stiftsbibliothek St. Gallen, Bd. 1: Abt. IV: Codices 547–669: Hagiographica, Historica, Geographica, 8.–18. Jahrhundert. Wiesbaden 2003.

SCHADE I (1854) Ecken Auszfart. Nach dem alten Straszburger Drucke von MDLIX. Hrsg.von OSKAR SCHADE. Hannover 1854.

SCHADE II (1854) Laurin. Nach dem alten Nürnberger Drucke von Friderich Gutknecht. Hrsg. von OSKAR SCHADE. Leipzig 1854.

SCHADE III (1854) Sigenot. Nach dem alten Nürnberger Drucke von Friderich Gutknecht. Hrsg. von OSKAR SCHADE. Hannover 1854.

SCHANZE (1986) SCHANZE, FRIEDER: »Volksbuch«-Illustration in sekundärer Verwendung. Zur Erschließung verschollener Ausgaben des *Pfaffen vom Kalenberg*, *Herzog Ernst*, *Sigenot* und des *Eckenliedes*. Archiv für Geschichte des Buchwesens 26 (1986), S. 239–257.

SCHARF (1935a) SCHARF, GEORG: Die handschriftliche Überlieferung der deutschen Cyrillusfabeln des Ulrich von Potenstein. Diss. Breslau 1935.

SCHARF (1935b) SCHARF, GEORG: Proben eines kritischen Textes der deutschen Cyrillusfabeln des Ulrich von Potenstein. ZfdPh 59 (1935), S. 147–188.

SCHERER (1963) SCHERER, MARGARET R.: The Legends of Troy in Art and Literature. New York / London 1963.

SCHERRER (1875) SCHERRER, GUSTAV: Verzeichnis der Handschriften der Stiftsbibliothek von St. Gallen. Halle 1875.

SCHERZ (1704–1710) SCHERZ, JOHANN GEORG: Philosophiae moralis Germanorum medii aevi specimen [...]. Straßburg 1704–1710.

SCHIFFMANN (1909) SCHIFFMANN, KONRAD: Ein Bruchstück des Wunderers. ZfdA 51 (1909), S. 416–420.

SCHLECHTER (1999) Kostbarkeiten gesammelter Geschichte. Heidelberg und die Pfalz in Zeugnissen der Universitätsbibliothek. Hrsg. von ARMIN SCHLECHTER. Heidelberg 1999 (Schriften der Universitätsbibliothek Heidelberg 1).

SCHLECHTER/STAMM (2000) Die kleinen Provenienzen. Beschrieben von ARMIN SCHLECHTER und GERHARD STAMM. Wiesbaden 2000 (Die Handschriften der Badischen Landesbibliothek in Karlsruhe XIII).

SCHMIDT (1961) SCHMIDT, GERARD F.: Das Schachzabelbuch des Jacobus de Cessolis, O.P. in mittelhochdeutscher Prosa-Übersetzung. Berlin 1961 (Texte des späten Mittelalters 13).

SCHMIDT (1962) SCHMIDT, GERHARD: Die Malerschule von St. Florian. Beiträge zur süddeutschen Malerei zu Ende des 13. und im 14. Jahrhundert. Graz u. a. 1962.

SCHMIDT (1963) SCHMIDT, GERHARD: Die Buchmalerei. In: HARRY KÜHNEL (Hrsg.): Die Gotik in Niederösterreich. Kunst, Kultur und Geschichte eines Landes im Spätmittelalter. Wien 1963, S. 93–114 (Wiederabdruck in SCHMIDT [2005] Bd. 1, S. 9–30).

SCHMIDT (1967) SCHMIDT, GERHARD: Buchmalerei. In: Gotik in Österreich. Ausstellung Krems 1967, S. 134–178 (Wiederabdruck in SCHMIDT [2005] Bd. 1, S. 45–83).

SCHMIDT (1986/2005) SCHMIDT, GERHARD: Egerton Ms. 1121 und die Salzburger Buchmalerei um 1430. Wiener Jahrbuch für Kunstgeschichte 39 (1986), S. 41–57 mit S. 245–252 (veränderter Wiederabdruck in: SCHMIDT [2005], S. 401–418 [hiernach zitiert]).

SCHMIDT (2005) SCHMIDT, GERHARD: Malerei der Gotik. Fixpunkte und Ausblicke. Hrsg. von MARTIN ROLAND. Bd. 1. Malerei der Gotik in Mitteleuropa. Graz 2005.

SCHMIDT (1996) — SCHMIDT, IMKE: Die Bücher der Frankfurter Offizin Gülfferich – Han – Weigand Han-Erben. Eine literarhistorische und buchgeschichtliche Untersuchung zum Buchdruck in der zweiten Hälfte des 16. Jahrhunderts. Wiesbaden 1996 (Wolfenbütteler Schriften zur Geschichte des Buchwesens 26).

SCHNEIDER (1965) — Die Handschriften der Stadtbibliothek Nürnberg. Band I. Die deutschen mittelalterlichen Handschriften. Bearbeitet von KARIN SCHNEIDER. Beschreibung des Buchschmucks: HEINZ ZIRNBAUER. Wiesbaden 1965.

SCHNEIDER (1970. 1973. 1978. 1984. 1991) — Die deutschen Handschriften der Bayerischen Staatsbibliothek München. Neu beschr. von KARIN SCHNEIDER. Cgm 201–350. Wiesbaden 1970; Cgm 351–500. Wiesbaden 1973; Cgm 501–690. Wiesbaden 1978; Cgm 691–867. Wiesbaden 1984; Die mittelalterlichen Handschriften aus Cgm 888–4000. Wiesbaden 1991 (Catalogus codicum manuscriptorum Bibliothecae Monacensis V,2–6).

SCHNEIDER (1988) — Deutsche mittelalterliche Handschriften der Universitätsbibliothek Augsburg. Die Signaturengruppen Cod. I.3 und Cod. III.1. Bearbeitet von KARIN SCHNEIDER. Wiesbaden 1988 (Die Handschriften der Universitätsbibliothek Augsburg. Zweite Reihe. Die deutschen Handschriften. Erster Band).

SCHNEIDER (1994) — SCHNEIDER, KARIN: Die datierten Handschriften der Bayerischen Staatsbibliothek München. Teil 1: Die deutschen Handschriften bis 1450. Stuttgart 1994 (Datierte Handschriften in Bibliotheken der Bundesrepublik Deutschland IV,1).

SCHNORR VON CAROLSFELD (1883/1981) — SCHNORR VON CAROLSFELD, FRANZ: Katalog der Handschriften der Königl. Öffentlichen Bibliothek zu Dresden. Bd. 2. Leipzig 1883. Korrigierte und verbesserte, nach dem Exemplar der Landesbibliothek photomechanisch hergestellte Ausgabe [...] Dresden 1981.

SCHOENER (1928) — Der Jüngere Sigenot. Nach sämtlichen Handschriften und Drucken hrsg. von A. CLEMENS SCHOENER. Heidelberg 1928 (Germanische Bibliothek 6).

SCHORBACH (1894) — Dietrich von Bern (Sigenot). Heidelberg 1490. Mit vollständiger Bibliographie. [Hrsg. von KARL SCHORBACH]. Leipzig 1894 (Seltene Drucke in Nachbildungen 2).

SCHORBACH (1897) — Ecken auszfart. Augsburg 1491. Mit bibliographischen Nachweisen. [Hrsg. von KARL SCHORBACH]. Leipzig 1897 (Seltene Drucke in Nachbildungen 3).

SCHORBACH (1904) — Laurin. Straßburg 1500. Mit bibliographischen Nachweisen. [Hrsg. von KARL SCHORBACH]. Halle 1904 (Seltene Drucke in Nachbildungen 4).

SCHRAMM 1–23 (1920–1943/1981 ff.) — Der Bilderschmuck der Frühdrucke. Begründet von ALBERT SCHRAMM, fortgeführt von der Kommission für den Gesamtkatalog der Wiegendrucke. Bd. 1–23. Leipzig 1920–1943. Nachdruck Stuttgart 1981 ff.

SCHWEITZER (1981) — SCHWEITZER, FRANZ-JOSEF: Der Freiheitsbegriff der deutschen

Mystik: seine Beziehung zur Ketzerei der »Brüder und Schwestern vom Freien Geist«, mit besonderer Rücksicht auf den pseudoeckartischen Traktat »Schwester Katrei« (Edition). Frankfurt am Main / Bern 1981 (Europäische Hochschulschriften. Reihe I, Deutsche Sprache und Literatur, Bd. 378).

SCHWEITZER (1993) SCHWEITZER, FRANZ-JOSEF: Tugend und Laster in illustrierten didaktischen Dichtungen des späten Mittelalters. Studien zu Hans Vintlers »Blumen der Tugend« und zu »Des Teufels Netz«. Hildesheim 1993.

SIMON (2003) SIMON, ECKEHART: Die Anfänge des weltlichen deutschen Schauspiels 1370–1530. Untersuchung und Dokumentation. Tübingen 2003 (MTU 124).

STAMM (1981) STAMM, LIESELOTTE ESTHER: Die Rüdiger Schopf-Handschriften. Die Meister einer Freiburger Werkstatt des späten 14. Jahrhunderts und ihre Arbeitsweise. Aarau / Frankfurt a. M. / Salzburg 1981.

STAMMLER (1965) STAMMLER, WOLFGANG: Spätlese des Mittelalters. Bd. II. Religiöses Schrifttum. Berlin 1965 (Texte des späten Mittelalters und der frühen Neuzeit 19).

STAMMLER (1967) STAMMLER, WOLFGANG: Epenillustration. RDK 5 (1967), Sp. 810–857.

STANGE (1934–1961) STANGE, ALFRED: Deutsche Malerei der Gotik. 11 Bde. Berlin / München 1934–1961.

STAUB/SÄNGER (1991) Deutsche und niederländische Handschriften mit Ausnahme der Gebetbuchhandschriften. Beschrieben von KURT HANS STAUB und THOMAS SÄNGER. Wiesbaden 1991 (Die Handschriften der Hessischen Landes- und Hochschulbibliothek Darmstadt 6).

STEER (1981) STEER, GEORG: Hugo Ripelin von Straßburg. Zur Rezeptions- und Wirkungsgeschichte des ›Compendium theologicae veritatis‹. Tübingen 1981 (Texte und Textgeschichte 2).

STEER (1983 [1982]) STEER, GEORG: Hugo Ripelin von Straßburg. In: ^{2}VL 4 (1983 [Lfg. 2/3: 1982]), Sp. 252–266.

STEER (1986) STEER, GEORG: Der Heidelberger ›Prosa-Lancelot‹-Codex Pal. Germ. 147. In: Schweinfurter Lancelot-Kolloquium 1984. Hrsg. von WERNER SCHRÖDER. Berlin 1986, S. 10–16.

SUCKALE (1987) SUCKALE, ROBERT: Die Regensburger Buchmalerei von 1350 bis 1450. In: Regensburger Buchmalerei (1987) S. 93–110.

THURN (1990) Die Handschriften der Universitätsbibliothek Würzburg. Vierter Band. Die Handschriften der kleinen Provenienzen und Fragmente. Bearbeitet von HANS THURN. Wiesbaden 1990.

TRABAND (1982) TRABAND, GERARD: Diebolt louber schriber zu hagenowe. Études Haguenoviennes. N. S. 8 (1982), S. 51–92.

UNTERKIRCHER (1957) UNTERKIRCHER, FRANZ: Inventar der illuminierten Handschriften. Inkunabeln und Frühdrucke der Österreichischen Nationalbibliothek. Teil I: Die abendländischen Handschriften. Wien 1957 (Museion. Veröffentlichungen der Österreichischen Nationalbibliothek NF, 2. Reihe, 2. Bd., Teil I).

UNTERKIRCHER (1974) UNTERKIRCHER, FRANZ: Die datierten Handschriften der Österreichischen Nationalbibliothek von 1451 bis 1500. Wien 1974 (Katalog der datierten Handschriften in lateinischer Schrift in Österreich 3).

VD 16 Verzeichnis der im deutschen Sprachbereich erschienenen Drucke des XVI. Jahrhunderts. Bd. 1–25. Stuttgart 1983–2000. Online-Datenbank unter der URL http://www.bsb-muenchen.de/1681.0.html/

Vergil 2000 Jahre (1982) Vergil 2000 Jahre. Rezeption in Literatur, Musik und Kunst [Ausstellungskatalog]. Bamberg 1982.

VETTER (1910) Die Predigten Taulers. Aus der Engelberger und der Freiburger Handschrift sowie aus Schmidts Abschriften der ehemaligen Strassburger Handschriften hrsg. von FERDINAND VETTER. Berlin 1910 (Deutsche Texte des Mittelalters XI). Neudruck Dublin / Zürich 1968.

VIZKELETY 2 (1973) VIZKELETY, ANDRÁS: Beschreibendes Verzeichnis der altdeutschen Handschriften in ungarischen Bibliotheken. Bd. 2: Budapest, Debrecen, Eger, Esztergom, Györ, Kalocsa, Pannonhalma, Pápa, Pécs, Szombathely. Wiesbaden 1973.

[2]VL Die deutsche Literatur des Mittelalters. Verfasserlexikon. [...] Zweite, völlig neu bearbeitete Auflage unter Mitarbeit zahlreicher Fachgelehrter hrsg. von KURT RUH (Bd. 1–8) und BURGHART WACHINGER (Bd. 9–14) zusammen mit GUNDOLF KEIL, KURT RUH (Bd. 9–14), WERNER SCHRÖDER, BURGHART WACHINGER (Bd. 1–8) und FRANZ JOSEF WORSTBROCK. Redaktion: KURT ILLING (Bd. 1), CHRISTINE STÖLLINGER-LÖSER. 14 Bde. Berlin / New York 1977–2008.

WAGNER (2003) WAGNER, MARION: Der sagenhafte Gattungsstifter im Bild. Formen figurierter Autorschaft in illustrierten äsopischen Fabelsammlungen des 15. Jahrhunderts. Frühmittelalterliche Studien 37 (2003) S. 385–433.

WEGENER (1927) WEGENER, HANS: Beschreibendes Verzeichnis der deutschen Bilderhandschriften des späteren Mittelalters in der Heidelberger Universitätsbibliothek. Leipzig 1927.

WEGENER (1928) WEGENER, HANS: Beschreibendes Verzeichnis der Miniaturen und des Initialschmucks in den deutschen Handschriften bis 1500. Leipzig 1928 (Beschreibende Verzeichnisse der Miniaturen-Handschriften der Preußischen Staatsbibliothek zu Berlin 5).

WEIDENHILLER (1965) WEIDENHILLER, EGINO: Untersuchungen zur deutschsprachigen katechetischen Literatur des späten Mittelalters. München 1965 (MTU 10).

WEIGAND (2000) WEIGAND, RUDOLF KILIAN: Der ›Renner‹ des Hugo von Trimberg. Überlieferung, Quellenabhängigkeit und Struktur einer spätmittelalterlichen Lehrdichtung. Wiesbaden 2000 (Wissensliteratur im Mittelalter 35).

WEIMANN (1980) WEIMANN, BIRGITT: Die mittelalterlichen Handschriften der

Gruppe Manuscripta Germanica. Frankfurt am Main 1980 (Kataloge der Stadt- und Universitätsbibliothek Frankfurt am Main 5,IV).

WEITZMANN (1959) — WEITZMANN, KURT: Ancient Book Illumination. Cambridge (Mass.) 1959 (Martin Classical Lectures 16).

WELLER (1864–1885/1961) — WELLER, EMIL: Repertorium typographicum. Die deutsche Literatur im ersten Viertel des sechzehnten Jahrhunderts. Im Anschluß an Hains Repertorium und Panzers deutsche Annalen. Nördlingen 1864–1885 (2 Supplemente). Nachdruck Hildesheim 1961.

WETZEL (1994) — WETZEL, RENÉ: Deutsche Handschriften des Mittelalters in der Bodmeriana. Mit einem Beitrag von KARIN SCHNEIDER zum ehemaligen Kalocsa-Codex. Cologny-Genève 1994 (Bibliotheca Bodmeriana, Kataloge VII).

WEYMANN (1938) — WEYMANN, URSULA: Die Seusesche Mystik und ihre Wirkung auf die bildende Kunst. Inaugural-Dissertation Friedrich-Wilhelms-Universität zu Berlin 1938.

WICKERSHEIMER (1923) — WICKERSHEIMER, ERNEST: Catalogue général des manuscrits des bibliothèques publiques de France. Departments. Bd. XLVII. Strasbourg / Paris 1923.

The Year 1200 (1970) — The Year 1200 [Ausstellungskatalog New York, Metropolitan Museum of Art]. Hrsg. von KONRAD HOFFMANN und FLORENS DEUCHLER. New York 1970.

ZARNCKE (1856) — ZARNCKE, FRIEDRICH: Kaspar von der Roen. Germania 1 (1856), S. 53–63.

Zeit der Staufer (1977) — Die Zeit der Staufer. Geschichte – Kunst – Kultur [Ausstellungskatalog]. 5 Bde. Stuttgart 1977.

ZIEGLER (1983) — ZIEGLER, CHARLOTTE: Lokalisierungsprobleme bei Text und Ausstattung spätmittelalterlicher deutscher Handschriften. In: Beiträge zur Überlieferung und Beschreibung deutscher Texte des Mittelalters. Referate der 8. Arbeitstagung österreichischer Handschriften-Bearbeiter vom 25.–29.11.1981 in Rief bei Salzburg. Hrsg. von INGO REIFFENSTEIN. Göppingen 1983 (GAG 402), S. 179–194.

ZIEGLER (1988) — ZIEGLER, CHARLOTTE: Martinus Opifex, ein Hofmaler Friedrichs III. Wien 1988.

Zimelien (1975) — Zimelien. Abendländische Handschriften des Mittelalters aus den Sammlungen der Stiftung Preußischer Kulturbesitz Berlin [Ausstellungskatalog.]. Wiesbaden o.J. [1975].

ZIMMERMANN (2003) — Die Codices Palatini germanici in der Universitätsbibliothek Heidelberg (Cod. Pal. germ. 1–181) bearbeitet von KARIN ZIMMERMANN unter Mitwirkung von SONJA GLAUCH, MATTHIAS MILLER und ARMIN SCHLECHTER. Wiesbaden 2003 (Kataloge der Universitätsbibliothek Heidelberg 6).

Register

Die Stellenangaben der folgenden Register verweisen mit recte gesetzten Ziffern auf die laufende Nummer der Handschriftenbeschreibung im Katalog (z. B. 37.1.1.), mit kursiv gesetzten Ziffern auf die Seite im Katalog (z. B. *S. 248*). Im Register der Handschriften und im Register der Drucke finden sich zusätzlich Hinweise auf den Abbildungsteil (z. B. Taf. IIIa oder Abb. 99).

1. Handschriften

2. Drucke

3. Namen (Schreiber, Illustratoren, Auftraggeber, Besitzer)

4. Verfasser, anonyme Werke, Stoffe/Inhalte

5. Ikonographie, Buchschmuck

Nicht im Detail verschlagwortet wurden die Bildthemenlisten zum Eneas-Roman Heinrichs von Veldeke S. 90–97 (Nr. 31.0.1.–31.0.3.), zum ›Klosterneuburger Evangelienwerk‹ S. 125f. (Nr. 35.0.1.), S. 128–131 (Nr. 35.0.2.), S. 139–154 (35.0.5.) sowie die Konkordanzen zu Heinrich Seuses ›Exemplar‹ S. 164, zu Ulrich Boners ›Edelstein‹ S. 200–205 und zu Ulrichs von Pottenstein Cyrillusfabeln S. 278–281.

Verzeichnis der Tafeln und Abbildungen

Taf. XIII: 36.0.2. Einsiedeln, Stiftsbibliothek, Cod. 710 (322), 42^r. Heinrich Seuse, ›Das Exemplar‹: Maria und das Jesuskind geben dem *diener* zu trinken.
Taf. XIV: 36.0.4. Strasbourg, Bibliothèque nationale et universitaire, Ms. 2929, 109^v. Heinrich Seuse, ›Das Exemplar‹: Der *diener* vor dem Gekreuzigten und dem Jesuskind / Der *diener* zwischen dem Schmerzensmann und einem Engel, daneben zwei *lidende menschen*.
Taf. XV: 36.0.6. Wolfenbüttel, Herzog August Bibliothek, Cod. Guelf. 78. 5 Aug. 2°, 95^r (im Text- und Bildteil irrtümlich 39^v). Heinrich Seuse, ›Das Exemplar‹: Der *diener* wird von einem Engel empfangen, dazu musizierende Engel und Medaillon mit Gottvater und Maria.
Taf. XVI: 36.0.7. Wrocław, Biblioteka Kapitulna Katedralnej we Wrocławiu, Rkps. 46, 75^r. Heinrich Seuse, ›Das Exemplar‹: Heinrich Seuse wird von bösen Geistern gepeinigt.
Taf. XVII: 37.1.1. Augsburg, Universitätsbibliothek, Oettingen-Wallerstein Cod. I.3. 2° 3, 21^v. Ulrich Boner, ›Der Edelstein‹: König mit drei Untergebenen (Fabel 24. Königswahl der Athener).
Taf. XVIII: 37.1.2. Basel, Öffentliche Bibliothek der Universität, Cod. AN III 17, 17^v. Ulrich Boner, ›Der Edelstein‹: Drei Paare auf einer Bank sitzend (Fabel 58: Drei Römische Witwen).
Taf. XIX: 37.1.2. Basel, Öffentliche Bibliothek der Universität, Cod. AN III 17, 46^r. Ulrich Boner, ›Der Edelstein‹: Frosch und Maus am Boden und im Wasser / Frosch in den Klauen des Raben (Fabel 6. Frosch und Maus).
Taf. XX: 37.1.15. München, Bayerische Staatsbibliothek, Cgm 3974, 211^v. Ulrich Boner, ›Der Edelstein‹: Gelehrter kniet vor dem König (Fabel 94. Der Nigromant).
Taf. XXI: 37.1.20. Wolfenbüttel, Herzog August Bibliothek, Cod. Guelf. 2.4 Aug. 2°, 21^r. Ulrich Boner, ›Der Edelstein‹: König und Untergebene (Fabel 24. Königswahl der Athener) – Zwei Störche verspeisen Frösche, daneben eine Königsstatue (Fabel 25. Königswahl der Frösche).
Taf. XXIIa: 37.1.a. Bamberg: Albrecht Pfister, 1461 (Wolfenbüttel, Herzog August Bibliothek, 16.1 Eth. 2°), 19^r. Ulrich Boner, ›Der Edelstein‹: Ein Storch verspeist Frösche / Erzählerbild (Fabel 25. Königswahl der Frösche).
Taf. XXIIb: 37.1.23. Wolfenbüttel, Herzog August Bibliothek, Cod. Guelf. 76.3 Aug. 2°, 76^v. Ulrich Boner, ›Der Edelstein‹: Nackter Affe vor einem König, hinter ihm vier weitere Tiere (Fabel 79. Prahlender Affe).
Taf. XXIIIa: 37.1.11. Karlsruhe, Badische Landesbibliothek, Cod. Donaueschingen A III 53, 1^v. Ulrich Boner, ›Der Edelstein‹: Auf einem Steg nimmt ein Mann einem anderen mit Buckel und Gabel in der Hand den Hut ab (Fabel 76. Buckliger und Zöllner).
Taf. XXIIIb: 37.1.22. Wolfenbüttel, Herzog August Bibliothek, Cod. Guelf. 69.12 Aug. 2°, 95^v. Ulrich Boner, ›Der Edelstein‹: Sensenmann (Epilogillustration).
Taf. XXIVa: 37.1.3. Bern, Burgerbibliothek, Mss.h.h.X.49, S. 154. Ulrich Boner, ›Der Edelstein‹: Ein Mann liegt, von einem Bären überwältigt, am Boden, ein anderer klettert einen Baum hoch (Fabel 73. Zwei Gesellen und Bär).
Taf. XXIVb: 37.1.10. Heidelberg, Universitätsbibliothek, Cod. Pal. germ. 794, 64^r. Ulrich Boner, ›Der Edelstein‹: Ein unter einem Arkadenbogen sitzender Herr erschlägt eine Gans, die ein Ei hinter sich läßt (Fabel 80. Gans, die goldene Eier legt).
Taf. XXV: 37.2.3. Berlin, Staatsbibliothek zu Berlin – Preußischer Kulturbesitz, Ms. germ. fol. 641, 50^r. Ulrich von Pottenstein, Cyrillusfabeln, deutsch: Ein Mann und ein nackter Affe klettern am Schiffsmast hoch, ein Rabe fliegt hinzu (Fabel II,6. Affe am Schiffsmast und Rabe / Affe auf dem Thron und Fuchs).

Taf. XXVIa: 37.2.7. London, The British Library, Ms. Egerton 1121, 97^{v}. Ulrich von Pottenstein, Cyrillusfabeln, deutsch: Krokodilartiges Reptil beißt Vogel, Rabe schaut zu (Fabel III,3. Freßgieriger Cocodrillus und Scrophilus).

Taf. XXVIb: 37.2.7. London, The British Library, Ms. Egerton 1121, 122^{r}. Ulrich von Pottenstein, Cyrillusfabeln, deutsch: Ein Gestirn mit goldenen und eines mit schwarzen Strahlen stehen sich gegenüber (Fabel III,22. Tag und sich beschwerende Nacht).

Taf. XXVIIa: 37.2.10. München, Bayerische Staatsbibliothek, Cgm 254, 18^{v}. Ulrich von Pottenstein, Cyrillusfabeln, deutsch: Ein Lamm liegt, von einem Bären überwältigt, blutend am Boden, im Baum darüber eine Taube (Fabel I,22. Taube belehrt Bär, der ein Lamm quält).

Taf. XXVIIb: 37.2.10. München, Bayerische Staatsbibliothek, Cgm 254, 32^{r}. Ulrich von Pottenstein, Cyrillusfabeln, deutsch: Fuchs und Hirschkuh im Gespräch, dahinter Hirsch (Fabel II,11. Hirsch rät Hirschkuh von Hörnern ab / Bär, der Hörner haben wollte).

Taf. XXVIIIa: 37.2.9. Melk, Stiftsbibliothek, Cod. mell. 551, 24^{v}. Ulrich von Pottenstein, Cyrillusfabeln, deutsch: Fuchs und Schlange, sich im Gespräch gegenüberstehend; Fuchs beißt Schlange (Fabel I,23. Fuchs und Schlange).

Taf. XXVIIIb: 37.2.2. Berlin, Staatsbibliothek zu Berlin – Preußischer Kulturbesitz, Ms. germ. fol. 459, 40^{r}. Ulrich von Pottenstein, Cyrillusfabeln, deutsch: Löwe in Begleitung eines Fuchses spricht mit einer Maus (Fabel I,18. Löwe, Fuchs und Maus).

Taf. XXIXa: 37.2.6. ehem. Konstanz, Privatbesitz, 41^{v}. Ulrich von Pottenstein, Cyrillusfabeln, deutsch: Fuchs und im Baum sitzender Hahn im Gespräch; Fuchs beißt den Kopf des sich hinunterbeugenden Hahns (Fabel II,15. Hahn und schmeichelnder Fuchs).

Taf. XXIXb: 37.2.12. München, Bayerische Staatsbibliothek, Cgm 583, 1^{r}. Ulrich von Pottenstein, Cyrillusfabeln, deutsch: Auffliegender Rabe und Fuchs gegenüber (Fabel I,1. Fuchs und Rabe).

Taf. XXX: 37.2.11. München, Bayerische Staatsbibliothek, Cgm 340, 16^{r}. Ulrich von Pottenstein, Cyrillusfabeln, deutsch: Fuchs und Schlange, sich im Gespräch gegenüberstehend; Fuchs beißt Schlange (Fabel I,23. Fuchs und Schlange).

Taf. XXXI: 37.2.14. New Haven, Yale University, Beinecke Rare Book and Manuscript Library, MS 653, 190^{v}. Ulrich von Pottenstein, Cyrillusfabeln, deutsch: Fuchs beißt Schlange, diese wiederum beißt dem Fuchs ins Bein (Fabel I,23. Fuchs und Schlange).

Taf. XXXIIa: 37.2.14. New Haven, Yale University, Beinecke Rare Book and Manuscript Library, MS 653, 191^{r}. Ulrich von Pottenstein, Cyrillusfabeln, deutsch: Fuchs, aufrecht stehend mit Pilgerhut, -tasche und -stab, ihm gegenüber vier Vierbeiner (Fabel I,24. Fuchs als Pilger mit Tieren).

Taf. XXXIIb: 37.2.15. Princeton, Princeton University, Firestone-Library, Cotsen Children's Library (CTSN) 40765, 24^{r}. Ulrich von Pottenstein, Cyrillusfabeln, deutsch: Mann klettert, von Affe und Rabe beäugt, am Mastbaum hoch; Fuchs hockt vor Affe auf Thronstuhl (Fabel II,6. Affe am Schiffsmast und Rabe / Affe auf dem Thron und Fuchs).

Abb. 1: 27.0.5. Würzburg, Universitätsbibliothek, M. ch. f. 690, 64va. Hugo Ripelin von Straßburg, ›Compendium theologicae veritatis‹: Kain als Bauer / Fegefeuer und Höllenschlund (historisierte Initiale zu Buch 3).
Abb. 2: 27.0.4. München, Bayerische Staatsbibliothek, Cgm 5950, 274^{r}. Hugo Ripelin von Straßburg, ›Compendium theologicae veritatis‹: Zierinitiale zu Buch 7.
Abb. 3: 27.0.3. Karlsruhe, Badische Landesbibliothek, Cod. Donaueschingen 120, S. 4. Hugo Ripelin von Straßburg, ›Compendium theologicae veritatis‹: Bischof Eucharius erweckt Maternus von den Toten.
Abb. 4: 27.0.3. Karlsruhe, Badische Landesbibliothek, Cod. Donaueschingen 120, S. 92. Hugo Ripelin von Straßburg, ›Compendium theologicae veritatis‹: Christus in Zeigegestus zwischen Blume und Erdbeerstaude.
Abb. 5: 27a.0.1. New York, The Morgan Library, MS M. 1045, 237^{v}. Ulrich von Lilienfeld, ›Concordantiae caritatis‹: Märtyrertod, umgeben von vier Prophetenhalbfiguren, darunter apokalyptischer Reiter / Ermordung Gedaljas (Godolias) als Antitypen, Vogel Strauß / Blut in Salz gießen als Naturbeispiele.
Abb. 6: 28.0.1. Kraków, Biblioteka Jagiellońska, Ms. Berol. germ. quart. 1340, 170^{r}. Der Stricker, ›Daniel von dem blühenden Tal‹: Daniel glänzt im Ritterturnier; Damen schauen zu.
Abb. 7: 28.0.1. Kraków, Biblioteka Jagiellońska, Ms. Berol. germ. quart. 1340, $52b^{v}$. Der Stricker, ›Daniel von dem blühenden Tal‹: Der Riese kommt zu König Artus.
Abb. 8: 28.0.1. Kraków, Biblioteka Jagiellońska, Ms. Berol. germ. quart. 1340, 62^{r}. Der Stricker, ›Daniel von dem blühenden Tal‹: König Artus berät sich mit seinen Rittern.
Abb. 9: 29.1.2. Dresden, Sächsische Landesbibliothek – Staats- und Universitätsbibliothek, Mscr.Dresd.M.201, 91^{v}. ›Eckenlied‹: Schwertkampf zwischen Dietrich und dem Riesen Ecke.
Abb. 10: 29.1.a. [Augsburg: Hans Schaur(?), ca. 1491] (München, Bayerische Staatsbibliothek, 8 Inc.s.a. 95a), M_1^{v}/M_8^{r}, M_2^{r}/M_7^{v}. ›Eckenlied‹: Druckfragment. Zusammenhängende Blätter 1, 4, 5 und 8 der Lage M mit drei Holzschnitten.
Abb. 11: 29.1.d. Straßburg: Matthias Hupfuff, 1503 (Zwickau, Ratsschulbibliothek, 30.5.20a), C_1^{r}. ›Eckenlied‹: Zweikampf.
Abb. 12: 29.1.h. Straßburg: Christian Müller, 1559 (Berlin, Staatsbibliothek zu Berlin – Preußischer Kulturbesitz, Yf 7864R), a_1^{r}. ›Eckenlied‹: Ecke zieht zu Fuß aus, um mit Dietrich zu kämpfen, die drei Königinnen schauen ihm nach.
Abb. 13: 29.1.k. Augsburg, Hans Zimmermann, [um 1566] (Stuttgart, Württembergische Landesbibliothek, Dt. D. 8° 2084), B_4^{r}. ›Eckenlied‹. Ecke in Bern.
Abb. 14: 29.2.e. Nürnberg, Kunigunde Hergotin, [zwischen 1524 und 1538] (Zwickau, Ratsschulbibliothek, 30.5.22(32)), Titelblatt. ›Hildebrandslied‹: Schwertkampf zweier Recken.
Abb. 15: 29.2.h. Nürnberg: Friedrich Gutknecht, [zwischen 1548 und 1584] (Berlin, Staatsbibliothek zu Berlin – Preußischer Kulturbesitz, Yf 8209), Titelblatt. ›Hildebrandslied‹: Schwertkampf zweier Recken.
Abb. 16: 29.2.i. Nürnberg: Friedrich Gutknecht, [zwischen 1548 und 1584] (Berlin, Staatsbibliothek zu Berlin – Preußischer Kulturbesitz, Yf 8211), Titelblatt. ›Hildebrandslied‹: Ein Ritter nimmt Abschied von einer Dame.
Abb. 17: 29.2.1. Dresden, Sächsische Landesbibliothek – Staats- und Universitätsbibliothek, Mscr.Dresd.M.201, 344^{v}. ›Hildebrandslied‹: Hildebrand erkennt Alebrant, nachdem er ihn besiegt hat.

Abb. 18: 29.3.1. Dresden, Sächsische Landesbibliothek – Staats- und Universitätsbibliothek, Mscr.Dresd.M.201, 276^v. ›Laurin‹: Schwertkampf Dietrichs mit Laurin.
Abb. 19: 29.3.a. [Straßburg: Johann Prüss, um 1479] (Darmstadt, Universitäts- und Landesbibliothek, Inc. III,27), 256^v. ›Laurin‹: Zwei Ritter im Rosengarten, König Laurin naht.
Abb. 20: 29.3.b. Augsburg, Johann Schönsperger, 1491 (München, Bayerische Staatsbibliothek, 2 Inc. c.a. 2575), 187^r. ›Laurin‹: Zwei Ritter im Rosengarten, König Laurin naht.
Abb. 21: 29.3.a. [Straßburg: Johann Prüss, um 1479] (Darmstadt, Universitäts- und Landesbibliothek, Inc. III,27), 278^r. ›Laurin‹: Die Zwerge holen die Riesen zu Hilfe.
Abb. 22: 29.3.b. Augsburg, Johann Schönsperger, 1491 (München, Bayerische Staatsbibliothek, 2 Inc. c.a. 2575), 203^v. ›Laurin‹: Schwertkampf Dietrichs gegen die Zwerge / Die Zwerge holen die Riesen zu Hilfe.
Abb. 23: 29.3.c. Straßburg: Matthias Hupfuff, 1500 (Berlin, Staatsbibliothek zu Berlin – Preußischer Kulturbesitz, Inc. 2543), c_6^r. ›Laurin‹: Bergung eines verletzten Recken.
Abb. 24: 29.3.f. Augsburg: [Hans Froschauer], 1513 (Österreichische Nationalbibliothek, 58 V 34). ›Laurin‹: Ausritt zweier Recken.
Abb. 25: 29.3.g. [Augsburg: Heinrich Steiner], 1545 (München, Bayerische Staatsbibliothek, Rar. 2173), J_6^v. ›Laurin‹: Ein Zwerg führt drei Recken ins Gebirge.
Abb. 26: 29.3.e. Hagenau: Heinrich Gran für Johann Knobloch in Straßburg, 1509 (München, Bayerische Staatsbibliothek, Rar. 2174), H_4^v. ›Laurin‹: Zwei Ritter im Rosengarten, König Laurin naht.
Abb. 27: 29.4A.1. Dresden, Sächsische Landesbibliothek – Staats- und Universitätsbibliothek, Mscr.Dresd.M.201, 151^v. ›Rosengarten zu Worms‹: Schwertkampf zweier Riesen, im Hintergrund Kriemhild mit Siegerkranz.
Abb. 28: 29.4A.2. Heidelberg, Universitätsbibliothek, Cod. Pal. germ. 359, 61^r. ›Rosengarten zu Worms‹: Kriemhild und eine andere Jungfrau belohnen zwei Turniersieger mit Kranz und Kuß.
Abb. 29: 29.4A.a. [Straßburg: Johann Prüss, um 1479] (Darmstadt, Universitäts- und Landesbibliothek, Inc. III, 27), 216^v. ›Rosengarten zu Worms‹: Fürstin und zwei Liebespaare im Garten (gemeint: Kriemhild und weitere Jungfrauen mit Turniersiegern).
Abb. 30: 29.4A.b. Augsburg: Johann Schönsperger, 1491 (München, Bayerische Staatsbibliothek, 2 Inc. c.a. 2575), 159^r. ›Rosengarten zu Worms‹: Kriemhild und zwei weitere Jungfrauen mit Turniersiegern im Garten.
Abb. 31: 29.4A.a. [Straßburg: Johann Prüss, um 1479] (Darmstadt, Universitäts- und Landesbibliothek, Inc. III, 27), 241^r. ›Rosengarten zu Worms‹: Zweikampf zwischen Wittich und dem Riesen Asperian.
Abb. 32: 29.4A.b. Augsburg: Johann Schönsperger, 1491 (München, Bayerische Staatsbibliothek, 2 Inc. c.a. 2575), 176^v. ›Rosengarten zu Worms‹: Kampf zwischen Wittich und dem Riesen Asperian.
Abb. 33: 29.4A.c. Hagenau: Heinrich Gran für Johann Knobloch in Straßburg, 1509 (München, Bayerische Staatsbibliothek, Rar. 2174), C_3^v. ›Rosengarten zu Worms‹: Kriemhild und zwei weitere Jungfrauen mit Turniersiegern im Garten.
Abb. 34: 29.4A.c. Hagenau: Heinrich Gran für Johann Knobloch in Straßburg, 1509 (München, Bayerische Staatsbibliothek, Rar. 2174), F_4^v. ›Rosengarten zu Worms‹: Kampf zwischen Wittich und dem Riesen Asperian.
Abb. 35: 29.4A.d. [Augsburg: Heinrich Steiner], 1535 (München, Bayerische Staatsbiblio-

thek, Rar. 2173), G_4^v. ›Rosengarten zu Worms‹: Kampf zwischen Mönch Ilsan und dem Ritterheer.

Abb. 36: 29.4A.d. [Augsburg: Heinrich Steiner], 1535 (München, Bayerische Staatsbibliothek, Rar. 2173), C_1^v. ›Rosengarten zu Worms‹: Liebesgartenmotiv (gemeint: Kriemhild und zwei weitere Jungfrauen mit Turniersiegern).

Abb. 37: 29.4A.e. Frankfurt a. M.: Weigand Han und Sigmund Feyerabend, 1560 (München, Bayerische Staatsbibliothek, Rar. 2293), 143^r. ›Rosengarten zu Worms‹: Liebesgartenmotiv (gemeint: Kriemhild mit Turniersieger).

Abb. 38: 29.4B.1. Berlin, Staatsbibliothek zu Berlin – Preußischer Kulturbesitz, Ms. germ. fol. 800, 5^r. ›Rosengarten-Spiel‹: Hildebrand im Gespräch mit Heime.

Abb. 39: 29.4B.1. Berlin, Staatsbibliothek zu Berlin – Preußischer Kulturbesitz, Ms. germ. fol. 800, 5^v. ›Rosengarten-Spiel‹: Heime schlägt Schrutan mit dem Schwert nieder.

Abb. 40: 29.5.2. Heidelberg, Universitätsbibliothek, Cod. Pal. germ. 67, 2^r. ›Sigenot‹: Der greise Hildebrand und der jugendliche Dietrich im Gespräch auf einer Steinbank sitzend.

Abb. 41: 29.5.2. Heidelberg, Universitätsbibliothek, Cod. Pal. germ. 67, 81^r. ›Sigenot‹: Sigenot in vollem Harnisch aufrecht neben dem gekrümmt am Boden liegenden, barhäuptigen Hildebrand in einem Innenraum mit Musikinstrumenten an der Wand.

Abb. 42: 29.5.1. Dresden, Sächsische Landesbibliothek – Staats- und Universitätsbibliothek, Mscr.Dresd.M.201, 200^v. ›Sigenot‹: Zweikampf eines Recken (Dietrich oder Hildebrand?) mit Sigenot.

Abb. 43: 29.5.a. [Augsburg: Johann Bämler, um 1487] (München, Bayerische Staatsbibliothek, Rar. 317, einseitig bedrucktes Probedruckfragment). ›Sigenot‹: rechts Schwertkampf Dietrichs mit dem Riesen / links Dietrich zertritt den Schild des Riesen.

Abb. 44: 29.5.i. Nürnberg: Jobst Gutknecht, 1521 (Stanford, University Libraries, KB 1521 S 51), B_6^v. ›Sigenot‹: Der Riese trägt Hildebrand heim.

Abb. 45: 29.5.b. Heidelberg: Heinrich Knoblochtzer, 1490 (Berlin, Staatsbibliothek zu Berlin – Preußischer Kulturbesitz, Inc. 1200), a_3^{ra}. ›Sigenot‹: Hildebrand stattet Dietrich mit Harnisch aus.

Abb. 46: 29.5.m. Straßburg: Jakob Frölich, 1554 (München, Bayerische Staatsbibliothek, Rar. 4705), B_1^r. ›Sigenot‹: Dietrich begegnet dem Wilden Mann mit dem gefangenen Zwerg auf dem Rücken.

Abb. 47: 29.5.m. Straßburg: Jakob Frölich, 1554 (München, Bayerische Staatsbibliothek, Rar. 4705), A_1^r. ›Sigenot‹: Rückkehr des Helden.

Abb. 48: 29.5.r. (im Bildteil irrtümlich 29.5.q.) Straßburg: Christian Müller d. J., 1577 (Wien, Österreichische Nationalbibliothek, 22.855 A), A_1^r. ›Sigenot‹: Rückkehr des Helden.

Abb. 49: 29.5.2. Heidelberg, Universitätsbibliothek, Cod. Pal. germ. 324, 51^r. ›Sigenot‹: Dietrich kämpft mit einem Drachen, Hildebrand und Rentwin schauen zu.

Abb. 50: 29.6.3. Wien, Österreichische Nationalbibliothek, Cod. 15478, 1^v. ›Virginal‹: Begegnung Dietrichs mit einem Heiden, Königin Virginal im Redegestus im Vordergrund und vor einer Höhle sitzend im Hintergrund.

Abb. 51: 29.7.1. Dresden, Sächsische Landesbibliothek – Staats- und Universitätsbibliothek, Mscr.Dresd.M.201, 240^v. ›Der Wunderer‹: Schwertkampf Dietrichs mit dem Riesen Wunderer.

Abb. 52: 29.7.a. (im Text irrtümlich 26.7.a.) Straßburg: [Bartholomäus Kistler], 1503 (Paris, Bibliothèque de l'Institut de France, 8° NS 23.536), A_1^r. ›Der Wunderer‹: Ein junger Recke naht sich mit einem auf sein Schwert gespießten Kopf einem Kampfschauplatz.

Abb. 53: 31.0.1. Berlin, Staatsbibliothek zu Berlin – Preußischer Kulturbesitz, Ms. germ. fol. 282, 62^{v}. Heinrich von Veldeke, ›Eneas-Roman‹: Grabmal der Camilla.

Abb. 54: 31.0.2. Heidelberg, Universitätsbibliothek, Cod. Pal. germ. 403, 57^{r}. Heinrich von Veldeke, ›Eneas-Roman‹: Eneas mit Gefolge am Eingang zur Unterwelt.

Abb. 55: 31.0.2. Heidelberg, Universitätsbibliothek, Cod. Pal. germ. 403, 194^{r}. Heinrich von Veldeke, ›Eneas-Roman‹: Beisetzung Camillas.

Abb. 56: 31.0.3. Wien, Österreichische Nationalbibliothek, Cod. 2861, 39^{v}/40^{r}. Heinrich von Veldeke, ›Eneas-Roman‹: Ascanius trifft den zahmen Hirsch / Flucht des sterbenden Hirschen zur Burg des Tyrrhus / Ascanius sieht zu, wie die Tyrrhäer einen seiner Jagdgenossen töten / Ascanius tötet Tyrrhus' Sohn.

Abb. 57: 31.0.3. Wien, Österreichische Nationalbibliothek, Cod. 2861, 79^{v}. Heinrich von Veldeke, ›Eneas-Roman‹: Turnus geleitet den Sarg der Camilla / Grabmal der Camilla.

Abb. 58: 34.0.1. Kraków, Biblioteka Jagiellońska, Ms. Berol. germ. quart. 1412, 11^{r}. ›Die Erlösung‹: Thronender Antichrist, umgeben von Gefolgsleuten.

Abb. 59: 34.0.1. Kraków, Biblioteka Jagiellońska, Ms. Berol. germ. quart. 1412, 7^{v}. ›Die Erlösung‹: Christus erscheint dem ungläubigen Thomas.

Abb. 60: 34.0.2. Nürnberg, Stadtbibliothek, Solg. Ms. 15. 2°, 143va. ›Die Erlösung‹: Geburt des Antichrists.

Abb. 61: 35.0.1. Göttweig, Stiftsbibliothek, Cod. 222 (rot), 198 (schwarz), 342^{r}. ›Klosterneuburger Evangelienwerk‹: Blut vom Lamm Gottes fließt in einen Altarkelch (Randzeichnung zur S-Initiale).

Abb. 62: 35.0.1. Göttweig, Stiftsbibliothek, Cod. 222 (rot), 198 (schwarz), 41va. ›Klosterneuburger Evangelienwerk‹: Maria mit Kind auf einem Esel (Randzeichnung zur D-Initiale).

Abb. 63: 35.0.2. Klosterneuburg, Bibliothek des Augustiner-Chorherrenstifts, CCl 4, 22^{r}. ›Klosterneuburger Evangelienwerk‹: Mariae Verkündigung (historisierte I-Initiale).

Abb. 64: 35.0.2. Klosterneuburg, Bibliothek des Augustiner-Chorherrenstifts, CCl 4, 21^{r}. ›Klosterneuburger Evangelienwerk‹: Prophet Jesaja (historisierte L-Initiale).

Abb. 65: 35.0.2. Klosterneuburg, Bibliothek des Augustiner-Chorherrenstifts, CCl 4, 116^{v} (richtig für 116^{r}, vgl. S. 132). ›Klosterneuburger Evangelienwerk‹: Jesus spricht von einer Kanzel (historisierte U-Initiale).

Abb. 66: 35.0.4. Ehem. Neiße, Gymnasium Carolinum, Ms. A VIII.9, 396^{v} (Photo Nr. 88) ›Klosterneuburger Evangelienwerk‹: Juden werden von den Mauern Jerusalems hinabgeworfen.

Abb. 67: 35.0.4. Ehem. Neiße, Gymnasium Carolinum, Ms. A VIII.9, 64^{v} (Photo Nr. 4 und 67063). ›Klosterneuburger Evangelienwerk‹: Die Frau des Räubers badet das Jesuskind, daneben Maria und Josef sowie Ochs und Esel bei der Rast.

Abb. 68: 35.0.4. Ehem. Neiße, Gymnasium Carolinum, Ms. A VIII.9, 120^{v} (Photo Dolch) ›Klosterneuburger Evangelienwerk‹: Jesus spricht in Karfanaum zu den Juden.

Abb. 69: 35.0.5. Schaffhausen, Stadtbibliothek, Cod. Gen. 8, 21^{v} + 22^{r}. ›Klosterneuburger Evangelienwerk‹: Die Frau des Räubers badet das Jesuskind, daneben Maria und Josef sowie Ochs und Esel in der Rast / Der heiligen Familie wird andernorts die Herberge verweigert.

Abb. 70: 35.0.5. Schaffhausen, Stadtbibliothek, Cod. Gen. 8, 6^{v}. ›Klosterneuburger Evangelienwerk‹: Jakob, thronend.

Abb. 71: 35.0.5. Schaffhausen, Stadtbibliothek, Cod. Gen. 8, 29^{r}. ›Klosterneuburger Evangelienwerk‹: Der zwölfjährige Jesus im Tempel / Maria und Josef führen Jesus heim (Medaillon).

Abb. 72: 36.0.2. Einsiedeln, Stiftsbibliothek, Cod. 710 (322), 89^{r}. Heinrich Seuse, ›Das Exemplar‹: Der *diener*, seine geistliche Tochter und weitere Verehrer des Namens Jesu unter dem Schutzmantel der Ewigen Weisheit.
Abb. 73: 36.0.2. Einsiedeln, Stiftsbibliothek, Cod. 710 (322), 48^{r}. Heinrich Seuse, ›Das Exemplar‹: Seuse mit Engel im Kreise seiner Brüder.
Abb. 74: 36.0.6. Wolfenbüttel, Herzog August Bibliothek, Cod. Guelf. 78. 5 Aug. 2°, 39^{v} (im Text- und Bildteil irrtümlich 95^{r}). Heinrich Seuse, ›Das Exemplar‹: Anna und der Engel.
Abb. 75: 36.0.6. Wolfenbüttel, Herzog August Bibliothek, Cod. Guelf. 78. 5 Aug. 2°, 88^{r}. Heinrich Seuse, ›Das Exemplar‹: Der *diener*, von einem Engel geführt, kniet vor Maria mit dem Jesuskind.
Abb. 76: 36.0.4. Strasbourg, Bibliothèque nationale et universitaire, Ms. 2929, 22^{r}. Heinrich Seuse, ›Das Exemplar‹: Maria und das Jesuskind geben dem *diener* zu trinken.
Abb. 77: 36.0.4. Strasbourg, Bibliothèque nationale et universitaire, Ms. 2929, 28^{v}. Heinrich Seuse, ›Das Exemplar‹: Seuse mit Engel im Kreise seiner Brüder, Anna und der Engel.
Abb. 78: 36.0.4. Strasbourg, Bibliothèque nationale et universitaire, Ms. 2929, 7^{r}. Heinrich Seuse, ›Das Exemplar‹: IHS-Monogramm.
Abb. 79: 36.0.4. Strasbourg, Bibliothèque nationale et universitaire, Ms. 2929, 67^{r}. Heinrich Seuse, ›Das Exemplar‹: Der *diener* empfängt von Engeln himmlische Tröstung; der *diener* wird mit den Ritterinsignien belehnt.
Abb. 80: 36.0.4. Strasbourg, Bibliothèque nationale et universitaire, Ms. 2929, 82^{r}. Heinrich Seuse, ›Das Exemplar‹: Der mystische Weg.
Abb. 81: 36.0.3. Paris, Bibliothèque nationale de France, ms. allem. 222, 123^{v}. Heinrich Seuse, ›Das Exemplar‹: Der mystische Weg.
Abb. 82: 36.0.3. Paris, Bibliothèque nationale de France, ms. allem. 222, 124^{v}. Heinrich Seuse, ›Das Exemplar‹: Der Teufel greift ein Ehepaar an, unten zwei *lidende menschen*.
Abb. 83: 36.0.5. Stuttgart, Württembergische Landesbibliothek, HB I 15, 1^{v}. Heinrich Seuse, ›Das Exemplar‹: Leerraum für das erste Bild.
Abb. 84: 36.0.7. Wrocław, Biblioteka Kapitulna Katedralnej we Wrocławiu, Rkps. 46, 9^{v}. Heinrich Seuse, ›Das Exemplar‹: Maria mit Kind auf dem Schoß des *diener*s, der auf einem von zwei Engelssäulen flankierten Podest sitzt.
Abb. 85: 36.0.7. Wrocław, Biblioteka Kapitulna Katedralnej we Wrocławiu, Rkps. 46, 87^{r}. Heinrich Seuse, ›Das Exemplar‹: Der *diener* kniet vor dem Gekreuzigten in Seraphengestalt.
Abb. 86: 36.0.1. Berlin, Staatsbibliothek zu Berlin – Preußischer Kulturbesitz, Ms. germ. fol. 658, 156^{r}. Heinrich Seuse, ›Das Exemplar‹: Der *diener* kniet vor dem Gekreuzigten in Seraphingestalt.
Abb. 87: 36.0.1. Berlin, Staatsbibliothek zu Berlin – Preußischer Kulturbesitz, Ms. germ. fol. 658, 203^{r}. Heinrich Seuse, ›Das Exemplar‹: Der *diener* vor dem Gekreuzigten und dem Jesuskind / Der *diener* zwischen Schmerzensmann und Engel.
Abb. 88: 36.0.a. Augsburg: Anton Sorg, 1482 (Stuttgart, Württembergische Landesbibliothek, Inc. fol. 15188b), 108^{v}. Heinrich Seuse, ›Das Exemplar‹: Der mystische Weg.
Abb. 89: 36.0.b. Augsburg: Johann Otmar für Johann Rynmann, 1512 (München, Bayerische Staatsbibliothek, 2 P. Lat. 1430a), N_1^{r}. Heinrich Seuse, ›Das Exemplar‹: Der mystische Weg.
Abb. 90: 37.1.5. Dresden, Sächsische Landesbibliothek – Staats- und Universitätsbibliothek, Mscr.Dresd.M. 67, 128ra. Ulrich Boner, ›Der Edelstein‹: Innerhalb einer Stadtmauer

treibt ein Mann einen Esel umher, der ein Eselsfell auf dem Rücken trägt (Fabel 53. Geschundener Esel).

Abb. 91: 37.1.9. Heidelberg, Universitätsbibliothek, Cod. Pal. germ. 314, 22rb. Ulrich Boner, ›Der Edelstein‹: Affe mit Fanfare und heraldischer Adler, dazu weitere Tiere (Fabel 44. Streit der Tiere und Vögel).

Abb. 92: 37.1.1. Augsburg, Universitätsbibliothek, Oettingen-Wallerstein Cod. I.3. 2° 3, 90^{v}. Ulrich Boner, ›Der Edelstein‹: Drei Jünglinge am Bett eines Sterbenden (Fabel 89. Esel und drei Brüder).

Abb. 93: 37.1.3. Bern, Burgerbibliothek, Mss. h.h.X.49, S. 190. Ulrich Boner, ›Der Edelstein‹: König mit Edelstein in der erhobenen Hand, im Gespräch mit zwei Männern (Fabel 87. Edelstein des Kaisers).

Abb. 94: 37.1.6. Frankfurt, Universitätsbibliothek Johann Christian Senckenberg, Ms. germ. qu. 6, 204^{r}. Ulrich Boner, ›Der Edelstein‹: Fuchs unter einem Baum mit Adlernest (Fabel 16. Fuchs und Adler).

Abb. 95: 37.1.8. Heidelberg, Universitätsbibliothek, Cod. Pal. germ. 86, 9^{v}. Ulrich Boner, ›Der Edelstein‹: Löwe und drei weitere Vierbeiner stehen um ein erlegtes Tier herum (Fabel 8. Löwenanteil).

Abb. 96: 37.1.17. St. Gallen, Stiftsbibliothek, Cod. Sang. 643, S. 53. Ulrich Boner, ›Der Edelstein‹: Drei Damen mit Rosenkränzen in Händen auf einem Turm (Fabel 58. Drei Römische Witwen).

Abb. 97: 37.1.19. Wien, Österreichische Nationalbibliothek, Cod. 2933, 34^{v}. Ulrich Boner, ›Der Edelstein‹: Eine Bremse fliegt einem von einem Mann angetriebenen pferdeartigen Zugtier entgegen (Fabel 40. Maulesel und Bremse).

Abb. 98: 37.1.16. München, Bayerische Staatsbibliothek, Clm 4409, 109^{v}. Ulrich Boner, ›Der Edelstein‹: Esel, Ochse und Schwein um einen am Boden liegenden Löwen (Fabel 19. Alt gewordener Löwe).

Abb. 99: 37.1.14. München, Bayerische Staatsbibliothek, Cgm 576, 10^{v}. Ulrich Boner, ›Der Edelstein‹: Ein Wolf verschlingt den Kopf eines kurzbeinigen Kranichs (Fabel 11. Wolf und Kranich).

Abb. 100: 37.1.15. München, Bayerische Staatsbibliothek, Cgm 3974, 166^{v}–167^{r}. Ulrich Boner, ›Der Edelstein‹: Ein Hirte verarztet die Tatze eines aufrecht stehenden Löwen, grasende Schafe daneben (Fabel 47. Löwe und Hirte).

Abb. 101: 37.1.23. Wolfenbüttel, Herzog August Bibliothek, 76.3 Aug. 2°, 105^{v}–106^{r}. Autonome Bildseiten: Adler (?) mit Kreuznimbus auf gedecktem Tisch / Mensch oder Affe mit Spiegel (?) auf einem Bett sitzend.

Abb. 102: 37.2.3. Berlin, Staatsbibliothek zu Berlin – Preußischer Kulturbesitz, Ms. germ. fol. 641, 56^{r}. Ulrich von Pottenstein, Cyrillusfabeln, deutsch: Junger Mann und Gelehrter im Gespräch (Fabel II,10. Herrschsüchtige Begierde und Verständigkeit).

Abb. 103: 37.2.9. Melk, Stiftsbibliothek, Cod. mell. 551, 73^{r}. Ulrich von Pottenstein, Cyrillusfabeln, deutsch: Maulwurf, auf einem Hügel sitzend, und Gesicht Christi in einem Nebel (Fabel III,2. Maulwurf, sich über mangelnde Sehkraft beklagend, und Natur).

Abb. 104: 37.2.4. Eger, Föegyházmagyei Könyvtár (Erzdiözesanbibliothek), Cod. U^{2} III.3, 62^{v}. Ulrich von Pottenstein, Cyrillusfabeln, deutsch: Aufbäumendes Einhorn, von einem Raben beäugt; am Boden liegendes Einhorn mit zerstörtem Horn, zu dem der Rabe hinabfliegt (Fabel II,18. Rabe und überhebliches Einhorn).

Abb. 105: 37.2.16. Schlägl, Stiftsbibliothek, Cpl 93, 108^{r}. Ulrich von Pottenstein, Cyrillusfabeln, deutsch: Adler, mit ausgebreiteten Flügeln in der Luft stehend, und in Flammen sitzender, mit den Flügeln flatternder Vogel (Fabel III,25. Adler und im Feuer sitzender Phönix).

Abb. 106: 37.2.11. München, Bayerische Staatsbibliothek, Cgm 340, 67^r^. Ulrich von Pottenstein, Cyrillusfabeln, deutsch: Maulwurf, auf einem Hügel sitzend, und Gesicht Christi in Wolken (Fabel III,2. Maulwurf, sich über mangelnde Sehkraft beklagend, und Natur).

Abb. 107: 37.2.6. ehem. Konstanz, Privatbesitz, 46^v^. Ulrich von Pottenstein, Cyrillusfabeln, deutsch: Aufrecht stehender Affe und Fuchs im Gegenüber, dazu je zwei Tauben und Hühner (Fabel II,20. Selbstgefälliger Fuchs und nackter Affe).

Abb. 108: 37.2.6. ehem. Konstanz, Privatbesitz, 47^r^. Ulrich von Pottenstein, Cyrillusfabeln, deutsch: Igel zu Füßen eines sich abwendenden Pfaus (Fabel II,21. Überheblicher Pfau und Igel).

Abb. 109: 37.2.14. New Haven, Yale University, Beinecke Rare Book and Manuscript Library, MS 653, 201^r^. Ulrich von Pottenstein, Cyrillusfabeln, deutsch: Geharnischter Ritter zwischen Pferd mit flammender Mähne und luntenartigem Horn auf der Stirn und Maulesel (Fabel II,6. Kühnes Streitroß und Maulesel).

Abb. 110: 37.2.15. Princeton, Princeton University, Firestone-Library, Cotsen Children's Library (CTSN) 40765, 63^r^. Ulrich von Pottenstein, Cyrillusfabeln, deutsch: Pfau mit gespreiztem Rad vor einer sich ringelnden Natter (Fabel III,26. Gebärende Natter).

Abb. 111: 37.2.a. Augsburg: Anton Sorg, 1490 (München, Bayerische Staatsbibliothek, 2 Inc. c.a. 2397), 7va. Ulrich von Pottenstein, Cyrillusfabeln, deutsch: Fliege und Spinne im Spinnennetz (Fabel I,6. Unvorsichtige Fliege und Spinne).

Abb. 112: 37.2.a. Augsburg: Anton Sorg, 1490 (München, Bayerische Staatsbibliothek, 2 Inc. c.a. 2397), 23ra. Ulrich von Pottenstein, Cyrillusfabeln, deutsch: Sähmann, Weizenkörner ausstreuend (Fabel I,21. Keimendes Weizenkorn und Stein).

Abb. 113: 37.3.1. Leipzig, Universitätsbibliothek, Cod. Rep. IV. fol. 6, 29^r^. 37.3.1. Cyrillusfabeln, anonyme Übersetzung: Antlitz Christi (historisierte Eingangsinitiale).

TAFELN UND ABBILDUNGEN

Der gůtem rat nit volgen wil
wer mag ob es im misse gat
In allen dingen gůter rat
Ist gůt der dem gefolgen kan
Es seien frawen oder man
Wer mit gůtem rat tůt
Daz er tun sol das wurt im gůt
Die gar ze sicher wollend wesen
Die mugend etwen kum genesen
Also ist den vogelein geschehen
Daz sie wol mochtend hon fursehen

T[illegible] das was ain lant
Daz was Atria genant
Von dem land hat man gesait
Daz es hett gross freyhait
Dar zů sait man auch wol das
Das weder kunig noch here da was
Die lawt lebtend on zwang
Ir freyhait was brait vnd lang
Kain her betrůbt iren mut

20/21

Taf. XVII: 37.1.1. Augsburg, Cod. I.3. 2° 3, 21v

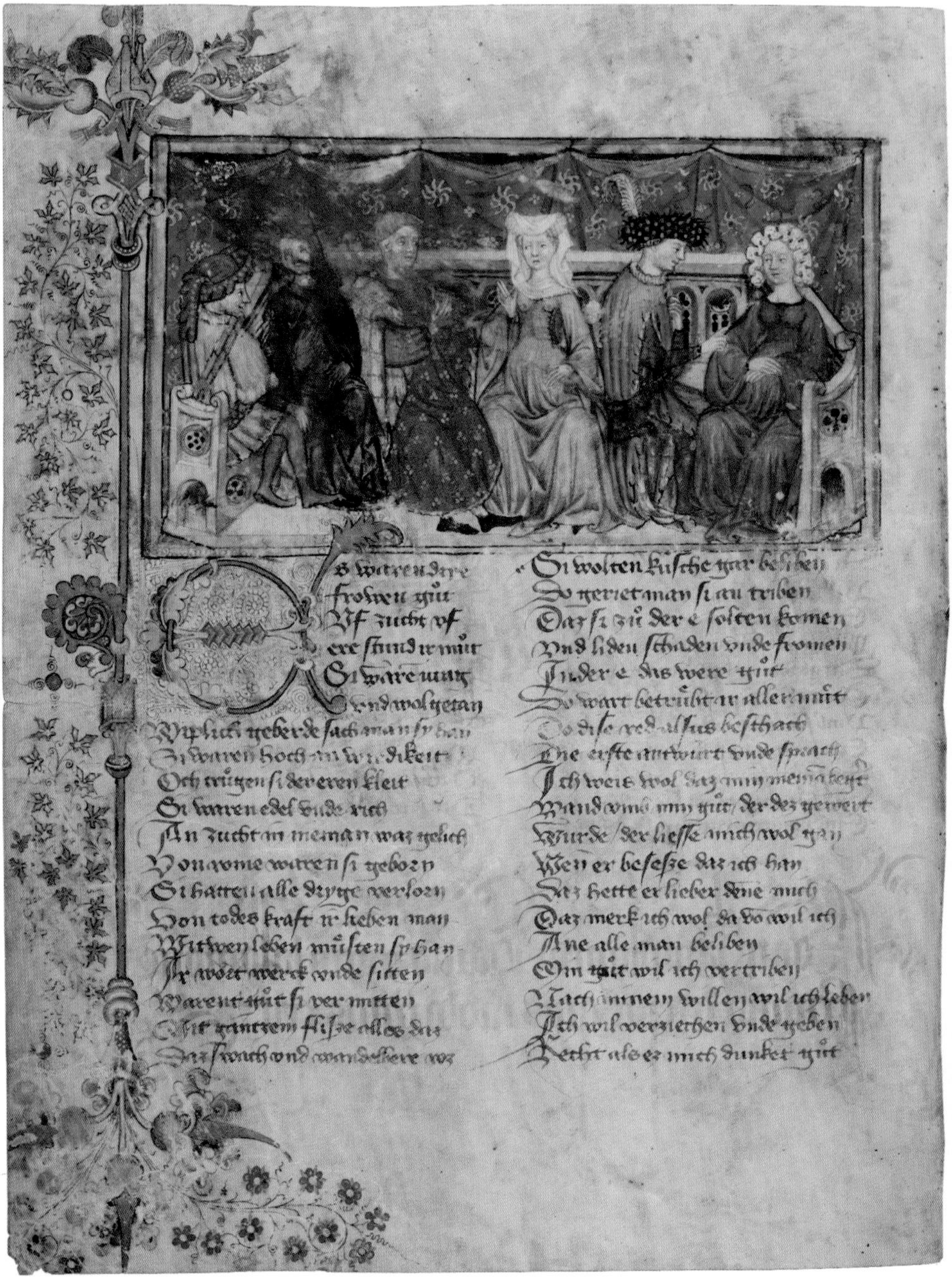

(E)s waren dri
frowen gůt
Vf zucht vf
ere stund ir můt
Si waren wis
vnd wol getan
[illegible] geberde sach man sy han
Si waren hoch in wirdikeit
Och trůgen si der eren kleit
Si waren edel vnde rich
An zucht in niemant waz gelich
Von rome waren si geborn
Si hatten alle dryge verlorn
Von todes kraft ir lieben man
Witwen leben můsten sy han
Ir wort werk vnde sitten
Waren gůt si ver mitten
Mit gantzem flisze alles daz
Daz swach vnd wandelbere waz

Si wolten kusche gar beliben
So geriet man si zu triben
Daz si zů der e solten komen
Vnd liden schaden vnde fromen
In der e daz were gůt
So wart betrůbt ir aller můt
Do dise red alsus beschach
Die erste antwurt vnde sprach
Ich weis wol daz min [illegible]
Man vmb min gůt der dez gewert
Wurde der liesse mich wol gan
Wen er besesze daz ich han
Daz hette er lieber dene mich
Daz merk ich wol da vo wil ich
Ane alle man beliben
Min zit wil ich vertriben
Nach minem willen wil ich leben
Ich wil verziehen vnde geben
Recht als ez mich dunket gůt

Taf. XVIII: 37.1.2. Basel, Cod. AN III 17, 17^{v}

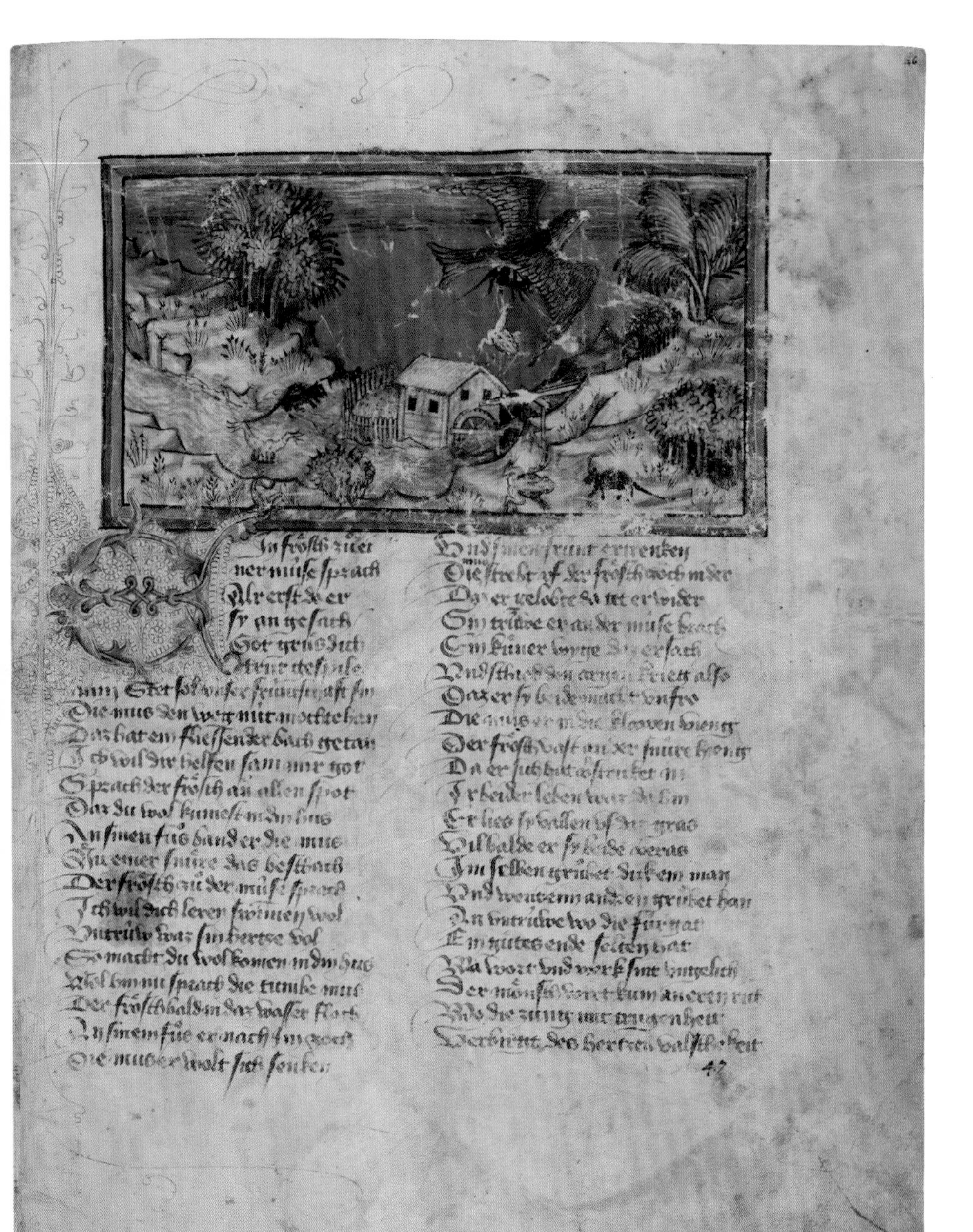

Taf. XIX: 37.1.2. Basel, Cod. AN III 17, 46r

Taf. XX: 37.1.15. München, Cgm 3974, 211^{v}

Die vil zu sich wollen wesen
Dy mugen zu stund kan genesen
Also ist den vogeln geschehen
Das sy wol mochte alle sehen

Dy in selb herschaft kauffen.

Il asya ist ein lant XXI.
Das was attrika genant
Von dem lant hat ma gesayt
Das es hat grosz freyheyt
Darzu sagt ma auch wol das
Das nit kunig noch her was
Dy lewt lebten one twanck
Ir freyheyt wert weit vn lanck
Kein her betreibet iren mut
Sie teten was sy daucht gut
Ir leip vn ir gut gefreyet was
An einander gunden sie pasz
Der eren vnd gewaltes grosz
Keiner wolt fur haben sein genosz
Vber dy satzten sy do.
Einen kunig des waren sye
Dem sy nicht mochte widerstan.
Keynen wandel mochten sy des geha
Gefangen was ir freyer mut
Es ist noch wol gut.
Welcher mensch im selber nit vertreit
Noch kein eren gan. vn macht im selbs
Vnd kumt er sol den clagen leit
Den schaden musz er selb tragen
Do der kunig kam in sei gewalt
Vnd in sein ere manigualt
Do gewan er der hern mut
Er wer clein pösz oder gut
alles das sein hertz begert.

vij

Vil pald sie vn des gewert
Das volck must eygen wese
Sy weren gern on kunig gewesen
In keiner mocht seine wille geha
Sy musten alle sein vntertan
Es weren tochter oder knecht
Dem kunig was es alles gerecht
Er wer herre oder frey
Sy musten im alle dynen pey der wey
Sy musten ymmer eygen sein
Er tet yn alle dy pein
Es ist noch wol scheiff mir got
Das er schaden leytt vn spot
Der im selber nit engan
Der eren dy er wol mocht geha
Vnd nit erkennet daz im ist wol
Der wirt gar oft sorgen vol
Vnd leydet not vnd arbeyt
Wem sol das wesen leyt
Er mag sprechen on wan
Dise not ich mir selb han geta
Ich was her nu pin ich knecht
Mir ist geschehen gar recht

wer frey ist das sich der
nicht zu eygen geb XXI.
Es was ein weyer frosch vol
Den was nach irer natur wol
Sy hetten wasser vnd velt
Vnd des genuncks on gelt
Sy waren vnbezwunge gar
Sy namen keins herren war
Nach freyheit stund aller ir mut
Ir leyb vnd ir gut trage
Ir freyheyt mochten sy nit be-
Sie gerieten alle zu clagen

21

Taf. XXI: 37.1.20. Wolfenbüttel, God. Guelf. 2.4 Aug. 2°, 21r

piter sprach es mag nit gesein· Jr habt erfullet dy
oren mein· Mit pete nu hab ich euch gegeben· Der
regiren kan ewr leben· Dem sult ir unterdenig we-
sen· wil er er lest ewr kein genesē· zwar euch gesch-

Taf. XXIIa: 37.1.a. Wolfenbüttel, 16.1 Eth. 2°, 19[r]

Das jm der lewo nach randt ·
Des kraft er wol erkant ·
Möcht er von dem wol sin genesen ·
Des bocks krafft wer clain gewesen.

Taf. XXIIb: 37.1.23. Wolfenbüttel, Cod. Guelf. 76.3 Aug. 2°, 76[v]

Taf. XXIIIa: 37.1.11. Karlsruhe, Cod. Donaueschingen A III 53, 1v

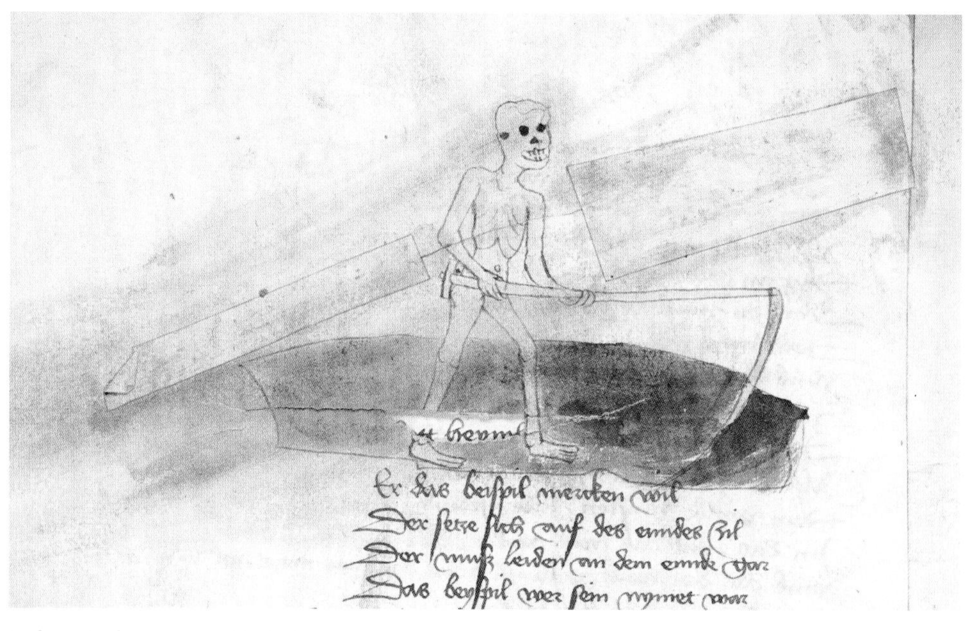

Er das beyspil merken wol
Der setze sich auf des endes zil
Der muss leiden an dem ende zwar
Das beyspil wer sein nymet war

Taf. XXIIIb: 37.1.22. Wolfenbüttel, Cod. Guelf. 69.12 Aug. 2°, 95v

Taf. XXIVa: 37.1.3. Bern, Mss.h.h.X.49, S. 154

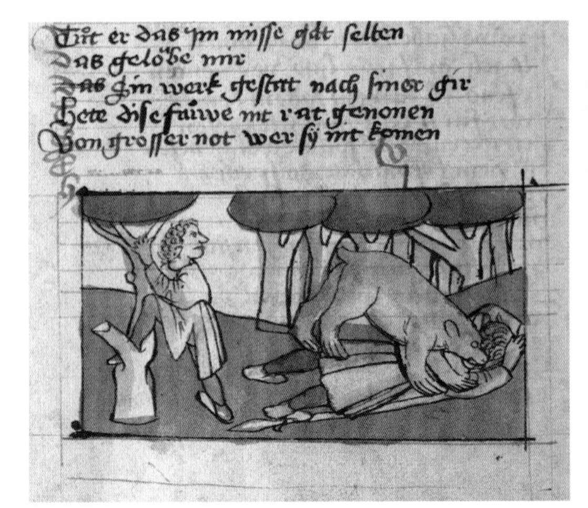

Taf. XXIVb: 37.1.10. Heidelberg, Cod. Pal. germ. 794, 64r

50.

Ain Aff sach wie ain scheffman gar snell an
dem maßpawm in dye hohe staig des geleichen
versucht der törsche aff auch zu tün · das mer
cket ain Rabb mit trewem vleiss Vnd spra
ch Mein pruder stee stille hye niden an deiner stat ·
Da [illegible] die hoch ain hoch sein Wann wie leicht dw zu
hoch stigest in ain frömdes reich das dir vnbethant
ist So sprichest dw mit swärem vall was du gesuntes
in dyr hast Vnd weist auch der deinen sinn wer raw
bet den trewen ratt verslug der aff vnd lieff mit eyl
übersich in hoche hoch Da cham in der swindel an
wanner was des hirnes kranch vnd viel er so ein
swinden vall das im sein gemirk so gar zerprach
das er den hymel nymmer mocht angesehen Darna
ch sach er seinen kunig mit purper adeleich geclay
det vnd auff den stul seiner magen krafft in hochen
eren Vnd als pald der chunig den sessel seiner wird
ravmet da sass der Aff gar begirleich auff den chu
nigkleichen thron da das ain fuchs gesehen hett ·

Taf. XXV: 37.2.3. Berlin, Ms. germ. fol. 641, 50r

Taf. XXVIa: 37.2.7. London, Ms. Egerton 1121, 97ᵛ

Taf. XXVIb: 37.2.7. London, Ms. Egerton 1121, 122ʳ

Taf. XXVIIa: 37.2.10. München, Cgm 254, 18[v]

Taf. XXVIIb: 37.2.10. München, Cgm 254, 32[r]

Taf. XXVIIIa: 37.2.9. Melk, Cod. mell. 551, 24[v]

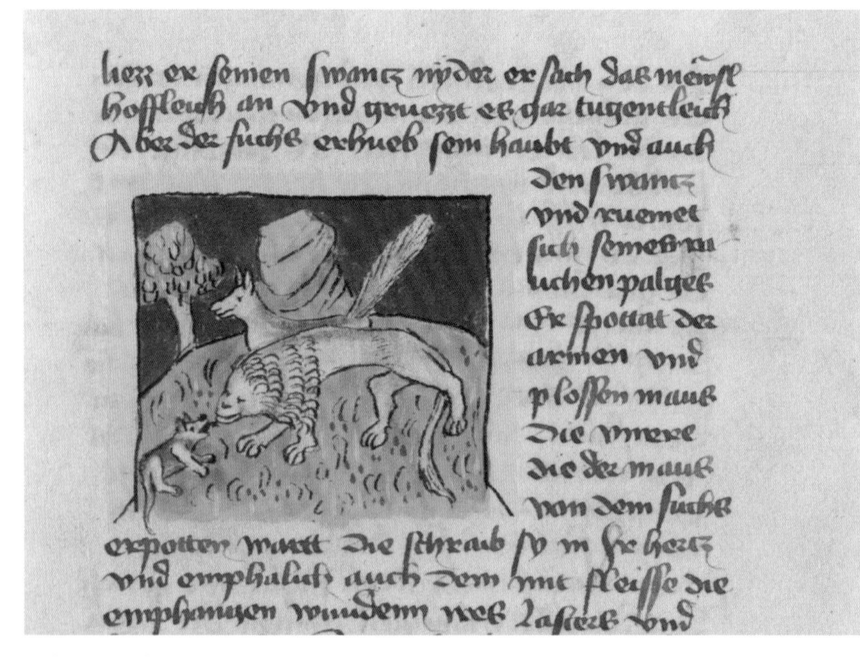

Taf. XXVIIIb: 37.2.2. Berlin, Ms. germ. fol. 459, 40[r]

Von ainem hann der sas auff ainem
pawm vnd von ainem fuchss der
dem hann her nach mit listen den
hals ab payss etc.

[illegible] in han erchannt in wolgeubt' mai-
ster schafft wie die hymellischen lewff
hört die stymm dayn wunnsammen
frewden Da sprach der han hohfertichleich
waist du nicht das ich für alles gefu-
gell begnadet pin mit verstantnüss
der hymelischen löff Vnd als pald ich
empfind das sich die lewff verchern
wellent das mach ich aller mänichleich
chundt an allen neyd mit gesanngs
frewer stymm Da sprach der fuchss mit
hoffleichem gespött Darumb als ich all pie
von dir vernomen hab So pist du auch
ain vas der hohen chunst die allain der
gar gödleichen geaigent ist Da das der
han erhört da ward er müttes reicher
wann er ee gewesen was vnd zwamalt
die stymm vnd chraut mit so lawtter
stymm das es hin vnd her erhall Da
hüb das hübsch fuchsslein an gar waiden-
leich zaütumeren nach hoffleichem sitten

Taf. XXIXa: 37.2.6. ehem. Konstanz, Privatbesitz, 41ᵛ

[illegible]
fur vns dy weisheit darnach schreibn wider wir wider dy
hochfart dy der grossmutikeit wider ist von der wir zu dem
andern schreiben darnach wider dy geitikeit mit der hoch
gulaigen gerechtikeit dy wir in dem dritten tail fur vns ne
men Zu dem vierden mal wider die lasterbarn vnchewsch
mit der loblichen messikeit dy wir in dem vierden tail aus
richten Also das da mit das vireckig reich das Nabuchodo
nosor sach in dem trawme mit dem stein vnsers hern Jhesu Christi
zu slagen vnd zu prochen werd Nu hebn wir vns pruchen an
vnd schreibn des ersten von dem laster der vnweise torheit
das ersten angesiten tugent der weisheit widerwertig ist

Taf. XXIXb: 37.2.12. München, Cgm 583, 1ʳ

16

hochsten sigk Aber in posenn
dingen peleibt er aller tugnt
vnuerzukhet Auch wisse
wer mit der flamen des zo-
rens pald entzundet wirdt
der stinkhet als ein swebel
in vinsterm fewrn Wenne
aber ain weiser an recht stat
Zu rechter zeit vnd von nötn
tzurnet der lewchtet als ein
chlares gold Darumb so ist
amer der vnbeschaidenleich
vnd vnweisleich als du vnge
herres pernwelff allhie an
alle not erzaigest tzurnet
wider dy andern nicht ands
dem ein stinkhund swebel
vnd ain matery des hellischn
fewrs Aber amer der mit
weishait tzurnet der lewcht
als ain karfunkhel den chain
vinster beschattet Damit endt
sich die red etc

Hast du yemandt gelaidigt
vor dem besorg dich alle zeit
Des dreyvndtzwaintzigisten
sprichwortz gleichnuzz ist dy
Ain hungeriger
fuchs do er in
grimmigs hungs
qual lieff auf
vnd nyder hin vnd her vnd
suchte mit vleiss sein speis
Do trat er vnpesichtichleich
auf ain vergifftige slangen
die in pisses vinster chroch
Do wart die slang in zorn
erzundet vnd pais den fux
gar neydichleich darumb
das er sey getreten het All
tzehannt pais der fuchs in
grymmigen tzorn hinwider
also das sich gemayn tzorn
mit gifftigen pissen pedent
halb in in vergie Darnach

Taf. XXX: 37.2.11. München, Cgm 340, 16r

Taf. XXXI: 37.2.14. New Haven, MS 653, 190[v]

Taf. XXXIIa: 37.2.14. New Haven, MS 653, 191^r

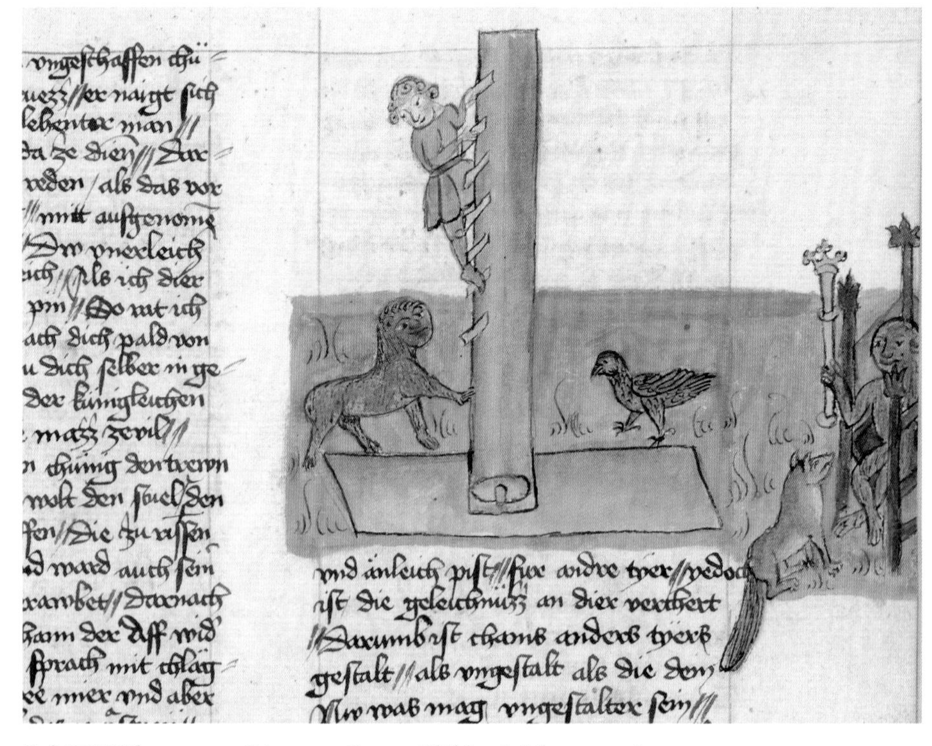

Taf. XXXIIb: 37.2.15. Princeton, Cotsen Children's Library 40765, 24^r

On straf mag luzel kint [illegible]
Wer mag on kinder [illegible] gnesen
Wer an der wen wol bestan
Der sal durch [illegible] und ablan
Er sal tun was im fugt wol
Der recht tut wirt selden vol
Wie vil ein mensch gutz tut
Es dencket die welt im [illegible]
Beschonet ist vil [illegible] gut
Der hertzen als giftig sind
Waz sy horen oder sehen
Das sy dartzu das poste [illegible]
Der sich vor den [illegible] kan
Es sein frawen oder man
Der mag wol frolich leben got
Kumpt er hin an aller spot

51\. Von einer frawen tet man das
Daz sy in [illegible] landen was
Ir [illegible] das was gros
[illegible] von was sy plos
[illegible]

Abb. 90: 37.1.5. Dresden, Mscr. Dresd. M. 67, 128[ra]

Der jnnan faul vn smeckent ist
Vn ist also ein grab gemalet wol
Daz jnwedig ist wurme vol
Ein aufrecht leben daz ist gut
Wer sich vor sunden hat behut
Vn wort vn werk geleich sind
Der mag wol werden gotes kind

44\.

Al dis geschach auf ein zil
Eins mals als ich uch sagen wil
Ein vnfrid stund auf der was groß
Der kaum der zehend genoß
Die tier sprachen in wer gegeben
Die erd auf der si solten leben
Vn werben vm ir speise
Die erd sprachent die vogel an
Si solten luft vn erde han

Abb. 91: 37.1.9. Heidelberg, Cod. Pal. germ. 314, 22rb

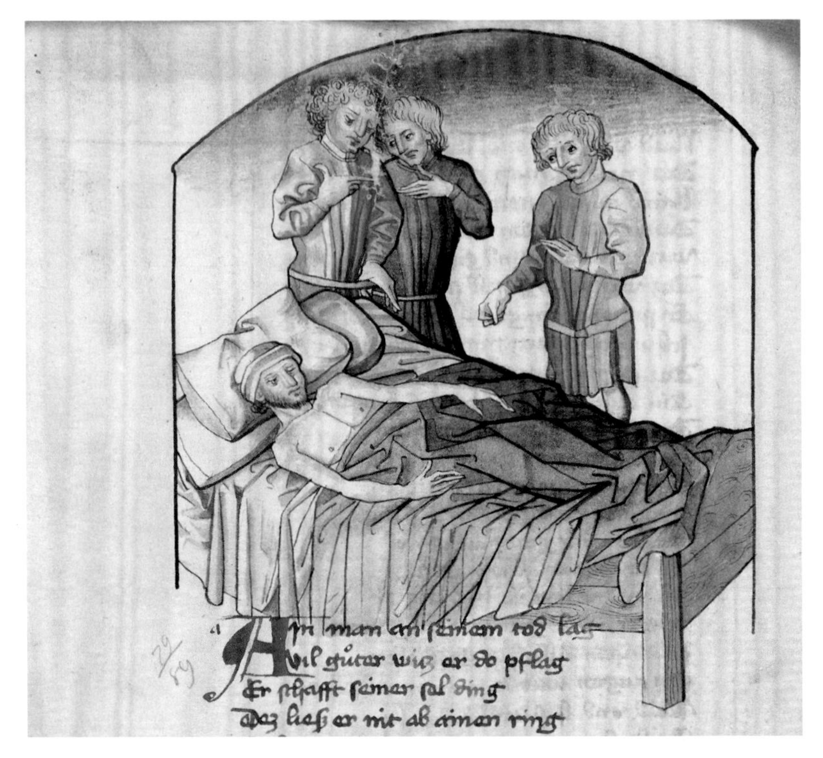

Abb. 92: 37.1.1. Augsburg, Cod. I.3. 2° 3, 90v

Abb. 93: 37.1.3. Bern, Mss.h.h.X.49, S. 190

Abb. 94: 37.1.6. Frankfurt, Ms. germ. qu. 6, 204[r]

Abb. 95: 37.1.8. Heidelberg, Cod. Pal. germ. 86, 9[v]

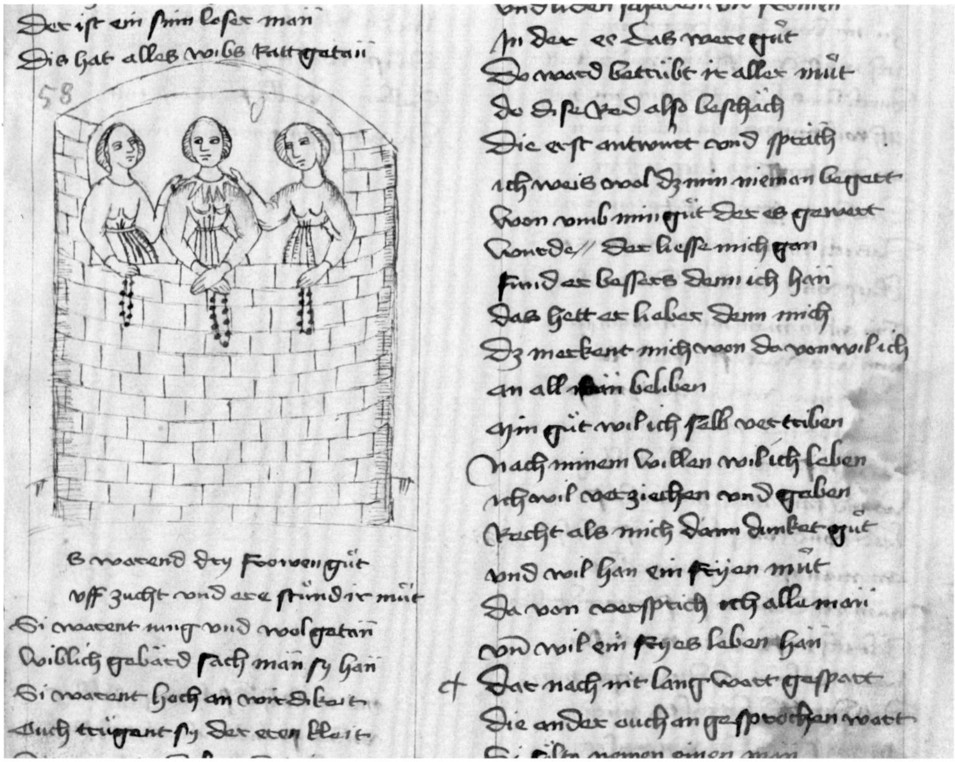

Der ist ein sinn loser man
Die hat alles [illegible] getan
58

Es warend dry frowen güt
Vff zucht und ere stünd ir müt
Si warent iung und wol getan
Wiblich gebärd sach man sy han
Si warent hoch an wirdikait
Ouch trügent sy der eren klait

[illegible]
In der es das ware güt
Do ward betrübt ir aller müt
Do dise red also beschach
Die erst antwurt und sprach
Ich waiss wol dz mir nieman begert
Won umb min güt der es gewert
Konde // der liesse mich gan
fürbas besser denn ich han
Das gelt ze haber denn mich
Dz merkent mich von da von wil ich
an all [illegible] beliben
Min güt wil ich selb vertriben
Nach minem willen wil ich leben
Ich wil verziehen und geben
Recht als mich dann dunket güt
Und wil han ein frijen müt
Da von versprich ich alle man
Und wil ein frijes leben han
Der nach mit lang wart gespart
Die ander ouch an gesprochen wart
[illegible]

Abb. 96: 37.1.17. St. Gallen, Cod. Sang. 643, S. 53

Dannoch [illegible]
wan es waz gefütert wol
[illegible] habern waz es vol
Otto Roth von [illegible]

Abb. 97: 37.1.19. Wien, Cod. 2933, 34v

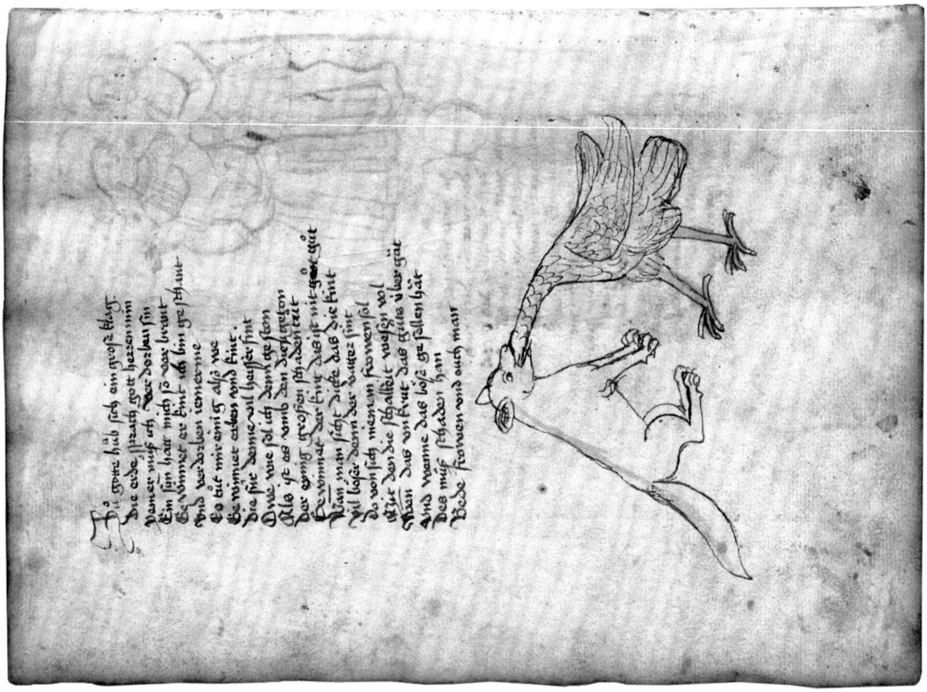

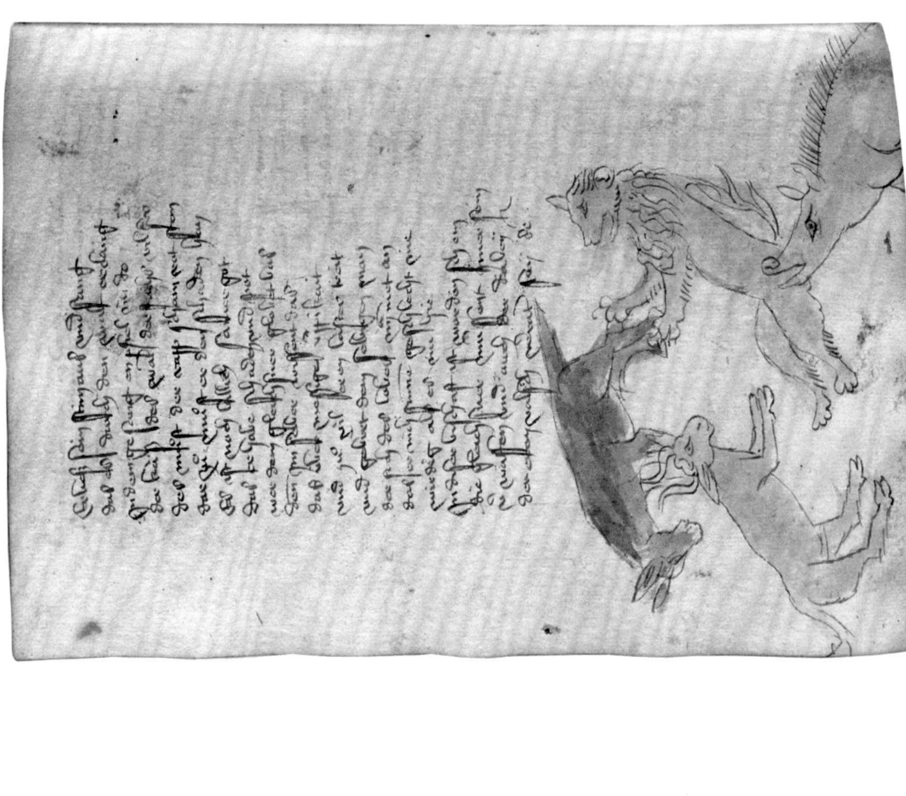

Abb. 98: 37.1.16. München, Clm 4409, 109v

Abb. 99: 37.1.14. München, Cgm 576, 10v

Abb. 100: 37.1.15. München, Cgm 3974, 166v–167r

Abb. 101: 37.1.23. Wolfenbüttel, Cod. Guelf. 76.3 Aug. 2°, 105^{v}–106^{r}

Abb. 102: 37.2.3. Berlin, Ms. germ. fol. 641, 56^r^

Abb. 103: 37.2.9. Melk, Cod. mell. 551, 73^r^